LITTÉRAIRE T'AMÉRIQUE

D1268312

(P) PREMIÈRE IMPRESSION

Québec Amérique est fière d'offrir un espace de création aux auteurs émergents; avec la mention « Première Impression », elle souligne la parution de leur premier livre.

Les Souliers de Mandela

Projet dirigé par Isabelle Longpré, éditrice

Conception graphique : acapelladesign.com
Mise en pages : François Hénault
Révision linguistique : Andrée Michaud et Diane-Monique Daviau

Québec Amérique
329, rue de la Commune Ouest, 3ᵉ étage
Montréal (Québec) Canada H2Y 2E1
Téléphone : 514 499-3000, télécopieur : 514 499-3010

Nous reconnaissons l'aide financière du gouvernement du
Canada par l'entremise du Fonds du livre du Canada pour nos
activités d'édition.

Gouvernement du Québec – Programme de crédit d'impôt pour
l'édition de livres – Gestion SODEC.

Les Éditions Québec Amérique bénéficient du programme de
subvention globale du Conseil des Arts du Canada. Elles tiennent
également à remercier la SODEC pour son appui financier.

Conseil des Arts   Canada Council
du Canada   for the Arts

SODEC
Québec

**Catalogage avant publication de Bibliothèque et Archives
nationales du Québec et Bibliothèque et Archives Canada**

Paventi, Eza
Les souliers de Mandela
(Collection Littérature d'Amérique)
ISBN 978-2-7644-2240-3 (Version imprimée)
ISBN 978-2-7644-2353-0 (PDF)
ISBN 978-2-7644-2354-7 (ePub)
I. Titre. II. Collection : Collection Littérature d'Amérique.
PS8631.A885S68 2013   C843'.6   C2013-941513-0
PS9631.A885S68 2013

Dépôt légal : 3ᵉ trimestre 2013
Bibliothèque nationale du Québec
Bibliothèque nationale du Canada

Imprimé au Québec

EZA PAVENTI

Les Souliers
de Mandela

ROMAN

Québec Amérique

Pour C.

Prologue

La lumière crue des plafonniers lui fait l'effet d'une douche froide. Elle se déplace à petits pas dans l'aéroport, son sac de voyage aussi lourd que sa tête. Elle est descendue à Johannesburg. Elle pourrait être à Sydney, Tokyo ou Helsinki. Ça n'a pas d'importance. Elle lance quelques regards à tout hasard. C'est étrange, aucun Noir ne se promène dans les corridors luisants de propreté. Une majorité invisible dans ce pays, suppose-t-elle. Elle cherche à travers la foule le responsable de son stage, un certain Thomas. Elle croit le reconnaître près d'une tabagie. Le jeune homme ressemble étrangement à l'image qu'elle s'est faite de lui après quelques échanges de courriels. Un grand brun, des cheveux en bataille, des lunettes noires à la monture carrée et un corps de félin. Il tient entre ses mains un carton sur lequel son nom à elle a été gribouillé à la hâte. Il va lui demander si c'est un pseudonyme, tout le monde lui pose la question. Fleur Fontaine. Qui peut trouver le courage de nommer son enfant ainsi? Sa mère, visiblement. Elle a traversé l'Europe à son âge avec, devant elle, la vie et un ventre bien rond. Tout s'est joué devant un champ de fleurs sauvages dans les Alpes. Était-ce à cause de l'odeur sucrée qui planait dans l'air à cet instant, des hormones ou du regard de l'homme à ses côtés? Voilà comment se dessine un destin, à petits coups de moments anodins. Et puis un jour, sans que l'on sache pourquoi, on se retrouve à l'autre bout du monde… Elle se dirige vers le jeune homme en lui souriant. Il la reconnaît sans lui poser de questions. Il lui enlève doucement son sac, la libérant ainsi d'un immense poids. Il lui souhaite la bienvenue d'une voix grave, en lui tendant la main. Une main douce avec des doigts effilés de pianiste et des ongles rongés au sang. Elle pousse un léger soupir. La fatigue. Ou peut-être le sentiment trouble de trouver un peu de réconfort dans les yeux d'un étranger.

Septembre

Première partie

(de mon stage)

Le long chemin vers la liberté

Je ne connais rien de l'Afrique. On croit savoir parce qu'on lit des livres, des articles dans les journaux, mais ces informations-là ne sont imprimées que sur du papier, pas dans le cœur. Et dans ce cas, on ne peut prétendre que l'on sait vraiment. Enfin, c'est ce qu'elle dit, Bongiwe. Lui donner raison, ce serait admettre que je ne connais rien d'elle, rien de son pays. Ce serait lui avouer que je ne peux ni comprendre sa façon d'aborder la vie, ni saisir la manière dont les gens pensent ici. Parce que ce n'est pas inscrit dans mon cœur. Et pourtant, lorsque je marche sur cette terre, ce petit bout d'Afrique au sud de l'hémisphère Sud, je devine son âme ravagée. Lorsque j'observe ce pays, avec mon regard du nord de l'hémisphère Nord, je vois des plaies que personne n'arrive à panser. Tiens, par exemple, il y a ces nouvelles rues propres dans le township de Soweto dont le nom évoque encore les sombres années de l'apartheid. L'agglomération construite en banlieue de Johannesburg, refuge des Noirs à une époque où on leur interdisait de circuler en ville sans permis, a tenté de se refaire une beauté au cours des années qui ont suivi la chute du régime. Mais ces maisons en briques rouges construites selon le même modèle, ou encore ce petit centre

Elle prononce son nom comme ça: Bonneguiwé

commercial devant lequel nous venons de passer, ce sont des sourires que l'on grimace pour maquiller la noirceur d'un esprit. Des façades qui ne servent qu'à masquer le reste, les centaines d'abris de tôle rouillée et de bois rongé qui se cachent derrière, leurs habitants coupés des services d'eau courante ou d'électricité, et partout au pays, des milliers d'êtres humains qui vivent avec moins de quelques dollars par jour. Ils portent tous un fardeau, la couleur de leur peau. La même que celle de Bongiwe. Des années après la fin de l'apartheid, ce sont des cicatrices qui ne s'effacent pas.

Bongiwe a tout de même de la chance, elle sait porter un fardeau avec élégance. Dans les rues de Soweto, elle marche d'un pas assuré, le dos cambré et les seins qui pointent vers le ciel de l'Afrique, comme s'ils étaient tournés en permanence vers un avenir plus clément. En la voyant traverser une rue envahie d'enfants qui frappent, pieds nus, un ballon de foot dégonflé, je lui envie son aplomb et sa grâce. Bongiwe, légère et lumineuse sous un soleil de septembre, me conduit jusqu'à la porte d'une des maisonnettes en briques rouges. «Entre», dit-elle en s'emparant de ma main. Une marque d'amitié à laquelle je n'arrive toujours pas à m'habituer. Ici, il est commun de se balader en se tenant par la main. Même les hommes le font entre eux. Quelques jours après mon arrivée sur le continent, je sursaute encore lorsque je sens les doigts de ma colocataire sud-africaine se glisser entre les miens. Mais j'aime voir ma main ainsi, ma main blanche entrelacée à sa main noire.

Nous pénétrons dans un foyer chaleureux, dont les murs sont recouverts de lattes de bois et décorés de photos. La maison de Mandela. Devant le lit qui est resté dans la chambre, devant le vaisselier et la table en bois dans la cuisine, on pourrait jurer qu'il a quitté les lieux la veille. On peut aussi y voir quelques-uns de ses vêtements, ses diplômes au mur et même ses chaussures usées. De vieux souliers au cuir craquelé, ceux de l'homme qui a marché sur le long chemin vers la liberté.

Il y a habité entre 1946 et 1962, puis 11 jours après sa libération en 1990

— Regarde cette photo de Madiba, dit Bongiwe avec son accent chantant.

Même si elle s'adresse toujours à moi en anglais, Bongiwe ponctue parfois ses phrases de petits claquements de langue qui rappellent sa façon de parler en xhosa, son dialecte maternel. Je prends un moment pour observer le portrait de Mandela qu'elle pointe du doigt, avant de lui demander pourquoi elle le surnomme ainsi.

— Tout le monde l'appelle par son nom de tribu ici. Vous, vous connaissez le grand Mandela. Mais pour nous, il est simplement Madiba, le père de notre nation.

— C'était un très bel homme, malgré son air sérieux…

— Cette photo a été prise pendant qu'il travaillait comme avocat dans un cabinet libéral, dans les années 50. Il était déjà très engagé dans la lutte contre l'apartheid.

Je me rends compte, en l'écoutant, à quel point je ne sais rien de la vie de cet homme avant ses années de prison. Pour la plupart des Occidentaux, l'histoire de Mandela commence derrière les barreaux. Bongiwe m'apprend qu'après quelques années de lutte pacifique, l'homme de tête s'est impatienté devant le peu de résultats de sa démarche et qu'il a fondé le *Umkhonto We Sizwe*, le fer de lance de la nation. C'est de cette façon qu'elle me traduit le nom de la branche militaire du parti de Mandela, l'African National Congress. (*Mieux connu sous l'acronyme A.N.C.*)

— Je croyais qu'il avait toujours été un grand pacifiste…

— Tss, tss, répond-elle en faisant claquer avec force sa langue sur son palais. Il a commandé beaucoup d'actes de sabotage à travers le pays avant de se faire emprisonner.

Chaque jour, je m'habitue un peu plus aux sonorités particulières de son accent, un étrange mélange de sons qui rappellent à la fois le parler jamaïcain et l'accent britannique.

— Viens voir par ici, propose-t-elle au bout d'un moment en se déplaçant devant un autre portrait.

Cette fois, je reconnais le vieil homme à la tête grisonnante et au large sourire, qui est devenu le premier président de l'Afrique du Sud libérée de l'apartheid, en 1994.

— Madiba est dans la cellule de sa prison à Robben Island sur cette photo. Tu vois comme il a changé ?

Bien sûr, sur ce portrait, Mandela paraît beaucoup plus vieux. Mais le changement le plus profond se détecte dans son regard. On pourrait croire qu'après autant d'années derrière les barreaux, celui-ci aurait dû se durcir, se déshumaniser. C'est pourtant le contraire que j'observe. Sur la photo où on le voit en jeune avocat, Mandela a des yeux de feu. Et sur celle-ci, je devine à travers son regard une âme calme, sereine. L'homme semble enfin avoir trouvé la paix.

— Toute sa colère, son impatience et sa haine ont disparu, fait remarquer Bongiwe.

— Qu'est-ce qui s'est passé ?

Elle me sourit, satisfaite, comme s'il y avait déjà longtemps qu'elle attendait ma question. À l'écouter parler, les vingt-sept années que Madiba a passées en prison lui auront été bénéfiques, nécessaires. Pendant la longue période de sa captivité, il s'est mis à apprendre la langue de l'ennemi, l'afrikans. Puis il s'est lancé dans la lecture de nombreux livres sur les <u>Afrikaners</u> et, plutôt que d'entretenir de la haine à leur égard, il s'est entraîné à développer un sentiment d'empathie pour eux. Bien sûr, cela lui a coûté au départ, mais petit à petit, il s'est mis à penser autrement, il s'est mis à penser comme eux.

Premiers colons à s'être installés au pays

— En prison, Madiba a compris la chose la plus importante pour nous : pour faire la paix avec son ennemi, il faut trouver le courage d'apprendre à le connaître et observer les faits de son point de vue.

— À t'entendre parler, on dirait que ça va de soi.

— Mais l'apartheid s'est terminé ici grâce à cette façon de penser. Madiba a su qu'il n'arriverait pas à faire tomber ce régime par la force, mais par le dialogue et la négociation. Et il a réussi! Ça lui aura pris vingt-sept ans, d'accord, mais ces années-là, il fallait qu'il les vive pour transformer sa colère en patience et sa fougue en sagesse.

Vingt-sept ans. Bongiwe n'a même pas vécu ce nombre d'années. Comment peut-elle savoir, du haut de ses vingt-deux ans, que la sagesse vaut mieux que la fougue, et que la patience peut être plus forte que la passion? Je suis son aînée de trois ans. Et je n'ai pas envie de savoir ce genre de choses. Pas maintenant. J'ai la peau trop lisse, le cœur trop énergique et la taille trop fine. Je ne veux pas sacrifier ces années de ma vie sur l'autel de la patience. Pas maintenant. Alors que les hommes me regardent et me désirent encore. Pas maintenant. Même s'il y a cette plaie que mon cœur énergique ne sait comment panser. Cette plaie que je maquille avec des sourires pour que personne ne la décèle, pour que personne n'y enfonce un autre couteau.

— On devrait y aller si on veut attraper Dudu avant son départ.

— Et qu'est-ce que tu disais hier, déjà? Que tous les Africains arrivent toujours en retard partout...

— Oh, mais «tous les Africains» est un groupe qui exclut ma tante, lance-t-elle désinvolte.

Je la regarde se diriger vers la porte avec cette démarche singulière, décidée et sensuelle, qui me fascine tant.

— Tu sais, dit-elle en sortant de la maison de Mandela, je voulais te raconter cette histoire parce qu'elle te sera utile dans mon pays. Ça demande beaucoup de patience pour vivre ici. Et il faut apprendre à savoir pardonner.

· · · · · · · ·

Dudu
(ou la désobéissance civile)

Sans jamais l'avoir rencontrée, je reconnais Dudu au loin. On dirait Bongiwe, avec une vingtaine d'années en plus. La même silhouette élancée. Le même long cou, fin et élégant, mis en valeur par sa tête rasée. Devant sa maisonnette en briques rouges, elle se promène, d'un plant fleuri à l'autre, dans sa robe jaune soleil. Dudu nous accueille avec un sourire aussi large que son parterre de plantes florales. La tante de mon amie est une combattante, à l'instar de plusieurs ici, qui a grandi dans l'ombre d'une légende. Sa demeure se situe à quelques pâtés de maisons de celle de Mandela, transformée aujourd'hui en musée. En entrant chez elle, je suis surprise par la propreté des lieux. C'est parce que je ne connais pas la pauvreté. C'est-à-dire que je connais la pauvreté de l'extérieur, mais pas de l'intérieur, ni celle des quartiers délabrés de mon Amérique du Nord, ni celle de l'Afrique. Alors, la pauvreté, je l'ai imaginée, et j'ai toujours pensé que la saleté en faisait partie intégrante. Mais au fond, pourquoi les pauvres seraient-ils nécessairement sales ? Dudu remplit un chaudron d'eau et fait craquer une allumette pour allumer un réchaud au gaz, installé sur le rond d'une cuisinière électrique.

— L'électricité ne fonctionne pas, précise-t-elle devant mon regard ahuri.

— Mais vous...

— Il y a tellement de familles privées d'électricité à Soweto que je n'ai même pas le temps de m'occuper de mon propre cas!

— Chez nous, on dit que les cordonniers sont mal chaussés...

Elle éclate de rire. Une mélodie joyeuse, aux intonations graves qui rappellent le timbre de voix de Bongiwe. La tante emprunte les mots de Shakespeare de la même manière que sa nièce, en laissant échapper de temps à autre de petits claquements de langue.

— Je crois que je vais adopter cette expression, elle me convient parfaitement!

Pendant que Dudu fouille dans une armoire à la recherche de sachets de thé, j'en profite pour sortir mon calepin de notes. Dès que Bongiwe m'a parlé d'elle, j'ai tout de suite pensé qu'elle ferait un bon sujet d'article. C'est pour cette raison que je suis ici. Officiellement, en tout cas. Selon les registres de l'université, je suis en train de faire un stage en journalisme. Selon ceux de l'ACDI, je suis en train de m'initier à la coopération internationale en faisant un stage en journalisme. Quant à moi, ce qui m'importe, c'est de me savoir à l'autre bout du monde.

— Thé noir ou vert? lance Dudu.

— Noir, merci.

Je me demande si elle remarque mon manque d'assurance. Cette femme qui se bat au nom des familles
privées d'électricité m'impressionne et je cherche
encore comment amorcer notre entretien. Je choisis
de jouer franc en lui avouant que notre rencontre
me servira à écrire mon tout premier article en
terre africaine et que j'espère arriver à rendre hom-
mage à son travail. Elle me sourit.

— Tu aimerais assister à un rebranchement cet
après-midi?

— J'espérais que tu le proposes, admet Bongiwe.

— Vous faites ça pendant la journée?

— C'est beaucoup plus facile pour les techniciens
d'opérer à la lumière du jour, précise-t-elle.

— Mais c'est... illégal?

— Je vais te dire ce qui devrait être illégal, s'en-
flamme-t-elle. Chaque mois, dans ce pays, des milliers de familles dans les townships se font enlever
leur accès à l'électricité. Ça, ça devrait être illégal!

— Et j'imagine que c'était encore pire pendant
l'apartheid...

— Eh bien non, justement!

Dudu m'explique que, contrairement à ce que je
pourrais croire, le nombre de familles sans électricité a augmenté après la fin du régime de l'apartheid.
À l'époque, les dirigeants fermaient les yeux quand
les Noirs n'arrivaient pas à payer les factures d'eau
ou d'électricité. Puisqu'ils subissaient déjà beaucoup

d'humiliations sous ce régime, le gouvernement savait qu'il avait intérêt à ne pas provoquer leur colère. Mais aujourd'hui, les retards ne sont plus tolérés.

— Mais je croyais que l'ANC s'était toujours battu pour que les Noirs vivent dans de meilleures conditions… Et maintenant que le parti est au pouvoir, pourquoi il ne fait rien pour aider ces familles-là?

— L'ANC a choisi de miser sur la privatisation, répond-elle avec une moue de désapprobation. Ici à Soweto, c'est une compagnie privée qui s'occupe de fournir l'électricité. Le gouvernement n'a plus rien à voir là-dedans. Alors les prix ont augmenté et si l'abonné ne peut plus payer, on coupe le service sans poser de questions.

— C'est injuste!

— Et c'est pour ça qu'on proteste…

Une sonnerie de cellulaire l'interrompt et Dudu s'empresse de répondre, à mon grand étonnement. Si j'avais eu à choisir entre l'électricité et le cellulaire, il me semble que j'aurais choisi l'électricité… Elle fait signe à Bongiwe de lui apporter son cahier noir sur la table de cuisine et s'empresse d'y noter un numéro de téléphone, avec un nom et une date.

— La femme qui vient de m'appeler, dit-elle en raccrochant, elle sort de l'hôpital avec un bébé naissant et ils viennent de lui couper l'électricité. Tu crois que ça a du bon sens? Moi, je m'en fous que ce soit illégal de la rebrancher. Je sais qu'elle en a besoin, alors je le fais, c'est tout.

— Vous courez beaucoup de risques en organisant des branchements illégaux?

— Je dois seulement m'assurer de ne jamais me faire voler ça, dit-elle en brandissant son carnet noir. C'est le cahier dans lequel je classe les cas par priorité.

— Et les techniciens qui font le travail?

— Si les policiers arrivent, ils ont l'ordre de se sauver. Dis-moi, demande-t-elle en regardant mon sac à dos, tu as un appareil photo là-dedans?

— Oui... Mais si je prends des photos, ça me paraît...

— Illégal? avance-t-elle avec un sourire.

— Non, imprudent!

Dudu éclate de rire de nouveau, en lançant un clin d'œil à Bongiwe.

— Et tu crois que c'est prudent, voler de l'électricité?

. . . .

Quelques notes

Avant d'arriver ici, je savais que
l'apartheid était un régime basé sur
la ségrégation et la discrimination
raciale. Mais je ne savais pas que :

Le régime a été mis en place en <u>1948</u> par le Parti national des
<u>Afrikaners</u>.

> Les Afrikaners sont les descendants des colons hollandais
> venus s'établir sur la péninsule du Cap en 1652.
> Ils parlent l'afrikaans, une langue dérivée du néerlandais...

En <u>1806</u>, la Grande-Bretagne devient la nouvelle puissance coloniale.

Les politiques discriminatoires envers les Noirs ne cessent d'empirer
jusqu'au milieu du 20ᵉ siècle, peu importe si ce sont les Anglais ou
les Afrikaners qui sont au pouvoir.

L'apartheid s'articule autour de la division politique, sociale,
économique et géographique de la population sud-africaine
répartie en quatre groupes :

— Les <u>Blancs</u> : descendants d'immigrants européens, parmi
lesquels on distingue les Afrikaners (60 % de ce groupe racial)
et les Anglo-Saxons (40 %) d'origine britannique. Ils représentent
un peu plus de 21 % de la population sud-africaine au moment
de la mise en place de l'apartheid.

— Les <u>Indiens</u> : descendants des travailleurs recrutés en Inde par
les Britanniques et engagés dans les plantations de canne à sucre.
Ils représentent moins de 3 % de la population.

— Les <u>Coloured</u> (ou métis) : terme anglo-sud-africain qui désigne
les populations mélangées en Afrique du Sud, issues d'unions
interraciales entre Européens et Africains ou Indiens.
Il représentent environ 9 % de la population sud-africaine
au moment de l'apartheid.

— Les <u>Noirs</u> ou Bantous : ils représentent près de 67 % de la
population sud-africaine au moment de la mise en place de
l'apartheid. Ils se répartissent entre une dizaine d'ethnies
et la majorité d'entre eux vivent sur des territoires ruraux.

L'apartheid a été officiellement aboli en 1991, entre autres grâce aux nombreuses pressions internationales. La Canada a joué un rôle actif dans ce cas.

Apartheid = mot afrikans qui signifie « Séparation »

Une des conséquences concrètes du régime? Des quartiers entiers de Johannesburg sont rasés et les Noirs qui y vivaient sont déportés dans des townships des environs:

L'opération Lumière

Je pénètre dans le cœur de Soweto assise sur la banquette usée d'un vieux camion, entre Dudu, qui gesticule dans tous les sens, et un technicien à la conduite téméraire qui tente de déchiffrer ses indications nébuleuses. Chaque fois que nous roulons sur un nid de poule, j'entends Bongiwe glousser à l'arrière du camion. Je l'aime bien, ma colocataire sud-africaine, qui vient de quitter son village natal pour habiter la métropole. Première de sa lignée à pouvoir étudier à l'université, elle s'est vu offrir par le coordonnateur de mon stage une chambre dans l'appartement que je partage avec d'autres Canadiens. Grâce à elle, je découvre Soweto, où je n'aurais jamais osé m'aventurer seule, de l'intérieur. Installée dans la boîte du camion avec l'autre technicien et le matériel qui servira au branchement de l'électricité, elle envoie, désinvolte et spontanée, la main aux enfants qui nous regardent passer en levant leur pouce en l'air. Parfois, l'un d'eux crie : «Vive l'opération Lumière!»

Les gamins se déplacent rarement seuls, ici, comme si on apprenait très tôt dans ce pays qu'il n'y a pas de survie sans solidarité. En tournant le coin d'une rue, il nous arrive de temps à autre de croiser une bande de jeunes qui surgissent de nulle part, traversent la route et disparaissent de nouveau dans les profondeurs de Soweto. Leur cité ressemble à une immense plantation de petites maisons en briques rouges. Des maisons qui s'étendent à perte de vue dans un horizon plat sans arbres, ni édifices. Comme si ce ciel bas rappelait chaque jour aux habitants qu'il ne fallait pas espérer trop fort, ni regarder trop haut en imaginant son futur lorsqu'on vit au township.

Nous nous arrêtons devant l'une de ces «boîtes d'allumettes», comme on les surnomme ici. Des habitations dont l'intérieur se divise de la même façon, en deux chambres et une cuisine. Neuf personnes habitent dans celle-ci: une grand-mère, une mère et ses sept enfants. Le mari est disparu un jour et n'a plus donné de nouvelles. Il a laissé derrière lui les factures impayées et des cicatrices sur le corps de sa femme. Peut-être aussi qu'il lui a laissé beaucoup d'amertume, mais dans son regard usé, je ne perçois que de la fatigue. Et plus vraiment de place pour le reste. En voyant ses petits patauger dans un bassin d'eau sale, en voyant leurs vêtements avachis et déchirés épars sur la terre battue, je me trouve naïve d'avoir cru que l'injustice avait pris fin en même temps que l'apartheid dans ce pays.

Là d'où je viens, dans les présentoirs des épiceries, des tabagies ou des pharmacies, on retrouve une multitude de magazines. Entre des histoires d'amours naissants, le récit de divorces épiques ou de pertes de poids spectaculaires, on peut parfois y lire un encart sur une star qui visite un coin ravagé de la planète. Une star à la chevelure souple et aux vêtements savamment décontractés qui regarde avec

compassion des enfants sales sourire à pleines
dents. Et c'est ainsi que je me sens, lorsque j'entre
en contact avec leur univers à eux, comme l'une de
ces icônes occidentales qui s'avance dans une scène
parfaite pour un magazine. Seulement, ici, les enfants ne sourient pas à pleines dents. Et mon regard
n'est pas celui d'une personne remplie de compassion, mais plutôt de gêne. Devant la scène des petits
qui jouent dans le bassin d'eau trouble, c'est de la
gêne que j'éprouve. Ainsi qu'une autre sensation,
celle de jouer le rôle d'un voyeur venu surprendre
une famille dans sa pauvreté la plus intime. Je dois
prendre des photos, je l'ai promis à Dudu. Des clichés de la maison, des enfants, des conditions dans
lesquelles ils vivent. J'en suis incapable.

parce qu'ils sont tjrs sales dans ces revues...

La grand-mère sort de la demeure avec une bouteille
de Coke et des <u>verres</u> qu'elle pose sur une table de
plastique jaunie par le soleil. D'un sourire poli, je
refuse la boisson qu'elle me tend.

mal lavés! eurk!

— C'est un honneur pour elle de te recevoir, chuchote Bongiwe à mon oreille, et c'est le seul moyen
qu'elle a pour te le prouver. Accepte-le !

Je prends le verre en remerciant la vieille dame
d'un signe de tête. Les techniciens boivent leur
Coke cul sec, avant de se diriger vers l'endroit où
les fils d'électricité ont été coupés. Ils sont suivis
par les enfants, la mère, la grand-mère et des voisins attirés par l'événement. Bientôt, nous formons
un cercle autour des deux hommes qui examinent
minutieusement la boîte électrique.

— Ça peut s'arranger ! lance l'un d'eux.

Tout le monde se met à applaudir. Le bruit attire d'autres voisins, qui s'empressent de se joindre à nous. Je retrouve Dudu.

— Vous ne pensez pas qu'on commence à faire trop de bruit? Ça pourrait alerter la police...

— Oh, ne t'inquiète pas trop pour ça, laisse-t-elle tomber.

Et comme si tout ce boucan ne leur suffisait pas, les techniciens enfilent à présent chacun un t-shirt noir sur lequel on peut lire, en lettres d'un rouge flamboyant: *THE SOWETO ELECTRICITY CRISIS COMMITTEE.*

Le SECC

— Qu'est-ce que tu crois, poursuit Dudu sur un ton amusé, les policiers aussi sont entourés d'amis et de familles qui n'arrivent pas à payer les factures!

Du coup, me voilà précipitée au milieu d'une scène qui n'est plus triste du tout. Les hommes commentent les gestes des techniciens en fumant des cigarettes pendant que les femmes, protégées du soleil sous de grands parasols colorés, se mettent à jour dans les histoires du quartier. Tous, on dirait qu'ils se sont rassemblés pour assister à un match de foot pendant que les enfants s'amusent à courir d'un bout à l'autre du terrain.

— Vive l'opération Lumière! crie fièrement un petit qui s'arrête au milieu de sa course, en levant son pouce en l'air.

Dudu me glisse à l'oreille qu'il serait temps de prendre des photos. Je sors l'appareil. De ce moment, je tente de capter la bonne humeur des gens, leur solidarité devant ce geste illégal posé en plein jour. Je saisis des sourires, des enfants qui applaudissent devant les jeux d'adresse des techniciens. Je suis si concentrée que je ne perçois pas les rires s'estomper et que je n'entends pas les cris violents qui fendent l'air au loin. Bongiwe me retire doucement l'appareil des mains. De l'autre côté de la rue, un homme hurle en marchant dans notre direction. Dans sa main droite, une bouteille de verre brisée qu'il brandit comme une arme. L'individu gagne du terrain en criant dans une langue que je ne comprends pas. Du xhosa? Du zoulou? Sûrement l'une des deux langues indigènes les plus parlées dans la région, mais je ne saurais dire laquelle. Peu importe la signification des mots qu'il emploie, je devine chacun d'eux teinté par la haine. Et cela suffit pour faire naître la peur. Je trouve une explication. Il doit confondre les techniciens avec des hommes de la compagnie d'électricité et il s'apaisera dès qu'il comprendra sa méprise. Mon explication ne tient pas la route parce que l'individu, parvenu jusqu'à notre petit groupe, ne prête aucune attention à ces derniers. Sa haine n'est dirigée qu'envers une seule et unique personne: moi. Je demeure immobile, incapable de trouver comment réagir devant sa bouche qui crache des insultes à quelques centimètres de mon visage. Je ne sais plus où regarder. Parce que je ne connais pas les mots qui pourraient le calmer, je lui souris. De l'huile sur le feu. Sa colère décuplée. Dès qu'il lève la main avec son arme de verre, je sais qu'il va frapper. Courir ou le supplier de ne rien faire, je n'y arrive pas. Les jambes sciées en deux et le cœur qui se débat comme un animal pris au piège, il ne me reste plus qu'à poser le seul acte possible : fermer les yeux. J'entends le cri d'une femme. Quelqu'un s'empare de mon bras et me précipite violemment quelques mètres plus loin. Bongiwe. J'ouvre les yeux. Un technicien tient emprisonnée la main armée de l'intrus pendant qu'un voisin s'adresse à l'homme d'un ton calme et ferme. L'individu finit par baisser le bras et il laisse tomber la bouteille par terre.

— Ne t'en fais pas, me glisse une voisine à l'oreille, il n'a pas toute sa tête, tu comprends, il est malade. Ce n'est pas de sa faute.

— Ça va ? demande Bongiwe.

Je ne sais pas. Non. Ça ne va pas. J'ai l'impression que l'on vient de me démasquer. Je regarde mon agresseur s'éloigner, entouré de voisins qui le reconduisent chez lui. Comment te l'avouer, Bongiwe ? Cet homme, il a deviné ce qu'aucun d'entre vous n'a compris. Dans ton pays, je suis un imposteur.

. . . .

Un petit malheur

Elle tape les mots comme s'il s'agissait d'un jeu, comme s'il lui fallait se distraire à tout prix pour survivre à un autre après-midi sans fin. Coopération internationale. Stage. Afrique du Sud. Journalisme. Il est deux heures. Elle vient de passer la matinée en pyjama, à regarder le monde passer. En voyant des voitures rouler vers une destination, des piétons marcher dans une direction et la vie continuer sans l'attendre, elle a pleuré. Cela lui arrive chaque jour à présent. Les raisons varient. Le désarroi. La fatigue. Ce sentiment incessant d'oppression. L'inertie. L'inertie surtout. L'impression d'être condamnée à vivre une succession de journées pleines de vide. Elle a pensé à l'Afrique. Elle a pensé qu'elle pourrait aller y noyer un petit malheur individuel dans un grand malheur collectif. Puis elle s'est souvenue de cette affiche, épinglée sur le babillard dans le local du journal étudiant, annonçant un stage de journalisme en Afrique du Sud.

Un premier lien lui apparaît, qui la conduit sur le site du programme. Elle trouve sans peine le formulaire en ligne à télécharger. «Quelle est votre motivation à participer à ce stage?» Le curseur clignote inutilement sur l'écran. Son mouvement se transforme en un murmure oppressant: «Tu vois, tu n'as rien à dire, laisse tomber ton petit jeu stupide.» Son regard se détache de l'écran et se met à suivre le chemin que tracent les fissures sur les murs de sa chambre. Comme si la réponse se cachait dans ces petites brèches de néant. Comme si la réponse était inscrite sur ces murs qu'elle a peints de couleur jaune, un jour, dans un excès de désespoir. Elle a cru que la couleur allait l'aider à redevenir heureuse. C'était avant que la peinture ne se mette à craquer de partout. Comment a-t-elle arrêté d'avoir envie de tout? Elle ne sait plus. Cela s'est produit progressivement. Elle s'est mise à vivre dans l'ombre d'un grand érable de la rue Saint-Denis, un arbre qui se dresse entre la fenêtre de sa chambre et le monde extérieur. Le monde extérieur, cet univers dans lequel il se promène, lui, libre et heureux, sans penser à partager un peu de sa peine. Gregory Filozinsky. Il l'a larguée en lui confiant la responsabilité de pleurer seule la fin de leur couple. De toute façon, comment pourrait-il trouver le temps de s'atteler à cette tâche? Entre sa carrière en pleine expansion, sa nouvelle copine et les fêtes organisées par leurs amis communs, qu'il continue de côtoyer avec sa stupide Lolita-aux-yeux-de-chien-de-poche, vraiment, comment pourrait-il trouver du temps pour s'attrister? Il semble beaucoup trop occupé à conquérir le territoire de la ville. Si elle ne le croise pas par hasard dans le quartier, ce sera à la télé ou sur la page d'un hebdo qu'elle se heurtera, une fois de plus, à sa gueule de jeune premier. Continuer à fréquenter leurs endroits préférés, dîner avec leurs meilleurs copains et marcher dans les corridors de son employeur à elle, ce n'était pas assez... Il lui fallait aussi prendre d'assaut tout cet espace médiatique! Ainsi, il s'assurait de ne lui laisser aucun endroit pour respirer, aucun endroit pour arriver à l'oublier... Sauf peut-être dans cette petite chambre aux murs jaunes et craquelés, cachée derrière un érable de la rue Saint-Denis. En se libérant d'elle, il a développé une nouvelle dépendance au succès. Pour les autres, il est devenu la saveur du mois, un acteur prometteur que tout le monde s'arrache. Cela passera, elle le sait. Mais en attendant, chacune de ses photos, chaque article sur son travail, chaque rire en entrevue lui rappellent avec cruauté ce qu'elle cherche à oublier: leur rupture lui va à merveille. Pourquoi un stage en Afrique du Sud? Parce que c'est à l'autre bout du monde.

. . . .

Les nuits de Johannesburg

Derrière le volant de la voiture louée, Bongiwe garde en silence les yeux rivés sur l'autoroute. Le trajet du retour entre Soweto et Johannesburg me paraît mille fois plus long que celui de l'aller. J'aimerais l'entendre chanter. Lorsqu'elle n'a pas envie de répondre à une question, lorsqu'elle se sent triste ou joyeuse, Bongiwe chante. Elle dit que c'est à cause de ses ancêtres. Pendant des années, ils ont fredonné partout. Dans les rues. Dans les champs. Dans les mines. Dans les prisons. Parce qu'ils n'arrivaient pas à s'expliquer les injustices de l'apartheid, ils chantaient. Des chants qui faisaient rêver à la liberté et oublier les abus dont ils étaient victimes. Et je voudrais tant, en ce moment, que Bongiwe fouille dans son patrimoine pour y trouver le bon refrain. Ce refrain qu'elle entonnerait de sa voix chaude et qui viendrait effacer les souvenirs de l'homme à la bouteille de verre cassée.

Nous ramenons la voiture à la compagnie de location en fin d'après-midi et rentrons à pied à l'appartement, en nous dépêchant pour devancer la brunante. À Johannesburg, tout devient dangereux dès que le soleil montre quelques signes de faiblesse. C'est le moment de la journée où les honnêtes citoyens quittent les trottoirs de la ville pour laisser la place aux gangs de rue. La première règle que j'ai apprise à mon arrivée ici est qu'une femme ne doit jamais se promener seule le soir, encore moins la nuit. Le coordonnateur du stage, un Montréalais d'origine qui vit à Johannesburg depuis deux ans, m'a aussi conseillé de sortir sans portefeuille, sans carte de débit ou de crédit. Le truc, m'a dit Thomas, est de mettre un peu d'argent dans ses poches et le reste dans ses souliers. «De cette manière, si un voleur te braque, tu lui donnes les rands qui sont dans tes poches, mais tu ne perds pas le reste», a-t-il conclu comme s'il s'agissait d'une évidence. Il faut dire que l'immeuble dans lequel j'habite avec Bongiwe et les autres stagiaires se situe dans un quartier chaud de la métropole, Yeoville. Un quartier qui abritait des ouvriers blancs pendant l'apartheid et qui s'est transformé en un lieu multi-ethnique par la suite. Aujourd'hui, Yeoville se remplit chaque jour de vendeurs itinérants qui racontent aux passants, inlassables, pourquoi leurs bananes, leurs cigarettes ou leurs canettes de boissons gazeuses sont meilleures que celles du concurrent. Mais les perles de ce faubourg coloré, ce sont ces femmes africaines qui se baladent l'après-midi avec leur enfant sur le dos, enroulé dans une serviette de bain nouée au milieu de leur poitrine généreuse. J'aime les voir marcher d'un pas sensuel, sous le soleil de l'Afrique, pendant que l'enfant se laisse bercer par le ballottement de leurs hanches, aussi grandioses que leurs seins.

Arrivées devant notre immeuble, il faut déverrouiller trois grilles cadenassées. La première se situe à l'entrée principale, la seconde à l'entrée du deuxième étage, et la dernière, devant la porte de notre appartement. Ce qui me semble tout à fait inutile puisque notre logement est pratiquement vide. Qui voudrait d'une batterie de cuisine dépareillée, d'un matelas jauni par les années ou de l'un des vieux divans bruns du salon? D'accord, je sais bien que les enfants de la rue ayant élu domicile dans les marches de notre building, ils en voudraient bien, eux, de ces objets vétustes. Tout de même. Je suis fascinée par l'obsession qu'ont les gens de cette ville de vouloir se protéger de tout, à tout prix.

En rentrant, nous retrouvons Paul au salon, plongé dans la lecture de son livre au titre absurde, *L'apartheid avant l'apartheid*. Il lève le nez de son bouquin quelques secondes, le temps de nous saluer, et s'empresse de retourner à sa lecture. Je n'aime pas Paul. Un rachitique rouquin de six pieds et quatre pouces qui marche le dos courbé et la tête penchée vers l'avant, comme s'il l'avait tellement bourrée d'informations qu'elle était devenue trop lourde à transporter. En plus, il vient de l'Ontario... Isabelle et Avril nous rejoignent avec un chaudron de soupe à la courge, du pain et des bols pour tous. Parce que les salles à manger et les tables de cuisine n'existent en Afrique que chez les familles bien nanties, nous prenons chaque soir un repas en commun assis par terre dans le salon, autour d'une longue table basse. Un autre de ces détails qui me fait apprécier la vie ici, une vie qui ne ressemble en rien à celle laissée en plan là-bas. La vie dans le nord de mon Amérique du Nord où l'on ne retrouve que des tables de cuisine, des repas en solitaire et des larmes ravalées.

J'avoue que ce n'est pas une bonne raison pour le détester.

Isabelle s'assoit à mes côtés, un peu trop curieuse, comme d'habitude.

— Alors, comment ça s'est passé à Soweto?

Depuis le début du stage, la jeune Acadienne fait preuve d'un enthousiasme essoufflant. À dix-neuf ans, elle porte sans complexes un surplus de poids et trouve toujours un prétexte pour s'émerveiller ou rigoler de tout. Je jette un coup d'œil en direction de Bongiwe, qui continue de manger sa soupe en silence. À aucun moment pendant le trajet du retour, nous n'avons reparlé de l'incident. Par pudeur. Ou par manque de courage. Je ne sais trop. Je choisis de taire ma mésaventure avec l'homme à la bouteille, en racontant plutôt l'ambiance joyeuse dans laquelle les techniciens ont posé leur geste illégal. Un récit ponctué par les éclats de rire d'Isabelle. À ses côtés, Avril, filiforme et délicate, paraît d'autant plus taciturne. Ses yeux ont adopté la couleur du ciel de la côte du Pacifique, là d'où elle vient. Un ciel bleu sombre qui ne craint plus, depuis fort longtemps, les orages et la furie de la mer. Nous avons presque le même âge, mais Avril semble avoir vécu mille siècles de plus. Je préfère de loin son silence contenu au rire d'Isabelle, volatil et joyeux. Un rire, pour paraphraser Kundera, d'une insoutenable légèreté. Je déteste entendre ces petites notes cristallines ponctuer nos conversations et me rappeler l'insouciance perdue. Je suis tentée, chaque fois, d'agripper Isabelle par les épaules et de la brasser jusqu'à ce qu'elle comprenne. Ça ne durera pas, cet état de grâce dans lequel elle traverse la vie. Un jour, pour elle aussi, tout s'effondrera. J'aimerais pouvoir lui expliquer à quel point c'est pire quand on se croit douée pour le bonheur. Un jour, à elle aussi, cela lui arrivera. Ses réserves de sérotonine tomberont à sec, mais elle ne l'aura jamais vu venir parce que lorsqu'on rit comme Isabelle le fait, on ne détecte pas les signes précurseurs d'un tel tsunami.

Thomas nous rejoint après le repas avec des provisions pour la soirée : whisky, bière et marijuana. Une routine rapidement installée entre le coordonnateur du stage, qui vit à quelques mètres de notre appartement, et nous. Lorsque les grincements de la grille protectrice se font entendre dans le corridor, Bongiwe file dans sa chambre attraper sa collection de trente-trois tours, un héritage d'une vieille tante militante, et elle revient s'installer au salon à côté du vieux tourne-disque. Grâce à elle, je redécouvre Tracy Chapman, Sting et Bob Marley. Des versions mono, un peu grinçantes, mais avec cette texture sonore irremplaçable, qui génère un vague sentiment de réconfort chez moi. Si j'étais née plus tôt, les mélodies auraient sans doute le pouvoir de me plonger dans une douce nostalgie. Même si je n'ai pas connu l'époque du vinyle, elles produisent un effet similaire, une sorte de nostalgie synthétique.

Devant Thomas qui sert le whisky, je m'enfonce au creux d'un des vieux divans. Il hésite un moment, puis il choisit de s'installer à mes côtés. Je cogne mon verre contre le sien avant de le porter à mes lèvres. Mes joues s'empourprent. La chaleur du whisky. Ou peut-être le regard de Thomas ? Il a des yeux colibri, avec des cils qui battent l'air promptement, comme s'il était constamment à la recherche d'un autre regard où se poser. Ça lui arrive rarement de trouver. Par crainte de se faire happer, je suppose. Avec un peu de marijuana, il y parvient plus facilement. Lorsque cela se produit, lorsqu'il vient butiner jusqu'à mes prunelles, je n'ai plus l'impression d'être un fantôme.

La veillée s'étire jusqu'au petit matin. Une soirée dont le souvenir viendra se confondre à celui des autres. Comme si ces fêtes, dans ma mémoire, faisaient partie d'une longue séquence n'appartenant qu'à une seule nuit. Demain matin, j'aurai oublié nos conversations. Je me souviendrai peut-être qu'il aura été question de ce port dans lequel je viens d'échouer, ce pays en reconstruction perpétuelle. Thomas et Paul en discutent régulièrement. Thomas, parce qu'il vit ici depuis deux ans et qu'il se considère comme un témoin privilégié des enjeux auxquels font face les Sud-Africains. Paul, parce qu'il lit beaucoup et qu'il adore répéter des idées glanées dans ses ouvrages. Je n'écoute jamais ses litanies monocordes. Comment accorder de l'importance à tous ces faits, à toutes ces statistiques qui font référence à une époque à laquelle je n'étais même pas née ? J'éprouve déjà de la difficulté à me soucier des événements qui me concernent directement. Alors je penche la tête vers Bongiwe, qui me tresse les cheveux d'un geste assuré et maternel. Et je ferme les yeux, comme si cela pouvait m'aider à garder captif cet apaisement éphémère qui naît de ses doigts agiles. Ou peut-être de l'alcool... Depuis mon arrivée en Afrique, je bois beaucoup, du fort surtout. Le liquide sucré a le pouvoir d'écarter en douceur les souvenirs de Montréal. Là-bas, je n'osais pas me soûler seule. Ici, entourée de ces gens que je connais à peine, je m'enfonce sans retenue dans le brouillard provoqué par l'alcool.

Déjà, Thomas se lève. Le signe d'un départ imminent pour lui, et qui annonce la fin de la soirée pour nous. Je ne sais pas ce qui me prend. Un mélange de whisky et de tristesse. La soif de vivre un moment furtif de tendresse. J'attrape sa main.

— Il se fait tard. Tu peux dormir dans mon lit, si tu veux.

Il sourit légèrement et ses yeux de colibri se détournent vers le plancher. Il détache sa main de la mienne et s'éloigne en laissant planer dans un souffle une phrase courte, assassine.

— Ce n'est pas une bonne idée.

. . . .

La lettre

Elle baisse les yeux, éprouve un léger pincement au cœur en apercevant l'enveloppe cachetée laissée sur le comptoir de maquillage dans sa loge. «Non, pas ici, pas maintenant», tranche-t-elle. Elle pousse un soupir de fatigue à l'idée que cette missive pourrait contenir une réponse positive. Tous les changements que cela exigera d'elle... Tout le courage que cela lui demandera pour aller remettre sa démission au producteur... Devant le miroir entouré d'ampoules étincelantes, elle enlève le fond de teint sur sa peau avec vigueur, se replongeant dans cette période de sa vie, un an plus tôt, où un producteur lui propose de passer un test devant l'écran. Le jour J, elle s'exécute, sans attente aucune. Après tout, elle n'a rien à perdre, elle vient de traverser une année difficile pendant laquelle elle n'a cessé de se demander si elle étudiait en théâtre par choix ou par peur de s'éloigner de Gregory. Mais un événement inattendu se produit : le producteur est séduit. Parmi les candidats appelés en audition, c'est elle qu'il choisit. Elle signe le contrat et s'assure ainsi de mettre la main sur une somme colossale d'argent qui lui permettra de terminer ses études confortablement. «Quelle chance, quel beau métier!» jubile-t-elle. À l'université, elle laisse tomber son bac en art dramatique pour commencer des études en journalisme. Puis elle se met à surfer sur le Web parce que c'est bien ce qu'on lui demande pour cette nouvelle émission, *Ça plane pour moi* : trouver des informations, les plus légères et inutiles possible, sur les nouvelles tendances. Et livrer le contenu en souriant. Sourire, surtout, parce que c'est ce que les téléspectateurs préfèrent. Quel horrible métier, pense-t-elle à présent. Un métier où il faut savoir prouver que l'on s'amuse follement, peu importe le prétexte, alors qu'on voudrait grimacer de douleur. Elle jette un dernier coup d'œil en direction de l'enveloppe, scellée, intacte. Elle n'a pas osé la décacheter en la sortant de la boîte aux lettres ce matin. Elle ne le fera pas plus ici, devant des collègues qui ne sont au courant de rien. Elle range la lettre dans son sac, décidée à prolonger, une fois de plus, cette attente malsaine.

De retour à l'appartement, elle prend la peine d'ouvrir chaque fenêtre. Le mois d'août s'étire dans une chaleur insupportable. Elle se laisse tomber sur le divan, qui disparaît un peu plus chaque jour sous les poils du chat, et se met à fixer le plafond. Elle a encore pleuré en sortant du boulot. Ça lui est arrivé au milieu d'une pente qu'elle avait pourtant attaquée avec vigueur, en passant directement de la cinquième à la troisième vitesse sur sa bicyclette. Un coup de barre dans le ventre, subit et sournois. Le souffle coupé. La douleur. Atroce. Le cœur qui cogne dans la poitrine. Et les sueurs morbides qui descendent en cascade sur les tempes, le cou, le dos. Impossible de continuer sans cracher ce poison. Tousser. Expulser l'air. Voir la morve couler. Puis les larmes, enfin. Des larmes qui ont jailli en même temps que ce râle inhumain, pourtant sorti de sa bouche. Un cri désespéré d'animal qui agonise. Comment une blessure psychique peut-elle faire aussi mal physiquement? Comment a-t-elle pu se retrouver dans un état aussi dégradant? Elle est rentrée en longeant les murs, en suppliant l'univers que personne ne la reconnaisse dans la rue.

Dehors, l'autobus passe sur la rue Saint-Denis, faisant trembler légèrement les meubles de l'appartement. Un signe de l'extérieur. Elle se décide enfin à ouvrir la lettre. On la félicite, sa candidature a été retenue pour le stage. Elle demeure immobile, stoïque. Elle voudrait que quelqu'un la prenne dans ses bras et la supplie de ne jamais partir. Il n'y a personne.

. . . .

Un après-midi à Bloemfontain

Une cuisine vide. Un café que je sirote avec l'espoir que ma migraine s'estompera au fil des gorgées. Mes soirées arrosées commencent sérieusement à nuire à mes journées... En voyant Paul et Thomas franchir le seuil de la porte, je leur balance trois onomatopées en pointant un doigt vers la bouilloire électrique et le pot de café instantané. Traduction : servez-vous, je n'ai pas envie de parler. Cette visite que Thomas vient de nous organiser dans les bureaux d'un gros groupe syndical, COSATU, me rend de mauvaise humeur. En une semaine et demie, nous avons déjà fait la tournée de cinq organisations non gouvernementales. Chaque fois, j'ai eu l'impression d'appartenir à un troupeau d'Occidentaux perdus en Afrique, poussés du bureau d'une ONG à l'autre pour entendre vanter les mérites de celle-ci. Mais je comprends que cette étape s'inscrit dans le cadre de notre stage, dont la première partie, qui se déroule dans la capitale, sert à nous initier au contexte sociopolitique du pays. Au bout d'un mois, chacun d'entre nous partira dans une ville différente en région. C'est à ce moment, à mon avis, que le véritable apprentissage commencera. Une période que j'appréhende et espère

Il se prend tellement au sérieux des fois !!!

à la fois. Parce que je regagnerai ma liberté. Parce que je me retrouverai seule de nouveau.

— Vous saviez que COSATU a été fondé en 1985 ? demande Paul en jetant un œil sur l'une des brochures apportées par Thomas... Ses leaders ont joué un grand rôle dans la lutte anti-apartheid en ralliant à leur cause des milliers d'ouvriers et en organisant des grèves à travers le pays...

— OK, merci, Paul.

— Oh ! Vous saviez que le nom COSATU est un acronyme pour Congress of South African Trade Unions ?

— Paul, on sait lire !

Thomas me lance un regard noir. Je n'y peux rien, Paul m'énerve. Je devrais reprendre avec lui ce truc que j'ai déjà utilisé abondamment à la télévision : sourire en ouvrant grand les yeux, la meilleure béquille sur laquelle s'appuyer pour camoufler un manque d'intérêt envers quelqu'un.

— Je n'ai pas de cours aujourd'hui, est-ce que je peux me joindre à vous ? demande Bongiwe en nous rejoignant à la cuisine.

Fille de militants contre l'apartheid, elle jouit aujourd'hui d'un accès à des droits pour lesquels ses parents se sont battus jadis. Étudier dans une université fréquentée par des Blancs, des Noirs, des Indiens et des Métis se serait avéré impensable pour elle avant la chute du régime. D'autant plus que la jeune Sud-Africaine vit dans un quartier multiethnique en colocation avec nous, des amis de race blanche. Une liberté à laquelle ses parents n'ont jamais goûté à son âge. Au moment où Thomas a obtenu le poste de coordonnateur du stage, il a proposé à Bongiwe un hébergement gratuit à l'appartement. En échange, elle s'est engagée à «initier» les stagiaires à la culture sud-africaine. Le prétexte, ça me semble évident, a été inventé par Thomas qui connaissait la précarité financière des parents de son amie.

En se joignant à nous, Bongiwe nous force à accomplir le formidable exploit de nous entasser à six dans la même Lada. Nous quittons les rues joyeuses et bordéliques de Yeoville en direction du chic quartier Bloemfontain. Un secteur de la ville en pleine expansion économique, dont les rues, aujourd'hui, sont envahies par les voitures de luxe et les trottoirs, arpentés par de riches hommes d'affaires. Des hommes d'affaires à la peau blanche, mais aussi à la peau noire. Lorsque je les regarde se croiser ainsi, il m'apparaît difficile à imaginer, ce pays jadis divisé, dans lequel un homme à la peau trop foncée devait se munir d'un passeport pour franchir les limites de la ville réservée aux Blancs... Planté au cœur de cette partie de la métropole, l'immeuble regroupant les bureaux de COSATU qui semble jouer le rôle d'un vieux porte-étendard communiste. Nous montons jusqu'au <u>treizième étage</u> pour retrouver Chris, le responsable de notre accueil. Il nous souhaite la bienvenue dans un français impeccable et avec un accent facilement reconnaissable, celui des Franco-Ontariens. Chris nous confie avoir participé, il y a plus de dix ans, à un stage semblable au nôtre.

Pas de superstition liée au chiffre 13 dans la culture africaine !

— Et vous n'avez jamais eu envie de retourner vivre au Canada? demande Isabelle.

— Bien sûr, j'y suis retourné en tant que visiteur, mais chaque fois que je remets les pieds là-bas, je finis par m'ennuyer. Je peux vous nommer par cœur les sujets dont on parle, et dans le bon ordre: la température, les échanges au hockey, la classe moyenne qui paie trop d'impôts, le nouveau vin «meilleur rapport qualité-prix» à découvrir et la performance des titres en Bourse de mon père…

Nous rigolons à l'entendre énumérer sa liste, même si derrière l'ironie de ses propos se cache un peu de mépris.

— En réalité, poursuit-il, ma vie ici est moins confortable, mais j'ai aussi l'impression qu'elle est plus vraie.

Mais qu'est-ce que ça veut dire, une vie plus vraie? Je suis choquée par le détachement avec lequel il parle de son «ancienne vie», comme s'il la reléguait parmi les détails négligeables, insignifiants. Cette «ancienne vie», elle est encore la mienne. Malgré la blessure vive à laquelle je l'associe à présent, c'est là-bas que mes racines ont poussé. Et je me demande si mon monde est plus faux qu'un autre pour la seule raison que je n'y ai jamais connu la faim, que je porte des vêtements neufs chaque saison et que je cotise à des REÉR.

Chris n'a pas le temps de s'étendre sur le sujet puisqu'il est interrompu par l'entrée d'un homme *très beau!* noir, mi-trentenaire, avec un plateau de service sur lequel tiennent en équilibre une bouilloire, un pot de café instantané et quelques sachets de thé. L'arsenal typique permettant de survivre aux après-midi africains!

— Salut camarade, lance-t-il en direction de Chris.

— C'est qui, celui-là? chuchote Avril.

— Thebo! s'écrie notre hôte en lui enlevant le plateau des mains pour prendre le nouveau venu dans ses bras.

Du coup, les deux hommes se mettent à se taper mutuellement dans le dos, en ponctuant leur geste du même mantra.

— Camarade, camarade! commence l'un.

— Camarade, camarade! répond l'autre.

— Il doit être communiste, chuchote Paul sur le ton de la confidence.

Avril lève les yeux au ciel tandis que Paul, didactique, se lance dans de nouvelles élucubrations: puisque COSATU a déjà collaboré avec le parti communiste sud-africain qui, lui aussi, a joué un rôle important dans la lutte contre l'apartheid, il en déduit que les membres du syndicat sont tous des communistes. Heureusement, l'Ontarien au cerveau hyperactif est rapidement interrompu par Thebo, qui nous offre d'emblée de passer à la pause café. Je souris. De quoi prenons-nous une pause au juste?

Quand Mandela sort de prison (début 90), une alliance est formée entre l'ANC, COSATU + le parti communiste

Après s'être fait un point d'honneur de servir tout le monde, Thebo s'accorde le droit de s'asseoir à son tour. Je l'observe siroter son café comme s'il s'agissait d'une liqueur riche, aux arômes exquis, alors qu'il boit un mélange d'eau chaude et d'instantané, auquel il a ajouté quatre cuillerées de sucre et un peu de lait en poudre. Et je sais qu'en cet instant, il ne savoure pas précisément son café, mais plutôt la satisfaction de prendre son temps. C'est la façon africaine d'aborder le travail. Entre ce dernier et la vie en soi, c'est toujours la vie que l'on choisit au détriment du premier. J'aime observer ce genre de détails, des détails qui m'aident à ressentir, par petites bribes, le doux vertige de me savoir à des milliers de kilomètres de Montréal, à des milliers de kilomètres de Lui.

je les ai comptées !

Une fois la pause terminée, je dois me résoudre à suivre les autres dans les longs corridors de l'édifice pour la traditionnelle visite imposée de l'organisme. C'est dans des moments comme celui-ci que j'anticipe l'autre partie de mon stage, plus concrète. Dans deux semaines et demie, il est prévu que je migre vers la ville de Cape Town pour y réaliser des topos radio. Je rêve à des journées pleines de rebondissements, où je suis plongée dans l'action et maître de mes déplacements. Je rêve surtout que je suis ailleurs et que j'ai réussi à semer ce marasme qui me talonne depuis Montréal. Arrivés devant la porte d'un laboratoire d'informatique, Chris et Thebo nous suggèrent de prendre place derrière un ordinateur – plus que désuet – avant de nous annoncer, un peu trop enthousiastes, qu'ils nous offrent la chance de contribuer aux accomplissements de COSATU en donnant un peu de notre temps.

euh chance?

Grrr...

— Quelque chose ne va pas? me demande Thomas à l'oreille en me voyant faire la moue.

— C'est quoi le rapport avec notre stage? Je ne me souviens pas d'avoir signé pour faire du bénévolat informatique...

— Et t'as signé pour quoi? Une visite dans un tout-inclus?

Je le regarde un moment, surprise par son ton déplaisant, qui contraste avec ses chuchotements. Je lui réponds en serrant les dents, pendant que je m'assois devant l'un des dinosaures.

— Non, mais pour un stage en journalisme et pas vraiment pour un stage en «camarade qui entre des données débiles dans un ordinateur des années 90».

Il s'empare de la chaise à mes côtés et il me regarde, furieux, en s'acharnant à chuchoter violemment à mon oreille.

— Fais un calcul rapide du prix de ton billet d'avion et l'argent de tes *per diem* pour ton séjour ici et tu vas te rendre compte assez vite que la somme serait suffisante pour équiper à neuf leur laboratoire au complet.

— Tu mélanges des pommes avec des oranges...

— Ou je vois ce que toi tu ne vois pas, fille! L'aide internationale, c'est juste un gros montant d'argent mis sur la table par des pays occidentaux POUR des Occidentaux qui sont envoyés se faire former sur le terrain. Ou si tu préfères, de l'argent qu'on va donner à des compagnies occidentales qui vont «aider» un pays pauvre en exportant une expertise et qui vont revenir «par hasard» avec des nouveaux contrats. C'est pas un don, ça, c'est de l'investissement. Et là, je ne te parle même pas des pots-de-vin. En bout de ligne, il ne reste plus grand-chose pour ceux qui sont réellement supposés bénéficier de cette aide-là. Mais pour que tu t'en rendes compte, il faudrait que tu sois capable de voir les choses avec un peu plus de perspective.

— Ce que toi tu appelles «voir avec plus de perspective», moi j'appelle ça un raisonnement facile d'intello de gauche qui voit la vie en noir et blanc et qui divise tout le monde entre le clan des bons et le clan des méchants.

— Faux. Je classe les hommes dans le clan des humanistes ou dans celui des bébés gâtés égoïstes qui pensent juste à leur petit nombril. Qu'est-ce que ça change pour toi, un après-midi passé à donner un peu de ton temps pour un organisme d'ici?

— Cet après-midi, je pourrais le passer à faire de la recherche pour un article. Et oui, je crois encore qu'écrire des articles ou réaliser des topos radio, ça peut aider les gens ici.

— Tu as vraiment la prétention d'informer ou tu cherches un prétexte pour te sortir de ta petite vie bourgeoise, à laquelle tu ne trouves plus de sens?

— …

— Tu peux te mentir à toi-même si tu veux, mais pas à moi. Je n'y crois pas deux secondes à ton intérêt pour ton stage. Depuis ton arrivée, tu es sur le pilote automatique.

Comment peut-il savoir ? Comment peut-il me rappeler aussi brusquement ce que je tente par tous les moyens d'oublier ? J'aimerais pouvoir lui rétorquer que j'ai peut-être besoin, aussi, de faire semblant. Et qu'à force de faire semblant, peut-être que j'arriverai à retrouver ce réel intérêt perdu pour les autres, pour la vie…

Je n'ai trouvé ni la force ni le courage de plonger dans ce moment de vérité. Pour clore l'entretien, j'ai fait ce que je savais faire le mieux. Je lui ai souri. Un sourire cynique et détestable. Et je l'ai prié de m'excuser, puisque je devais à présent sauver mon âme de petite bourgeoise en entrant des données débiles dans un ordinateur des années 90. J'ai passé le reste de la journée en silence, à taper des statistiques, des faits, des chiffres dépourvus de sens. Et comme si ce n'était pas assez, dans la Lada blanche qui traversait en sens inverse le quartier Bloemfontain en fin de journée, Paul en a rajouté.

— Hé, tout le monde, vous saviez que Bloemfontain est un endroit mythique pour les Sud-Africains ? demande-t-il sans attendre notre réponse. C'est là que les leaders noirs se sont rassemblés en 1912 dans une grande convention nationale qui s'appelait le South African Native National Congress. On dit que l'événement est un point marquant dans l'histoire du pays. Vous savez pourquoi ?

Je ne sais pour quelle raison, mais à cet instant précis, je me suis mise à écouter plus attentivement…

Peut-être parce que je cherchais désespérément, moi-même, un point tournant à ma propre histoire.

— Le South African Native National Congress, c'est le congrès qui est l'ancêtre de l'ANC. C'est pour ça qu'ils ont appelé le parti l'African National Congress. C'était la première fois dans l'histoire du pays que des hommes d'allégeances politiques opposées, de différentes tribus et classes sociales se réunissaient pour rassembler leurs forces.

— Et pourquoi à ce moment-là ? a demandé Isabelle.

— Parce qu'ils ont eu la même intuition, a répondu Bongiwe qui écoutait passivement jusqu'alors. Le régime de l'apartheid n'existait pas encore, mais les dirigeants prenaient des mesures de plus en plus arbitraires pour les Noirs. Au moment de la convention, le gouvernement était sur le point de passer une loi pour interdire aux fermiers noirs d'acheter des terres dans les sections occupées par les Blancs... Et ça, c'était seulement la pointe de l'iceberg, comme vous dites.

J'ai pensé à eux, à ceux qui avaient vécu cette réunion extraordinaire. Pouvaient-ils imaginer qu'un jour, ils auraient besoin d'un passeport pour pouvoir circuler sur leur propre territoire ? Pressentaient-ils déjà les quartiers rasés en entier, les milliers de Noirs déplacés dans les townships ? Voyaient-ils le sang couler ? Comptaient-ils déjà en silence leurs morts ? Est-ce que l'on sait intuitivement ce genre de chose, comme on devine l'orage au contact du vent lourd et de l'obscurité qui le précède ?

. . . .

Le ciel avant la tempête

De gros flocons blancs s'échappent du ciel noir et viennent valser sous la lumière des lampadaires avant de se poser sur le sol. Elle regarde ce ciel en riant. Gregory verse un filet de champagne à travers ses lèvres entrouvertes, à même la bouteille. Il l'embrasse furtivement. Pendant cet instant, pendant ce moment où il pose ses lèvres sur les siennes, elle se dit que c'est cela, le bonheur. Accueillir la nouvelle année à l'extérieur par une douce température. Danser dehors, pendant que la neige tombe, entourée de ses amis et de son amour. Son grand amour. Elle le regarde s'éloigner avec la bouteille et verser le champagne au-dessus d'autres bouches ouvertes. Quelques flocons ont échoué sur ses cheveux bouclés, le froid a rosi ses joues et l'alcool, ses lèvres. Elle le trouve magnifique. D'adolescent, il s'est transformé en homme, devant elle. «Tu fais partie de moi, tu fais partie de l'homme que je suis devenu», lui a-t-il écrit dans sa carte de Noël. «Aujourd'hui, je peux concevoir de vivre sans toi, physiquement. Mais je sais que je ne vivrai plus sans toi dans mon âme ni dans mon cœur.» Elle sourit paisiblement en regardant la neige tomber. Elle aimerait dire merci, elle ne sait trop à qui. Cela lui arrive rarement, presque jamais, de prendre conscience de sa chance. Elle devrait se consacrer à cet exercice plus souvent, pense-t-elle. Tiens, ce sera sa résolution pour la nouvelle année, prendre conscience de sa chance. Sa chance de vivre à Montréal, ville effervescente et paisible à la fois, dans un grand appartement qui est devenu le lieu autour duquel gravite la bande de copains. Sa chance de pouvoir tracer son chemin dans le milieu télévisuel, l'Eldorado du vingt et unième siècle, et de gagner déjà un excellent salaire, sans même avoir terminé ses études. Sa chance, surtout, d'avoir trouvé l'homme de sa vie si jeune. Bien sûr, ils ont connu leurs hauts et leurs bas en tant que couple. L'année où elle a signé son premier contrat à la télévision, sa passion pour Gregory s'est estompée au profit de celle, grandissante, pour les projecteurs. Il a mal réagi. Elle a mal réagi. Ils ont fini par réparer les pots cassés, avant cette autre crise qui s'est pointée à l'horizon, l'année dernière. Une ironie du sort. Gregory obtient son premier contrat de comédien professionnel et cette fois, c'est lui qui s'éloigne. L'obsession de séduire devient plus forte que tout et l'égratigne, elle, de nombreuses fois au passage. Elle panse ses blessures en attendant le jour où ils trouveront le moyen de se reconstruire. À Noël, lorsqu'elle a lu sa carte de vœux, elle a su qu'elle avait eu raison d'attendre et d'espérer. Ils se réinventeront.

Sur les douze coups de minuit, ils se retrouvent pour s'embrasser. Ils restent longtemps dans les bras l'un de l'autre, pendant que la neige continue de tomber. Lorsqu'ils se séparent, c'est pour souhaiter la bonne année aux autres et rentrer avec eux se réchauffer dans un bar. Elle danse et elle boit, rieuse et insouciante. Le bonheur, la chance, il ne faut pas oublier d'en prendre conscience, pense-t-elle une autre fois cette nuit-là. Et bientôt, repue de félicité, elle décide de rentrer. Un ami offre de la déposer chez elle, puisque Gregory tient à passer chez des copains rencontrés pendant son dernier tournage. Dans la voiture, la musique, les rires, l'ambiance de la fête s'estompent doucement à travers les ronronnements du moteur. L'ami garde les yeux rivés sur la route, en conduisant plus nerveusement que d'habitude. Il finit par lui poser une question, un peu trop mûre. Une question sur le point de pourrir dans sa bouche.

— Qui sera à la fête à laquelle Gregory est parti?

Elle n'en a qu'une vague idée. Le directeur photo, quelques techniciens de plateau, cette actrice, aperçue sur les plans qu'il a visionnés à la maison. Il ne répond rien, il continue de conduire en silence. Et au cœur de ce silence, un premier doute éclôt. Elle le laisse s'étioler dans le jardin de givre, sur la vitre du passager. Ils parlent très peu durant le reste du trajet. Au moment où la voiture s'arrête devant sa demeure, l'ami se contente de la laisser avec une recommandation, succincte.

— Fais attention à toi.

Cette petite ombre au coin de son sourcil, ce demi-sourire, cette main qui exerce une pression sur son bras, un peu trop longtemps… Comme s'il cherchait à la soutenir à l'avance. Des détails, à peine visibles, qui tracent déjà leur chemin jusqu'à l'intuition. Lorsqu'elle s'étend dans son lit, elle répète à voix haute les mots de la carte de Noël. «Aujourd'hui, je peux concevoir de vivre sans toi, physiquement.

Mais je sais que je ne vivrai plus sans toi dans mon âme ni dans mon cœur.» Elle les répète comme un mantra, pour retrouver l'espoir. Elle y a lu une promesse. À présent, elle ne peut s'empêcher de penser que c'était un au revoir. À travers la fenêtre, le ciel nocturne lui paraît encore plus sombre. La neige s'est arrêtée de tomber. Elle rabat les couvertures sur son corps et s'endort. Elle se réveille en sursaut, quelques heures plus tard, en percevant le bruit de la porte arrière. Elle entend Gregory laisser tomber ses bottes d'hiver sur le plancher. Il se déplace lourdement jusqu'à l'évier, où il fait couler de l'eau. Il est ivre, elle le devine à son pas. Et au son de l'eau qu'il verse dans un verre pour avaler deux cachets d'ibuprofène, comme il le fait toujours. Il traverse le corridor en passant devant la porte de la chambre. Pourquoi ne vient-il pas la rejoindre? Il marche jusqu'au salon. Elle ne l'entend plus. Elle l'imagine assis sur le canapé, perdu dans ses réflexions. Elle sent le souffle de l'angoisse dans son cou et se laisse envahir par cette horrible sensation, celle de savoir sans savoir encore. Elle replie les jambes instinctivement. Dans la nuit, elle voit s'égrener les derniers moments de sa période d'accalmie. Elle attend. Qu'il respire un grand coup, qu'il se lève et qu'il vienne tout lui balancer à la figure.

....

Les clichés

J'ouvre un œil. Des taches de soleil ont éclaboussé le plafond. Dans la chambre, tous les lits sont vides. Aucun bruit dans le reste de l'appartement. C'est l'un de ces samedis matin où je n'ai envie de rien, sauf d'un peu de paresse. Dehors, entre le son des camions qui passent sous la fenêtre et la chanson hip-hop que la voisine écoute en boucle, j'arrive à distinguer la voix des marchands itinérants : « *Coke! Peanuts! Bananas!* » Cela fait près de trois semaines que je les entends reprendre leur refrain, chaque matin. Près de trois semaines, déjà, que je vis en Afrique. Depuis l'incident dans les bureaux de COSATU, j'ai continué mon stage sans anicroche. Je suis retournée à Soweto pour offrir les photos promises à Dudu et j'en ai profité pour lui montrer l'article en ligne que j'ai écrit sur elle. Elle n'a rien compris au texte rédigé en français, mais son nom y était inscrit. C'était suffisant pour qu'elle sourie, c'était suffisant pour que je me sente utile.

↱ j'ai fini par m'y habituer !

Sur le comptoir de la cuisine, une coquerelle passe devant un bout de papier laissé à mon intention. « Partis déjeuner à Time Square. Viens nous rejoindre. » À Yeoville, Time Square est une place publique qui n'a rien à envier à l'effervescence de son homonyme new-yorkaise. Beaucoup plus petite, fréquentée en majeure partie par les gens du quartier, elle accueille chaque jour une joyeuse foule bigarrée prête à repenser le monde autour d'une bière. Mais ce matin, j'ai un autre projet. Depuis mon arrivée, je ne donne que très peu de nouvelles à mes proches, alors qu'à Montréal je passe ma vie avec un téléphone cellulaire entre les mains ou derrière un ordinateur portable. Mais ici, je n'ai ni l'un ni l'autre. La famille, les amis, tous me reprochent mon silence. Il est vrai qu'un simple «tout-va-bien-le-stage-se-poursuit-à-merveille-à-bientôt» envoyé par courriel du café du coin finit par faire son temps. En réalité, je n'ai pas envie de leur écrire. Je me sentirais forcée de raconter avec enthousiasme mon quotidien, de leur parler de la chaleur, des accents anglais qui varient en fonction de l'origine des Sud-Africains que je côtoie ou de l'odeur des fruits mûrs vendus dans les rues. Je me sentirais obligée de leur décrire tout ça en feignant un quelconque attachement pour mon pays d'accueil, en m'inventant un regard naïf et enjoué que je devrais porter sur lui. Mais je n'ai pas le cœur à jouer la comédie. Alors, j'ai eu l'idée de prendre des photos, des images qui traduiraient l'âme du quartier dans lequel je vis à présent et qui parleraient en mon nom.

Les premiers à qui je demande la permission de prendre leur portrait sont les petits rois de la rue qui ont établi leurs quartiers généraux dans les marches de notre immeuble. Tout le monde les surnomme les *street kids*, mais moi je préfère les appeler les petits rois, comme dans la chanson de Ferland. Parce que ça leur donne de la prestance. Parce que ça me laisse l'impression qu'ils règnent réellement sur leur petit bout de rue. Je les ai rencontrés le soir de mon arrivée. Thomas, qui était venu me chercher à l'aéroport, m'aidait à descendre mes bagages de la voiture. «Ils sont mignons, ils vivent dans notre immeuble?», lui avais-je demandé. Il m'avait dévisagé un moment. «Devant, pas dedans», s'était-il contenté de répondre. Ça m'avait pris quelques secondes avant de comprendre. Thomas leur avait donné dix rands, «parce qu'ils surveillent les voitures stationnées dans la rue», avait-il précisé. Alors, j'ai fait la même chose et j'ai continué à leur offrir des pièces de monnaie les jours qui ont suivi. Au début ils m'ont souri, puis ils m'ont parlé. Ils ont entre neuf et treize ans. Ce sont de petits voleurs d'occasion et des rêveurs de grande envergure. S'ils dérobent parfois quelques liasses à un marchand itinérant, c'est pour mieux rêver. La bande se paye alors un pot de colle que chaque membre inhale à tour de rôle. C'est la façon la plus abordable qu'ils ont trouvée pour fuir la rue et voyager dans une autre vie.

Sur le perron de l'immeuble, le chef de la bande feint l'indifférence lorsque je lui demande si je peux le photographier. Avant de prendre le cliché, je replace le collet de son chandail usé à la corde. Un geste spontané. Il me regarde avec ambivalence, sans savoir s'il doit se braquer devant cette attention ou simplement en profiter. Les autres nous rejoignent et la séance de photographie se transforme en une surenchère de grimaces et d'acrobaties. Je me laisse emporter par la spontanéité du moment et je tends l'appareil à l'un des plus jeunes. Je souris, sachant qu'il saura d'instinct où appuyer pour prendre une photo. Un ange passe. Le petit roi, immobile, me fixe d'un air interdit. Son trouble est palpable. Son regard traduit avec une telle transparence le dilemme qui le torture... Et moi, je prends conscience que je viens de lui remettre entre les mains la clé de mille libertés possibles. J'arrive même, étrange impression, à rêver un moment en duo avec lui. À tout ce qui devient soudainement accessible lorsque l'on dérobe un appareil de près de mille dollars. Sans pouvoir me l'expliquer, je commence, déjà, à vouloir lui pardonner. Mais d'un geste décidé, il pose son œil sur le viseur, appuie sur le déclencheur et me rend avec fierté mon bien. Dans son regard, j'arrive à déceler de la reconnaissance. Pour la confiance que j'ai eue en lui, je suppose. Même si on sait tous les deux que c'était de la naïveté. Avant de me laisser partir, il me refile un bon conseil.

— Surveille bien ta caméra. Ce quartier est rempli de voleurs.

Oui, je sais, ce serait vraiment trop con de me faire voler mon appareil par quelqu'un d'autre.

Je reprends mon chemin en me dirigeant vers cette grande murale qui longe le parc juxtaposé à Time Square. En route, je réussis à capter quelques scènes de la vie courante: un pompiste qui remplit le réservoir d'une mobylette, un marchand derrière son stand de fruits et une mère qui se promène d'un pas lent avec son enfant sur le dos. Devant le mur sur lequel des artistes du coin ont peint des visages sous une phrase lapidaire — «Le sida tue» —, je prends un moment pour changer l'objectif de mon appareil. De l'autre côté de la rue, une voiture de police ralentit et se stationne. Son patrouilleur scrute le moindre de mes gestes. Je me rends compte soudainement que je ne devrais peut-être pas prendre de photos à cet endroit, arpenté par plusieurs vendeurs de drogue. Je range l'appareil en vitesse et marche en direction de Time Square.

Autour de la place publique, les restaurants sont vides et leurs terrasses extérieures, remplies. Je traverse la foule bigarrée ; des immigrés camerounais plongés dans leur partie d'échecs, des rastas, fidèles disciples de Bob Marley qui roulent leurs joints au grand jour, et des militants de la Youth League de l'ANC plongés dans des discussions politiques enflammées. Je retrouve, au fond d'une terrasse, Avril et Bongiwe qui sirotent tranquillement un lassi devant un restaurant indien. *La cuisine indienne est super populaire ici (miam !)*

— Je crois que je viens de faire une gaffe, dis-je en m'emparant d'une chaise à leurs côtés. J'ai sorti mon appareil dans le coin du quartier où il y a les vendeurs de drogue.

— Mais tu es complètement folle ! s'écrie Bongiwe.

— Je voulais prendre des photos et...

— Et tu es partie te promener avec ton appareil dans le quartier, devant tout le monde ?

— Je me suis dit qu'au pire, je me ferais voler, c'est tout. C'est juste du matériel, on s'en fout.

— Au pire ! répète Bongiwe sur le point de s'arracher les cheveux.

Je la regarde, muette, sans comprendre pourquoi je viens de la mettre dans une colère pareille.

— C'est de la provocation ce que tu viens de faire, poursuit-elle d'un ton mi-agacé, mi-autoritaire. Tu te rends compte que la plupart des habitants du quartier n'auront jamais la chance dans toute leur vie de se payer un truc aussi cher?

— Mais tu m'as bien laissée sortir mon appareil à Soweto...

— Pour que ça aide à faire connaître la cause de Dudu. Et tu ne vis pas à Soweto, mais ici. Combien de gens dans le quartier t'ont repérée? Combien d'entre eux connaissent maintenant exactement l'endroit où tu restes? Où on habite tous, je te signale. Tu n'es pas toute seule au monde!

— Il ne faut pas m'en vouloir, je ne suis pas habituée à penser comme ça...

— Et c'est ça qui me fait le plus de peine. Il faut que tu arrêtes de penser comme une enfant gâtée de famille riche.

— Je ne suis pas la petite fille de famille riche que tu imagines, dis-je fermement à Bongiwe, persuadée d'avoir raison.

— Ah oui? demande-t-elle. Comment il s'appelle, ton programme? Un programme d'échanges international, c'est ça? Tu peux me dire il est où, l'échange? Quand est-ce que je pars faire du bénévolat dans ton pays, moi? Dis-moi, quand est-ce que je vais aller vous aider à reconstruire le Canada?

Avril vole à mon secours, visiblement ébranlée elle aussi par la colère subite de Bongiwe. Diplomate, elle lui concède que nous vivons effectivement dans l'un des pays parmi les plus riches de la planète, ce qui ne veut pas dire que nous le sommes, puisqu'il faut relativiser en fonction de notre environnement et des besoins qu'il suppose. Mais surtout, Avril lui fait remarquer que nous aurions pu choisir de rester là-bas et de fermer les yeux sur ce qui se passe ailleurs dans le monde.

— Elle a raison, Bongiwe. On est là, devant toi, et tu ne peux pas dire qu'on s'en fout.

— Votre programme d'aide internationale, il n'aide personne d'autre que vous, rétorque-t-elle en faisant la moue.

— En tout cas, il t'aide à te loger sans rien payer ! Et là, je ne compte même pas tout ce qu'on a dépensé pour toi depuis le début du stage : les épiceries, les repas au resto… Tu ne peux pas dire que tu n'en profites pas !

Dès que mes paroles sortent de ma bouche, je les regrette aussitôt. J'ai lui ai répondu de la même façon que je l'ai faite avec Thomas dans les bureaux de COSATU. Parce que je me suis sentie blessée de la même façon. Thomas et Bongiwe m'ont tous deux renvoyé l'image d'une personne que je n'aime pas, une personne que je n'ai pas envie d'être. Mais venant de la part de Bongiwe, ça m'apparaît plus difficile à accepter. De toutes les personnes qui m'entourent ici, celle envers laquelle j'éprouve le plus d'affection me scrute à présent avec des yeux qui se sont transformés en un trou noir, en un gouffre de colère qui a aspiré tous les autres sentiments. J'y vois passer, en quelques secondes, des siècles de frustration, d'humiliation et de revendications étouffées. Je voudrais pouvoir reprendre mes paroles, les ramasser à la petite cuillère, comme si ça pouvait excuser toutes les injustices vécues par son peuple. Je voudrais, surtout, arriver à prononcer les bonnes paroles pour me faire pardonner. Et elle me laisse le temps de le faire. Des secondes interminables pendant lesquelles je demeure muette, paralysée. Alors elle se lève, marche en direction de la rue, disparaît. Je reste seule avec Avril et la culpabilité.

. . . .

L'ancrage

Il marche promptement, avec l'allure de celui qui ne doute jamais de rien. Elle le suit légèrement en retrait, avec l'air de celle qui ne trouve plus de sens à rien. Ses jambes tiennent le coup, malgré les dernières vingt et une heures de vol. Un léger haut-le-cœur dans l'ascenseur. Une longue descente jusqu'au stationnement souterrain de l'aéroport. Le jeune homme l'invite à monter à bord d'une Lada blanche, irrévérencieuse au milieu des BMW et des Volkswagen de luxe. Sur l'autoroute, elle observe les panneaux publicitaires modernes qui vantent, à tour de rôle, une compagnie de téléphone cellulaire, une marque populaire de jus de fruits et une chaîne de restauration rapide. La déception se confond à la mélancolie. Sans pouvoir se l'expliquer, elle s'ennuie de l'autre Afrique, celle des livres de contes de son enfance. Cette Afrique lointaine que l'enfant occidental imagine avec ses terres arides, ses huttes, ses animaux sauvages et son soleil ocre.

Thomas gare la voiture devant une terrasse animée où jouent quelques amateurs d'échecs, à côté d'une bande de jeunes qui portent des chandails à l'effigie de Bob Marley. Elle le suit jusqu'à la porte d'un restaurant indien où une forte odeur de cumin les accueille. Ils repèrent aisément les autres stagiaires canadiens, arrivés au cours des derniers jours. Ils sont rassemblés autour d'une table au fond de la pièce. Parmi eux, sa beauté détonne. Bongiwe. Si noire et lumineuse. Elle s'assoit à ses côtés et l'écoute raconter son histoire, qui débute dans un village de province chez le peuple xhosa, de la même tribu que celle de Mandela, et qui se poursuit avec son arrivée récente en ville avec son bagage de traditions et ses rêves modernes. Au début, elle doit se concentrer pour déchiffrer son anglais teinté d'un fort accent chantant, sidérée par son insolente beauté. Ce corps svelte, ce sourire engageant, ces yeux sombres qui reflètent la lumière, peu importe de quel angle on les observe... Elle est d'une beauté qui fait presque mal à regarder.

La serveuse dépose les plats au centre de la table, où tout le monde se sert. Elle prend un peu de tout, savourant cette liberté nouvelle de pouvoir manger sans se soucier des kilos en trop, la magnifique liberté de vivre en retrait de ce juge implacable, le petit écran. Elle porte à sa bouche un bout de pain naan imbibé de sauce, en grimaçant au moment d'avaler le mélange chaud et épicé.

— *Is it too spicy, sister?* lance sa voisine avec amusement.

Un sourire béat, sur ses lèvres brûlantes. «*Sister.*» Une bouée de sauvetage. Un repère dans une nouvelle vie. Une déclaration d'amitié. L'ancrage, nécessaire, qu'elle cherchait en s'échouant sur ce continent.

. . . .

Le *Tandor*

Ce matin, je me suis réveillée en même temps que les rayons d'un soleil dominical flegmatique. Ça a donné le ton à la journée, qui s'est déroulée dans une lenteur insupportable. Bongiwe n'est pas rentrée hier soir. J'ai fini par me convaincre qu'elle avait passé la nuit chez une copine d'université, préférant digérer à distance notre altercation. J'ai répété mille scènes d'excuses et de réconciliation. Je n'ai pas eu la chance d'en jouer une seule. Je me suis occupée comme j'ai pu. Je suis allée au café Internet et j'ai écrit un courriel collectif: «Je-vais-bien-tout-se-passe-à-merveille-les-autres-stagiaires-font-dire-allô.» J'avais bien apporté la clé USB contenant les photos du quartier. Je n'ai pas eu le cœur d'en envoyer une seule. À mon retour, j'ai été prise d'assaut par le silence de l'appartement. Inconsciemment, j'ai cherché à détecter dans cette absence de bruit opaque une mélodie, un chant. Le silence n'en était que plus assourdissant.

Je m'ennuie de l'entendre chanter. Elle chante souvent, Bongiwe. En étudiant, en écoutant ses vieux 33 tours, en cuisinant. Lorsqu'elle cuisine, elle se coiffe d'un turban et elle enfile une longue jupe colorée, avant de se mettre à fredonner des chants traditionnels en faisant tourner sa cuillère de bois.

Elle prétend ainsi arriver à mieux saisir l'esprit de ses ancêtres et, par conséquent, à mieux cuisiner. Bongiwe descend de la lignée des Xhosas, l'une des tribus les plus importantes de l'Afrique du Sud. À travers le pays, ce sont les peuples zoulous et xhosas qui demeurent les plus nombreux et qui ont laissé les traces les plus visibles de leur culture un peu partout à travers la musique, les expressions verbales, la nourriture. Ce qui me fascine chez Bongiwe, c'est l'aisance avec laquelle elle passe d'un monde à l'autre. C'est de la voir, par exemple, enfiler le matin un t-shirt usagé d'American Apparel et des souliers Nike avec sa jupe traditionnelle, manger un plat de viande avec ses mains pour déjeuner et partir pour l'université en caquetant, cellulaire à la main. Et c'est précisément en me remémorant cette image d'elle qu'une intuition me frappe : pour arriver à me réconcilier avec elle, je dois m'inspirer d'elle.

[note manuscrite dans la marge : Le Zoulou est parlé par le + grand groupe ethnique (24 %) suivi du xhosa (18 %)]

— Tu sors ? demande Isabelle en me voyant enfiler mes souliers.

— Oui, pas trop loin.

— À cette heure-ci, tu devrais demander à Paul de t'accompagner.

— Ça va. Je vais seulement chez Thomas...

Les rues de Yeoville dans la pénombre. Un univers lisse sous le clair-obscur, lavé de la saleté et des bruits diurnes. Marcher seule, dans cette atmosphère, me procure une sorte d'apaisement. Un sentiment contraire à l'inquiétude que devrait normalement provoquer chez moi cette balade nocturne, après toutes ces histoires de viols et de vols que l'on m'a racontées. Pour une raison que je m'explique mal, je me sens rarement en danger physiquement. C'est peut-être ça le problème avec moi : si j'éprouvais un peu plus souvent la peur d'être agressée, je consacrerais sûrement moins d'énergie à ressentir cette autre peur, psychologique, d'égratigner mon ego. Coup de sonnette rapide à l'entrée de l'immeuble de Thomas. Il vient me répondre en personne. Moment de surprise, puis de malaise. Il attend une explication, je tarde à la lui donner. Je n'ai pas encore réfléchi à ce que j'allais lui dire.

— Tu me laisses entrer ?

Un argument plutôt faible, mais qui fonctionne grâce au timide sourire qui l'accompagne. Nous montons en silence les deux étages qui séparent le vestibule principal de son appartement. Un minuscule trois pièces et demie. Lit défait. Vaisselle sale dans l'évier. Une assiette de riz au poulet posée sur le tapis qui dessine les contours du salon, sans meubles. Seuls quelques coussins remplissent le rôle d'un canapé.

— Je finissais de manger et j'allais sortir, dit-il en regardant sa montre.

— … Je ne sais pas trop par où commencer…

— Tu veux du thé ? demande-t-il pour m'encourager.

J'acquiesce. Je rassemble mon courage pendant qu'il branche sa bouilloire électrique.

— Je me suis chicanée avec Bongiwe et elle n'est pas revenue à l'appartement depuis.

— ·Je sais.

— Je m'inquiète.

— Ça va aller.

Il me tend un pot de sachets aux saveurs diverses. J'en pige un au hasard.

— … J'ai réagi avec elle de la même façon que je l'ai fait avec toi… Je crois que, que… Je crois que tu avais raison. Je me sens… gelée. Comme si une glace invisible s'était formée entre le monde et moi. Et je ne sais pas comment, ni quand ça s'est passé…

Il me regarde avec cet air difficile à déchiffrer. Je n'arrive pas à savoir s'il garde le silence pour m'encourager ou parce qu'il a hâte que j'en finisse.

— Tu as vu juste… J'ai l'impression de vivre sur le pilote automatique. Je continue à manger, à boire, à travailler, je continue à être fonctionnelle, mais je n'arrive plus à trouver de sens à rien. Je vis constamment avec l'impression d'être éteinte. C'est une sensation… très… douloureuse.

— Je comprends… J'ai fini par le comprendre plus tard…

— C'est difficile pour moi de te l'avouer, mais je ne vais pas bien. Et je n'ai aucune idée de ce que je peux faire ou de ce que je dois faire pour aller mieux.

— Viens avec moi au *Tandor*, suggère-t-il avec une douceur que je ne lui connaissais pas. J'y vais pour la fête d'un ami, qui est aussi un copain de Bongiwe. Si jamais elle passe, tu pourras lui parler. Et même si ce n'est pas le cas, ça va te changer les idées.

Je prends un moment pour réfléchir. Bien sûr, ce n'est pas en suivant Thomas dans un bar que je me sentirai mieux en une soirée, mais l'escapade aura au moins l'avantage de m'arracher ce soir à mes pensées sombres… .

Quinze minutes plus tard, nous nous faufilons dans la file d'attente devant l'entrée du *Tandor*, grâce à un ami de Thomas.

— Ce bar, lance-t-il à mon intention, existe depuis toujours. Tu ne le sais pas encore, mais tu t'apprêtes à pénétrer dans une institution. Dans les années 80, l'endroit était fréquenté par des activistes blancs qui militaient contre l'apartheid.

— Difficile de croire que ce bar a déjà été fréquenté par des Blancs! On est les seuls, dans la file d'attente.

— Je n'avais même pas remarqué.

Moi, si. Au milieu de cet attroupement d'Africains bruyants qui fument et boivent leurs bières dehors en attendant d'entrer dans leur bar préféré, la couleur de ma peau me pèse. Je comprends, pour la première fois de ma vie, ce que cela peut signifier de ne pas avoir la bonne couleur de peau.

L'intérieur est bondé. Thomas se glisse sur la piste de danse avec l'assurance d'un félin. Je lui emboîte le pas, timide. Je m'immerge dans la foule comme s'il s'agissait d'un lac d'eau froide. J'attends que mon corps s'habitue aux corps étrangers, je bouge avec minutie. Autour de moi, la sueur, les phéromones et les parfums, tout se mélange en une seule odeur, lascive. Thomas me fait signe qu'il va nous chercher à boire. Je danse un peu, je tourne la tête, relève mes cheveux et balance les hanches comme si ces gestes pouvaient se transformer en une litanie d'excuses. Je m'excuse pour la couleur de ma peau. Je m'excuse pour l'apartheid et pour le reste.

Derrière moi, un homme. Parfois, son souffle effleure mon cou. Parfois, son torse glisse le long de mon dos. Sa proximité me trouble et je ne sais pas si je dois m'insurger contre son insolence ou simplement profiter de ce moment de sensualité. Je me retourne, il me sourit.

— Tu ne me reconnais pas?

— …

— Je suis Thebo, Thebo de COSATU!

— Oh! Camarade Thebo!

— Oui, oui, c'est ça, répond-il en rigolant. Excuse-moi de t'avoir embêtée, Thomas et moi on voulait te faire une blague.

Il pointe un doigt en direction de son comparse, accoté au bar, qui nous envoie un signe de la main. Je l'observe de loin, sourire aux lèvres. La blancheur de sa peau, ses gestes saccadés, ses petites lunettes qui lui donnent cet air d'intellectuel… Tout, en lui, contraste avec l'univers qui l'entoure. Et pourtant, il semble en faire partie de la même façon qu'une pièce serait essentielle, malgré sa couleur et sa forme différente, à un puzzle complexe.

— Rappelle-moi ton prénom, me demande Thebo.

Je lui traduis sa signification en anglais. «*Flower... flower... flower*». Il répète mon prénom en utilisant différents tons, comme s'il arrivait chaque fois à en extraire un nectar distinct. *hum... trop sensuel...*

— J'aime les mots, dit-il d'un regard gourmand. J'aime goûter leur son dans ma bouche, et sur ma langue aussi. Et je trouve ton prénom absolument délicieux. Tu sais, je suis aussi un poète et un excellent danseur...

— Oh! je n'en doute pas.

— Tu danses avec moi?

Sans même attendre ma réponse, il s'empare de ma main et m'entraîne au cœur d'une danse lascive, au milieu de la piste.

— Est-ce que tu as déjà fait l'expérience d'un homme noir avant? chuchote-t-il à mon oreille.

— Pardon?

— Tu as déjà expérimenté un homme noir?

— ... Je... Mais je ne vais pas répondre à cette question!

— Alors, c'est que tu n'as jamais fait l'expérience d'un homme noir, conclut-il en souriant.

Thomas nous rejoint plus tard avec trois bières.

— Bongiwe est là, m'annonce-t-il en pointant avec son menton en direction de l'entrée.

Je la repère rapidement, près de la porte, entourée de quelques filles. Nos regards se croisent. Elle s'avance vers moi d'un pas assuré. Je baisse légèrement la tête, à la manière d'un animal sur un territoire qui ne lui appartient pas. Lorsqu'elle arrive à ma hauteur, je lui souris d'un air désolé.

— *Hey, sister !* lance-t-elle spontanément.

Un mot d'amitié, une bouée de sauvetage qu'elle me balance comme un ballon de football. Brusquement, mais sans rancune. Je ne sais pas si je dois lui sourire, la prendre dans mes bras ou lui tapoter l'épaule. Alors, je me contente de prononcer les seuls mots qui me viennent à l'esprit.

— Excuse-moi.

— C'est déjà fait. Tu te souviens de notre visite à la maison de Madiba ? Je t'ai dit qu'on était doués pour le pardon !

Voilà, c'est comme cela que ça se passe. Au fond de moi subsiste le sentiment qu'il aurait fallu s'expliquer, analyser, revenir sur l'incident et trouver les bons mots pour clore notre différend. Mais peut-être que c'est ainsi que l'on peut pardonner le plus facilement, en s'accrochant en silence au regard de l'autre. Peut-être aussi qu'il faut avoir vécu dans un pays où le pardon est devenu une question de survie.

— Tu viens danser ?

— À tes côtés ? Mais les hommes ne verront plus que toi…

Bongiwe rit. Une averse d'été qui emporte avec elle la lourdeur des derniers jours.

— Ça, c'est sûr, répond-elle en s'emparant de ma main, ma main blanche qui enserre sa main noire.

Thebo nous quitte peu de temps après minuit. Bongiwe, Thomas et moi dansons jusqu'au petit matin, jusqu'à ce que nos cheveux soient trempés de sueur, jusqu'à ce que nos chevilles nous fassent mal. Nous revenons à pied dans les rues désertes de Yeoville, tels les trois mousquetaires, marchant d'un pas léger, malgré la menace omniprésente des gangs de rue. Et c'est ce que j'apprends à aimer de ce pays, un pays où je côtoie le risque au quotidien. En tournant le coin d'une rue, nous apercevons au loin des silhouettes attroupées autour d'un mince filet de fumée blanche, des ombres qui se distinguent dans le ciel sur le point d'accueillir l'aube. Nous nous rapprochons d'un petit groupe de rastas affairés à griller des brochettes de mouton sur un barbecue.

— On peut vous en acheter ? demande Thomas.

— Cinq rands pour trois, répond l'un d'eux.

Thomas lui tend un billet.

— Thebo organise une fête chez lui la semaine prochaine, dit-il à mon intention. Et il aimerait beaucoup que tu y sois.

J'attrape la brochette qu'il me tend et lui souris avant d'entamer un morceau de viande un peu trop cuit. Quelques perles de sueurs coulent encore dans mon cou. Les premières lueurs matinales caressent la ville. Montréal et Gregory sont loin. Si loin.

. . . .

Les territoires ravagés

Le moment de la journée que je préfère ici est cet instant où le ciel de l'Afrique se pare de reflets dorés et de couleurs ocre. Cet instant où les êtres et les choses se recouvrent d'un voile d'ambre. Cette lumière me rappelle, au fil des jours, que je me tisse patiemment une nouvelle vie sur un autre continent. Et cela m'aide à supporter les deuils de mon autre existence, laissée en plan. C'est précisément à cette heure de la journée que Thomas vient me chercher à l'appartement le samedi suivant. Pour la première fois, je quitte Yeoville et ses environs en direction d'un endroit dont les gens parlent souvent avec mépris ici, les banlieues du Nord. Des abris nucléaires de la période post-apartheid, où se sont barricadés les riches hommes blancs du pays après le changement de régime. Ils se sont retranchés dans de grandes demeures de style colonial, entourées de murs grillagés et surveillées vingt-quatre heures sur vingt-quatre par des gardes armés. Dans un pays ravagé par l'un des plus hauts taux d'inégalités sociales, c'est la façon qu'ils ont trouvée pour assurer leur survie. Ce qui est étonnant, par contre, c'est qu'un poète communiste habite dans le coin.

Vu d'ici, le Canada m'apparaît parfois comme une immense banlieue du nord!!

— Ce n'est pas ce que tu penses, précise Thomas au moment où il stationne la voiture devant l'une de ces maisons aux proportions surdimensionnées. Thebo n'habite pas dans la grosse maison que tu vois, mais dans la cour.

— Dans le cabanon de jardin?

— Mais non, dans l'ancien logement réservé aux serviteurs, dit-il en poussant la porte grillagée qui donne accès au terrain arrière. Ça peut paraître bizarre, mais le loyer n'est pas cher. Beaucoup de gens s'accommodent comme ça.

Dès que nous entrons, le poète nous accueille avec deux verres à *shooter*. Il attrape le sien, laissé sur sa bibliothèque, et le cogne aux nôtres. Nous buvons en même temps, cul sec. Sa maison est petite, mais confortable. Une chambre exiguë avec un lit simple en fer forgé et une pièce double pour la cuisine et le salon, remplie de coussins dispersés un peu partout. Dans l'air flottent les odeurs mélangées du curcuma, du cumin et de la marijuana. La pièce est remplie d'amis activistes, de poètes et de musiciens. Je me laisse porter par le plaisir d'entendre les différents accents, anglais, zoulous et urdus, se mêler à la mélodie d'une guitare. Je me sens comme l'un de ces grains de riz qui frétille dans le bouillon du poulet au safran, sur la cuisinière à gaz. Comme si l'amitié, la poésie, la spontanéité et la musique, comme si toute la vie autour de moi transperçait ma peau pour irriguer un peu, enfin, ce désert intérieur.

On me trouve rapidement un rôle à jouer au sein de cette microsociété : peler les carottes pour le curry aux légumes, une œuvre culinaire orchestrée par une militante qui attribue des tâches aux invités comme si elle organisait une manifestation populaire. J'exécute ma besogne, entourée par des gens de race et d'âge différents qui se battent tous, à leur façon, pour une société civile plus juste et plus forte. J'écoute leurs histoires, leurs rêves et même leurs moqueries avec une pointe de jalousie. Ce sont des gens qui savent. Ils savent ce qu'ils valent, où ils s'en vont et pourquoi ils marchent dans une direction donnée. Projetée dans cette fourmilière d'idéalistes, j'éprouve le sentiment confus de vivre une existence insignifiante. Est-ce que ce sont eux qui retiennent Thomas ici? Un verre de whisky à la main, il soutient le regard de son interlocutrice avec une rare intensité. Dès que nous avons franchi le seuil de la porte, son œil s'est allumé. Il s'est mis à rire un peu plus fort et à gesticuler avec plus d'ampleur. À l'observer de loin, ainsi, je lui trouve un charme singulier. Chemise rayée entrouverte, jeans aux rebords effilochés et sandales de plage. Il ne semble ni tout à fait appartenir à ce monde-ci, ni tout à fait à celui qu'il a quitté. De sa vie à Montréal, je ne sais pratiquement rien. Il m'a vaguement mentionné, un jour, qu'il est venu à Johannesburg pour approfondir un sujet de maîtrise. Depuis, il vit ici sans référence aucune à cette existence qu'il a laissée en plan, sur un autre continent. À la fois prisonnier du moment présent et fugitif permanent, il ne laisse jamais tomber sa garde, apeuré à l'idée de retomber dans le piège d'un confort étouffant. Car ce que je sais aussi de son ancienne vie, c'est qu'il y jouait du piano et que sa mère était une riche rentière.

Bientôt, nous nous rassemblons au salon pour partager le fruit de nos efforts culinaires. Thebo

Timbilia,
a journal
of onion
skin poetry

s'assoit à mes côtés en me glissant entre les mains son dernier recueil de poésie. Je l'ouvre au hasard, pendant que l'on sert les plats. *They tried to silence you with the blows to your face.* Mon voisin de droite me tend un joint. Inhalations profondes. *They tried to destroy you.* La fumée me transporte dans un coin paisible de mon âme. *But you gave birth to a nation.* Je passe le joint à Thebo, dont les doigts s'attardent à effleurer les miens. *They tried to suppress you.* Coup d'œil discret en direction de Thomas, dont le regard ne se détache plus de celui de son interlocutrice. *By denying your education.* Toujours la même. *But you became the fountain of knowledge.* J'éprouve un sentiment mitigé. Une émotion obscure qui ressemble à de la jalousie. Heureusement, Thebo est à mes côtés et ses yeux lumineux parcourent ma peau blanche. Parce qu'ils brillent, j'existe. Le désir d'un homme est un puissant miroir qui ne faillit jamais lorsqu'on cherche désespérément à y entrevoir un reflet de soi. Ce n'est pas un besoin narcissique, mais un besoin de réconfort. Le réconfort de se sentir vivante. Pour cette raison, je renonce à retenir le tissu de ma robe qui frémit doucement sous les courants du vent. Parfois, je fais glisser mes jambes sur le tapis. Pour rappeler à Thebo qu'elles existent. Pour lui permettre de les caresser des yeux.

Après le repas, Thomas vient me rejoindre avec son interlocutrice. Il me présente Ana, dont les yeux de couleur noisette ont une pupille entourée d'un rayon d'or. Elle me sert la main avec une énergie qui contraste avec sa stature fragile, en m'apprenant qu'elle sera ma superviseure de stage dans la ville de Cape

Town, où j'irai vivre après mon séjour à Johannesburg. Je rabroue gentiment Thomas.

— Et c'est seulement maintenant que tu me la
présentes?

— On avait beaucoup de choses à se raconter,
répond-elle en lui souriant.

Thomas lui sourit à son tour, en appuyant légèrement ses doigts sur son épaule. Un geste d'une grande
douceur, que je m'empresse de chasser de ma
mémoire. Ana me raconte qu'elle travaille comme
directrice au contenu des émissions et des reportages dans la plus grosse radio communautaire de
Cape Town, Bush radio. J'observe un moment Ana,
en train de me parler avec enthousiasme de son
boulot, en me demandant ce qui a poussé Thomas
à me jumeler avec elle. Nous sommes si différentes!
Devant sa flamme à l'idée de se battre pour une
société plus juste, je me sens d'autant plus éteinte.

— Alors, ça te dirait de m'aider?

Elle me fixe avec intensité. Je n'ai pas du tout suivi
son discours enflammé et ne sais plus où elle en
était. Je regarde Ana, puis Thomas, puis Ana à
nouveau.

— Oui, bien sûr…

— J'en suis ravie! Thomas m'a dit qu'il ne fallait
pas tenir pour acquis que tu allais accepter.

— Mais si tu crois que je ferai l'affaire…

— Je n'en doute pas! Tu vas voir, ceux qui vont
suivre ton atelier sont très motivés et je suis certaine

que tu seras excellente pour leur expliquer ce qu'il faut faire !

Mon atelier ? Moi, je vais donner un atelier ? Mais qu'est-ce que... Je viens de me mettre les pieds dans les plats !

— Est-ce que tu aimerais que je te prête la caméra quelques jours avant pour que tu fasses des tests ? demande Ana, avenante.

— ... Oui... Bonne idée...

En lui posant quelques questions supplémentaires, j'arrive à saisir que je viens de m'engager à donner un atelier de vidéo à des jeunes activistes bénévoles dans un centre de médias indépendants à Johannesburg. Ana me propose de tester l'atelier dans la capitale afin que, si tout fonctionne bien, je puisse répéter l'expérience une fois établie à Cape Town. Nous continuons à bavarder un moment au sujet de l'atelier, mais je devine rapidement qu'Ana et Thomas ont toujours autant de choses à se raconter. Je décide de les laisser seuls, en me dirigeant vers la cuisine pour retrouver la bouteille de whisky sur le comptoir. Le liquide ambré rend l'amertume de la solitude plus facile à avaler. Pendant un moment, je reste ainsi à observer les autres en retrait, avec cette impression d'avoir été *la nation arc-en-ciel !* projetée dans un vieux rêve de Mandela. Des Noirs, des Blancs et des Indiens se sont réunis dans la même pièce, au sein d'une atmosphère intime, où quelques rires tranquilles se mêlent à la mélodie d'une guitare. Combien d'années, combien d'espoirs floués et de combats perdus avant d'atteindre cette liberté, toute simple, de partager un repas entre amis de races différentes? Un fossé se creuse entre mon univers et le leur, entre leur scène de réconciliation et mon monde dévasté. Je suis encore à l'ère de l'apartheid. Mon intimité, pays ravagé, morcelé, ne s'apparente à rien d'autre qu'à une terre détruite. Avec ses mines à ciel ouvert, ses grands trous béants sous le soleil cuisant, ses cours d'eau asséchés et ses champs infertiles, cette terre, j'ai perdu la force de l'entretenir. Face au désastre, je ne sais plus comment remettre tous ces morceaux de moi ensemble. Je ne sais pas. Je ne l'ai jamais appris.

. . . .

Les clés

La nuit, Johannesburg se dépouille de sa vie. La ville expose son squelette dans toute sa vulnérabilité, avec ses artères vides, ses ampoules de lampadaires brûlées et ses sacs de plastique soulevés par les bourrasques du vent. Thomas conduit en silence, en clignant des yeux. Je me demande si c'est pour chasser la fatigue ou le souvenir d'Ana. Peu de temps avant minuit, l'amoureux de celle-ci est apparu dans le cadre de la porte. Thomas a tout de suite détourné les yeux, de la même manière que je l'ai fait lorsqu'il a posé sa main sur l'épaule d'Ana. Un clin d'œil ironique du hasard. Au loin, déjà, la silhouette de l'immeuble. Et au fur et à mesure que nous nous approchons, celle des *street kids* qui dorment sur son balcon. Thomas ralentit, immobilise la voiture. Il prend la peine d'arrêter le moteur. «Tu as tes clés?» murmure-t-il. Son regard planté dans le mien, la lueur d'un lampadaire sur son visage, le silence de la nuit entre nous. Bien sûr que j'ai mes clés. Je fais mine de chercher mon trousseau. Quelques secondes de gagnées pour réfléchir. Une invitation de sa part ou un simple réflexe de sécurité? J'aimerais, même si ce n'est que pour un moment éphémère et mensonger, pouvoir ancrer mes doigts dans sa peau. Et sentir enfin le sol arrêter de tanguer Je jette un regard furtif dans sa direction, avide d'un signe. Il fixe la rue déserte. Le silence s'alourdit. Je serre les clés entre mes doigts, lève tranquillement ma main et brandis le trousseau sous son nez. Je sors de la voiture. Il fait vrombir le moteur. Je claque la porte. Tant pis.

. . . .

Un feu dans la pluie

Elle regarde la voiture s'éloigner en faisant voler quelques gouttes d'une flaque d'eau. Une légère déception s'ensuit, aussi subtile que cette fine pluie qui la taquine depuis quelques minutes. Elle a bien cru que c'était lui. Viendra-t-il la chercher comme il le lui a promis ? Elle rit. Qu'est-ce qu'elle fait là, au juste, plantée sur un petit boulevard de banlieue, à minuit ? Elle l'attend. Elle l'attend parce que pour une fois, elle a envie de suivre quelqu'un, de le suivre dans ses élans, sa folie, sa vision de l'existence. Il y a moins d'un quart d'heure, elle sortait de sa chambre en catimini, quittait la maison familiale où ses parents dorment encore, marchait jusqu'à ce petit boulevard de quartier et se plantait sous la lumière d'un lampadaire, son sac de couchage sous le bras. Pour l'attendre. Cette fois, elle en est certaine, c'est bien lui qui arrive au loin. Elle reconnaît sa silhouette derrière le volant de sa vieille Volvo et, à ses côtés, celle de son fidèle retriever sur le banc du passager. Il immobilise la voiture, lui ouvre la portière en arborant ce sourire qui la fait craquer à tout coup. Elle entre, grattouille le dos de Lynch, qui se déplace à l'arrière, lui sourit à son tour.

La voiture redémarre en direction des limites de la ville et se met à rouler, plus loin, sur un chemin de terre qui les mène près d'une colline montérégienne. Dans la nuit opaque, au pied de la grande masse difforme, la naissance de deux fous rires. Elle lui demande s'ils ne devraient pas faire moins de bruit. Il rit de plus belle, en sortant de son sac à dos une bouteille de vodka froide et deux verres à *shooter*. Il lève son verre à la route qui les attend. Il parle, elle le devine en cet instant, au sens propre comme au sens figuré. Ils se mettent à marcher à la lueur de leurs lampes de poche au moment où la pluie leur offre une première accalmie. Pas de chance, fait-elle remarquer, en regardant le ciel couvert. Il lui répond simplement de garder confiance. Ils finissent par atteindre, escaladant à tâtons un sentier abrupt, le premier sommet. Ils rassemblent de menues branches sur lesquelles il va déposer deux bûches sèches sorties de son sac à dos. Une fine fumée se met à monter au zénith tandis que les nuages se dispersent tranquillement, laissant de grandes parties du ciel à découvert. Il avait donc raison.

Deux matelas de sol sur lesquels sont posés deux sacs de couchage, zippés l'un à l'autre, et dans lesquels ils s'installent confortablement. Il lui explique les règles du jeu. Envisager la nuit des perséides comme une immense *check-list* stellaire. Une étoile filante pour un rêve à deux. À tour de rôle, chacun doit formuler un fantasme incluant l'autre. Ils commencent avec des situations ludiques, anecdotiques, avant de s'avancer sur un terrain plus hasardeux, celui des rêves sérieux et des envies d'adultes. À petits coups de lumières éphémères, cette nuit-là, une vie entière se dessine. Et elle comprend qu'elle a rêvé de lui, bien avant qu'il n'arrive dans sa vie à elle. Elle a rêvé de lui à travers de multiples histoires, celles de ces couples mythiques qui se sont construits, détruits et reconstruits autour d'une complicité plus forte que tout.

Ils s'endorment à la belle étoile, enveloppés par la noirceur qui s'estompe avec l'arrivée de l'aube. C'est l'humidité qui les réveille, quelques heures plus tard. Le ciel est gris, lavé des fantasmes de la veille. Il se lève, vaillant, et marche en direction du feu. Sous le sac de couchage, la privation de la chaleur de son corps s'impose douloureusement. Elle le regarde ramasser de petites branches et sortir une nouvelle bûche qu'il pose sur celles, carbonisées, de la veille. Elle le rejoint pour l'aider à souffler sur les braises. Cette image-là, oui, précisément cette image d'eux, accroupis, se démenant pour raviver une étincelle parmi les tisons, cette image lui insuffle la certitude qu'ils survivront à tout. Ils sont de la même trempe, avec la même rage de vivre, la même force de frappe de l'imaginaire. La même envie de goûter à tout et la certitude d'être prêts à en accepter le coût, peu importe sous quelle forme il se présentera. Une bruine sur la montagne, un feu que l'on essaie d'allumer dans la pluie, une fenêtre ouverte sur l'avenir. Elle y entrevoit l'amour qui vacille, entre les larmes, entre les rires. Leur vie qui brûle, au rythme des coups sur la gueule et des accalmies. Ce n'est pas une vie idéale, mais c'est une vie à deux. La leur. À force de l'avoir imaginée, cette nuit-là, elle sait déjà que leur histoire sera belle et triste, que leur lien sera à la fois fragile et incassable. À leur image.

. . . .

Le bonheur sur la pointe des pieds

Au coin de la rue, j'arrive à attraper de justesse le bus qui redémarre en trombe. Je trouve une place pour m'asseoir, en dépliant le plan que Thomas m'a tracé sur un bout de papier. J'essaie de déchiffrer son écriture en pattes de mouches pendant que l'autobus me mène dans un coin de la ville que je ne connais pas encore. Un quartier où les immeubles poussent comme des champignons, à l'image de ce pays en perpétuelle reconstruction. Sous le soleil printanier, les feuilles des arbres paraissent encore plus vertes et la terre, plus rougeâtre que d'habitude. Le ciel, lui, ni bleu ni gris, semble figé dans une pause perpétuelle, dans cette transition fragile entre l'hiver et le printemps, comme s'il n'arrivait plus à savoir laquelle des deux saisons prendra le dessus sur l'autre. Mais pendant ce temps, Johannesburg s'affaire joyeusement à préparer l'accueil des températures plus clémentes. Dans les kiosques des marchés en plein air, on ne retrouve presque plus de ces grosses couvertures de ratine que les gens utilisent ici pour protéger leur corps de l'humidité hivernale. Et sur les coins de rues, il y a ces femmes, de plus en plus nombreuses, qui vendent des bouquets de fleurs aux passants comme si elles leur offraient l'assurance d'un printemps

les saisons inversées de l'hémisphère Sud...

imminent. Au moment où Johannesburg s'émoustille de la sorte, je ne peux m'empêcher de penser aux vents frais qui s'élèvent dans l'hémisphère Nord. Et la nostalgie s'installe en moi comme l'automne là-bas, au rythme des érables qui rougissent et des premières pluies froides qui attaquent le bitume. Je ne m'ennuie pas de l'automne en soi, mais de ses détails. Des soirées où l'on se rassemble autour d'une partie de hockey, du bruit des coups de patins qui fendent la glace et de la rondelle qui heurte la bande. Je m'ennuie de l'odeur de la compote de pommes et du potage à la courge dans la cuisine. Je m'ennuie de Montréal, je m'ennuie des feuilles qui tombent sur la ville, je m'ennuie de Lui.

Au bout d'un trajet d'une vingtaine de minutes, je repère sans peine, sur le sommet d'un vallon, le centre communautaire où je dois donner mon premier atelier. Au moment où j'ouvre la porte, cinq jeunes hommes noirs, début vingtaine, se tortillent sur leur chaise et se mettent à faire des blagues entre eux.

— Mais c'est une fille! lance tout haut l'un d'eux.

— … Oui, je vous le confirme…

— Et tu sais vraiment te servir d'une caméra?

Je les observe, piquée à vif. Je déteste cette Afrique machiste où plusieurs hommes s'accrochent encore à l'idée qu'ils sont supérieurs aux femmes.

Jamais autant apprécié ma chance d'être une fille née au Qc!

— Non... Je suis une *cheer leader* égarée et je cherche une équipe de football. Vous n'en auriez pas vu une passer ?

Cette fois, ce sont eux qui me regardent d'un air ahuri. Évidemment, ils n'ont aucune idée de ce qu'est une *cheer leader* et le football, ici, est ce sport auquel tous les Africains jouent dans la rue en frappant sur un ballon rond. Je me félicite d'avoir fait d'une pierre deux coups ! Non seulement ils me croient toujours incompétente à cause de mon sexe, mais ils sont dorénavant persuadés de l'inefficacité de mon sens de l'humour. Trois choix. Un (le plus facile) : me sauver en courant. Deux (un peu compliqué) : m'offusquer et soulever un mouvement féministe à travers le pays. Trois (le plus logique) : continuer jusqu'à ce qu'ils rient au moins d'une de mes blagues. Je décide donc de revenir à l'essentiel, *j'ai fini* la pause café. Celle-ci, dans ce pays, n'est pas réelle- *par le* ment une pause, mais une prémisse aux rencontres. *comprendre !*
Ce matin-là, accrochée à ma tasse de café instantané *hum !* dilué dans de l'eau brûlante, je fais la connaissance de Nkondo, Vonani, Mugava et Elton. Les deux premiers sont d'origine zouloue, de la province du Kwazulu-Natal, tandis que Mugava, un Xhosa, vient de la province voisine, du Cap-Oriental. Quant à Elton, il appartient au clan des Coloured. Si Elton est le plus timide des quatre, Vonani, en revanche, est le plus bruyant et le plus frondeur. Il est le premier à qui je tends la caméra, de laquelle il s'empare sans hésitation en se mettant à tourner autour de moi, son œil appuyé sur le viseur.

— Hé, hé... Vous être très jolie mademoiselle !

— Hé, hé... Pas autant que vous monsieur.

Ses copains éclatent de rire. Pari gagné ! D'accord, ils rient plus de leur ami que de ma blague, mais à partir de cet instant, notre dynamique se transforme et je me sens un peu mieux intégrée au groupe. Au moment où je récupère l'appareil des mains de Vonani, le cinquième membre de la bande fait irruption.

— Qu'est-ce que vous faites là ? On a besoin de vous à la manif !

— Bonjour...

— Oh. Salut. Je m'appelle Mbongeni, dit-il en me serrant la main. Tu viens aussi ?

— Où ça ? Quelle manifestation ?

— Oh. Celle pour les orphelins du sida, répond-il du ton de celui qui fréquente les marches populaires comme les salles de cinéma.

Trois choix. Un (le plus facile) : me sauver en courant. Deux (un peu compliqué) : m'objecter au nom de toutes les heures passées à concevoir cet atelier. Trois (le plus logique) : continuer le cours pendant la manifestation en espérant que personne ne finisse sa vie en prison...

Dans les rues de Johannesburg, le soleil plombe sur la terre rouge qui se soulève en de fines particules sous nos pieds. Il fait de plus en plus chaud, et les garçons empruntent de nombreux raccourcis en traversant les parcs et les ruelles. Bientôt, je n'ai plus aucune idée de l'endroit où je me trouve dans la métropole. Nous arrivons près d'un parc où des centaines de manifestants se sont rassemblés autour d'un grand Noir. Je ne saisis rien de ce qu'il raconte à travers son porte-voix, et ça me prend un bon moment avant d'en comprendre la raison : il parle en zoulou. Au bout d'un long discours, le leader brandit son poing vers l'avant en prononçant quelques mots en anglais que j'arrive enfin à saisir : *HEALTH FOR EVERYONE !* La foule enchaîne. *HEALTH FOR EVERYONE !* Je jette un coup d'œil autour de moi. Je jette de nouveau un coup d'œil autour de moi. Les garçons ont disparu. Mais à quoi ont-ils pensé ? Et voilà que tout le monde commence à bouger… Comment ont-ils pu me laisser seule au milieu de cette foule ? Je marche en suivant la masse qui se déplace lentement et en tournant la tête dans tous les sens…

Grrr.
Petits cons !
Envie de tuer !

Je n'ai jamais participé à une manifestation avant. En y repensant bien, c'est faux. Je me suis déjà enfuie un après-midi, à l'âge de quinze ans, de mon collège privé. Les autres élèves et moi étions allés scander des slogans devant la façade de l'établissement scolaire pour manifester contre… le port de l'uniforme. Évidemment, ça ne ressemblait en rien à ce qui se passe en ce moment. Les gens crient, en colère. Sur leurs pancartes, des accusations envers le gouvernement, qui ferme les yeux devant l'épidémie de sida au pays. Mon voisin, vindicatif et enflammé, m'explique qu'un adulte sur cinq est séropositif. À travers le monde, c'est ici que l'on retrouve le plus grand nombre de personnes infectées, sans compter les 1,2 million d'orphelins du sida, des enfants dont les parents ont succombé à la maladie. Attristée par le sort de ces pauvres orphelins, je lui demande ce que je peux faire. Il pointe un doigt vers la caméra vidéo.

— Eh bien, filme!

Comment lui avouer que je suis intimidée, voire inquiète d'utiliser cet appareil alors qu'il y a un peu moins de deux semaines, Bongiwe me faisait toute une scène parce que j'avais osé prendre des photos des gens du quartier? Sans la présence des garçons à mes côtés, je redeviens une simple touriste. Ce ne sont pas mes revendications, ce n'est pas mon combat, ce n'est pas à moi de prendre ce risque. J'aimerais pouvoir le lui expliquer, à mon interlocuteur, mais son regard m'en empêche. Un regard de feu qui pousserait n'importe quel froussard à l'action. Même moi.

— Et... hum... Vous voulez bien me répéter ce que vous venez de me dire à la caméra? finis-je par demander en posant mon œil sur le viseur.

Alors que je tente de régler le foyer sur son visage, quelqu'un me tape abruptement sur l'épaule. Une poussée subite d'adrénaline! Je n'y ai pas pensé, mais je n'ai peut-être pas le droit, sans permis de tournage, de prendre des images de la manifestation. Je me retourne.

— Hé, les gars! Je viens de la retrouver! crie Vonani en direction des autres.

— Oui, excuse-nous, dit Mbongeni en s'approchant, mais on a rencontré des amis et on t'a perdue de vue.

— Vous avez intérêt à ne plus me refaire le coup, sinon je vous attache !

— Oh... Ça pourrait être intéressant ! rétorque Mbongeni.

— Ouououhhh ! répondent les autres en chœur.

— Et en passant, vous pouvez me confirmer qu'on a bien le droit de filmer ?

Ils me regardent comme si je venais de leur demander si c'est possible de boire une bière dans un bar. J'en déduis que la réponse est positive. Je tends la caméra à Nkondo et lui explique quelques fonctions de base afin qu'il prenne la relève pour interviewer mon voisin. Tout roule pendant un petit moment jusqu'à ce que, quelques coins de rues plus loin, la foule se mette à piétiner. Parmi les manifestants, une rumeur avance à une vitesse folle : là-bas, devant la ligne de front, un barrage policier bloque le passage.

— Mais pourquoi un barrage policier ?

— Oh ! me répond spontanément Nkondo, c'est parce que la manif est illégale.

— La manifestation est il-lé-ga-le ?

— Mais oui, s'il fallait attendre chaque fois l'accord de quelqu'un pour faire une manif dans ce pays, il n'y aurait plus rien qui se passerait dans les rues.

— D'accord, c'est terminé ! On arrête de filmer et on rentre.

— Hé, ça va pas? répond Vonani, qui reprend la caméra. Il est hors de question que je rentre, moi!

Et le voilà déjà parti, suivi des autres qui l'encouragent.

— Ouais, on va filmer la brutalité policière! Ça va barder!

La panique s'installe...

Mais pourquoi ai-je accepté ce mandat? Cette fois, je garde les yeux rivés sur la bande pour ne pas la perdre de vue de nouveau. Et vraiment, les garçons ne me rendent pas la tâche facile! Je dois naviguer entre les manifestants, jouer du coude pour avancer et baisser sans arrêt la tête pour éviter de recevoir un coup de pancarte dans la figure. J'arrive juste à temps pour assister au spectacle. Mbongeni se promène devant les policiers, le poing levé et en dansant, pendant que Vonani le filme.

— Laissez-nous manifester en paix! Laissez-nous manifester en paix! chantonne-t-il en incitant la foule à reprendre ses paroles.

— Laissez-nous manifester! reprennent les manifestants.

— Ça suffit. Toi, tu arrêtes de filmer, ordonne l'un des policiers à Vonani.

— Pourquoi?

Rush d'adrénaline!

C'est pas vrai! Pendant que Vonani scrute le policier avec son regard frondeur, j'en profite pour lui arracher la caméra des mains et désactive la fonction qui commande au voyant lumineux rouge de s'allumer pendant l'enregistrement. J'exhibe l'appareil en direction des policiers.

— Ça va, il est éteint! Et ces deux gars-là s'excusent de vous avoir provoqués!

— Mais pas du tout! Moi, je ne m'excuse pas du tout, proteste Mbongeni.

— Et moi non plus! s'insurge Vonani.

— Dispersez-vous, crie un policier dans un porte-voix, sinon nous allons procéder aux arrestations!

Pendant que je m'imagine déjà croupir au fond d'une prison de Johannesburg en suppliant l'ambassadeur du Canada de venir à mon secours, je prends mon courage à deux mains pour demander *encore l'adrénaline* à un policier:

— Mais pourquoi les gens n'ont-ils pas le droit de manifester, monsieur?

— Ça, ce n'est pas votre problème, mademoiselle, et notre problème à nous, c'est de trouver le moyen de disperser cette foule.

— Mais vous admettez qu'il y a un problème?

— Bien sûr qu'il y en a un. Mais nous, on a reçu l'ordre de faire taire ces gens. Avec des événements comme celui-là, le gouvernement n'a pas bonne presse, ça donne l'impression à la population qu'il ne contrôle pas la situation. Et c'est justement pour ça qu'on nous envoie, pour contrôler. Excusez-moi maintenant, mais je dois continuer mon travail.

D'autres représentants des forces de l'ordre arrivent en renfort sur le terrain. Leur arrivée massive sonne le glas pour les organisateurs de la marche, qui exhortent les participants à rentrer calmement chez eux. Mais certains continuent de protester, et les policiers commencent à attraper les dissidents. Vonani et Mbongeni se font passer les menottes aux mains.

— Laisse tomber, lance Mugava en me voyant réagir, les policiers ne les retiendront pas longtemps.

— On se retrouve à la cantine chez Pinky! crie Nkondo à leur intention.

— OKéééé! répond Vonani en se faisant pousser dans le dos par un policier.

Plus on s'éloigne, plus la pression redescend...

Je suis le reste de la bande, qui me conduit jusqu'à un petit parc où est stationné un vieil autobus scolaire, reconverti en casse-croûte.

— Bonjour les garçons! lance la cuisinière qui s'active derrière ses chaudrons.

— Salut Pinky! répondent-ils en chœur.

— Alors, qu'est-ce que tu nous fais aujourd'hui? demande Mugava.

— Le pap avec la viande de mouton.

Mais où vont-ils chercher cette insouciance? Deux de leurs amis viennent de se faire passer les menottes par les policiers, et eux se demandent ce qu'ils vont manger ce midi!

— C'est une espèce de tradition, on vient toujours manger ici après les manifestations, me dit Elton en s'assoyant dans l'herbe.

— Vous avez remarqué qu'il n'y avait personne de la presse à la manif? demande Nkondo en s'assoyant à son tour. Que nous et les journaux étudiants et pas un seul journaliste des médias traditionnels! Ils mangent tous dans la main du gouvernement!

Je les rejoins sur l'herbe.

— Mais vous avez tourné plein d'images aujourd'hui!

— Tu nous as enlevé la caméra, et au moment où il fallait pas, en plus!

— Je n'ai pas vraiment éteint l'appareil...

— Nooonn! lance soudainement Elton en me souriant. Tu as continué à filmer?

— Hé, hé! tu es très forte, enchaîne Nkondo, impressionné.

— Mais je n'avais tout de même pas prévu vivre une journée semblable! Vous voulez voir les images?

Les garçons se penchent sur l'écran de la caméra pour revivre la scène de l'arrestation, en se tordant de rire au moment où ils entendent les insultes que Vonani lance aux policiers. Je les écoute, sourire aux lèvres, déjà en train d'imaginer le type de montage qu'ils feront avec ces images. Au moment où Pinky la cuisinière nous appelle pour venir chercher nos plats fumants, nous voyons apparaître au loin les silhouettes de Vonani et Mbongeni. Les dissidents nous rejoignent, et nous nous installons tous en cercle dans l'herbe pour pique-niquer. En ouvrant ma boîte de styromousse, je découvre des morceaux de viande qui baignent dans une sauce brune, à côté de deux boules blanches dont la texture ressemble à celle de la purée de pommes de terre, mais en plus gluant.

— C'est ça, le pap?

— Oui, regarde, tu le manges avec tes doigts, comme ça, dit Mbongeni en prenant une grosse bouchée.

— Tu peux aussi le tremper dans la sauce, comme ça, ajoute Elton.

Je m'exécute.

— Ça goûte le pain mouillé!

— Va falloir t'y habituer, me répond Nkondo en rigolant devant ma grimace, c'est le mets le plus populaire ici.

— J'ai bien fini par m'habituer à vous, alors je devrais y arriver avec... ça.

— Oui, mais nous on est beaucoup plus goûteux! ajoute Mbongeni.

— Ouais, plus épicés! renchérit Vonani.

Cette fois, nous éclatons de rire en chœur. Je prends un autre morceau de pap avec les doigts, que je trempe dans la sauce, en attrapant au passage un morceau de mouton. La viande est coriace. Le soleil de l'après-midi plombe sur nos têtes et les mouches nous tournent autour. Pendant un moment, nous mangeons en silence. Pendant un moment, j'oublie la viande trop cuite, la sueur dans mon cou, les mouches sur la nourriture et la poussière sur mes genoux. Pendant un moment, je ne pense plus à rien d'autre qu'à cette accalmie soudaine dans mon ciel. Un étau se desserre. Je me sens comme un érable au printemps, qui vient de survivre à son premier hiver. Je ressens, comme si elle montait véritablement dans mes os et dans ma chair, une légèreté inespérée. Une sensation que j'avais oubliée, une sensation que je ne pensais plus jamais revivre. Pourquoi ici et maintenant? Je m'empresse de chasser la question, par peur de gaspiller une seule de ces précieuses secondes. Un moment de bonheur passe, minuscule et fragile, et la seule chose qui m'importe est d'arriver à le retenir le plus longtemps possible.

. . . .

Un premier contact

Son courriel est arrivé comme une tempête de neige au mois de mai, au moment où l'on ne s'y attend plus. Au moment où le soleil, de plus en plus confiant, réussit à nous faire oublier l'hiver et qu'il nous apparaît dorénavant impossible de se faire rattraper par celui-ci. Quelques phrases, très courtes, mais aussi douloureuses que la morsure du froid.

Hier, j'ai lu un article dans *La Presse* sur la ville dans laquelle tu vis à présent. C'était écrit noir sur blanc : l'une des villes les plus violentes au monde, où les AK-47 circulent librement et où les hommes pratiquent le viol comme s'ils jouaient à un jeu de cartes. Si tu penses que c'est un bon endroit pour que je t'oublie ! Si tu penses que je ne pense plus à toi ! Si tu penses que je n'ai pas à me faire violence pour respecter la distance et le silence que tu as imposés entre nous…
Tu te trompes. Je sais, je sais, tu as toutes les raisons de m'en vouloir. Je t'ai trahie. Je suis parti. Je sais, je sais, parce que moi je vis une nouvelle relation amoureuse, je n'ai aucun droit de t'écrire que tu me manques…
Même si c'est ce que je suis en train de faire. Hé, tu me manques ! Je m'ennuie de toi.

Je m'ennuie de ma meilleure amie, t'as même
pas idée! Je sais que tu as besoin de temps,
d'espace, de tout ce dont une personne a
besoin pour panser ses plaies...
Je sais, je sais, tu es en peine d'amour.
Et moi, je suis en peine de toi.

G.

Lentement, j'ai repris la souris et l'ai serrée dans
ma main. Et puis j'ai glissé le curseur jusqu'au petit
bouton, en haut à droite, «Répondre». Le curseur
s'est mis à clignoter dans le vide. Je n'ai pas su me
rendre plus loin.

. . . .

Trois petits coups

Devant moi, sur le lit, mes vêtements pliés et classés, ma trousse de voyage et mon livre sur l'Afrique du Sud. Un mois, déjà, s'est écoulé depuis mon arrivée à Johannesburg. Je reprends l'avion demain en direction de Cape Town. J'arrive encore mal à mesurer l'impact de mon séjour ici. J'ai bien tenté de faire l'exercice cet après-midi. Pour la première fois, j'ai envoyé un courriel collectif de plus de trois lignes à mes proches. Je leur ai décrit cette étrange dichotomie qui caractérise l'univers dans lequel j'ai été catapultée. Un univers où ceux qui n'ont pas accès à l'eau courante ont un cellulaire, où les marchands itinérants de fruits interceptent les clients devant les portes coulissantes des centres commerciaux modernes, où les femmes africaines se baladent, leur enfant accroché au dos avec une serviette de bain, en passant devant des chaînes américaines de *fast food*. Thebo m'a déjà dit que Johannesburg est à l'image des capitales africaines qui ont vécu une entrée dans le monde moderne en accéléré. Pour connaître l'essence de l'Afrique, m'a-t-il confié, il faut aller dans les campagnes. Je lui ai promis de le faire.

— Toujours en train de plier des vêtements ? demande Bongiwe en traversant le seuil de la porte.

Elle me tend un verre de whisky, duquel je prends une bonne gorgée.

— Thebo et Chris sont au salon avec nous, ils sont passés pour vous dire au revoir avant le grand départ.

— C'est gentil.

— Laisse tomber ça, dit-elle en rangeant mon sac de voyage dans un coin, tu finiras plus tard!

— Attends...

Je l'attrape par la main et la force à s'asseoir.

— Je voulais te dire merci.

— *Hey sister*, c'est quoi ce ton d'enterrement? demande-t-elle en me serrant dans ses bras. Tu parles comme si on n'allait jamais se revoir.

— C'est que...

— Toi, tu as intérêt à ne pas me faire le coup de rester au Cap pour les vacances de Noël!

— Tu es en train de proposer qu'on passe le temps des fêtes ensemble?

— De toute façon, tu vas tellement t'ennuyer là-bas, réplique-t-elle en faisant la moue, tu seras bien contente que je t'attende à Jo'burg!

Je lui serre la main d'un air faussement solennel pour sceller notre entente, en espérant tout de même qu'elle parle à tort en ce qui concerne l'ennui. D'ici, Cape Town resplendit d'une aura apaisante.

Les gens s'entendent pour dire que la ville installée sur la péninsule du Cap, l'une des dernières à s'avancer dans les mers du Sud, est moins violente, mais aussi plus tranquille que l'effervescente Jo'burg. Peut-être que là-bas, enfin, j'arriverai à atteindre cette paix intérieure que je cherche toujours...

— On devrait partir en safari ensemble pendant les vacances ! s'exclame subitement Bongiwe. J'ai toujours rêvé de faire un safari...

— Quelle bonne idée ! rétorque Paul en nous rejoignant.

— Mais qu'est-ce que tu fais là, toi ? lui demande-t-elle un peu à pic.

— Je peux parler seul avec Fleur un moment ?

— En autant que tu nous la ramènes rapidement au salon, réplique-t-elle en repartant avec son verre de whisky.

— J'ai une nouvelle à t'annoncer, me confie-t-il au moment où Bongiwe sort de la pièce. Alors voilà... Demain matin, je vais prendre l'avion avec toi.

— Tu passes par Cape Town pour te rendre à Durban ?

— Je ne vais plus à Durban.

Il a le visage cramoisi et il me sourit nerveusement.

— C'est que, vois-tu, j'avais très envie de vivre à Cape Town, même si Thomas m'a jumelé au Centre d'études africaines à Durban. Et j'ai découvert récemment qu'il existe une branche de l'organisme à Cape Town. Alors, j'ai demandé si je pouvais aller travailler là-bas à la place et ils ont accepté! C'est super, non?

— ... Ou... iii...

— Bon, me voilà soulagé! J'avais peur que ça t'embête.

— Et Thomas est au courant?

— Oui, oui, bien sûr. C'est lui qui m'a demandé de venir te l'annoncer, pour que tu ne sois pas trop surprise. C'est super, non?

— Et ça fait longtemps que tu le sais?

— Oh. Une semaine... Peut-être deux... Tu sais, on a été occupés tous les deux... Mais on va pouvoir se reprendre dans l'avion, demain matin! C'est super, non?

— ... Ou... iii... Bienvenue, alors...

— Ah... ça! Je suis content! D'ailleurs, excuse-moi, mais je vais retourner prendre une bière au salon pour fêter ça!

Je le regarde s'éloigner en me répétant un nouveau mantra: pourquoi lui? Pourquoi lui! Pourquoi lui...

Je décide de terminer ma valise avant de rejoindre la petite bande au salon, question de me laisser le temps de digérer la nouvelle. Sans leur annoncer mon arrivée, je m'arrête un moment à l'entrée de la pièce pour observer une scène devenue familière au cours du dernier mois. Thomas, penché au-dessus de la petite table, égraine patiemment quelques feuilles de marijuana pendant que Bongiwe, le nez plongé dans sa boîte de 33 tours, cherche le prochain disque qu'elle fera tourner. À ses côtés, Paul discute avec Chris et Thebo. Je souris en pensant à cet univers auquel j'ai fini par m'attacher. Je ne peux pas dire que je me suis toujours sentie chez moi ici, mais je ne me suis jamais sentie seule. Jamais je n'ai eu à revivre ces souffrantes heures de solitude qui ont marqué mes derniers mois à Montréal.

Rapidement, Thebo vient à ma rencontre, en me guidant vers une place à côté de la sienne sur le divan.

— J'ai un cadeau pour toi! dit-il en fouillant dans son sac.

Il sort une copie de son dernier recueil et me la tend. Je lui souris, lui confie que son geste me touche. En feuilletant, je me rends compte qu'il a écrit quelques poèmes en zoulou, même si je ne l'ai jamais entendu parler dans cette langue.

— Écrire dans une langue traditionnelle, c'est une prise de position ici, explique-t-il. Je tenais à le faire pour quelques-uns de mes textes, même si je me sens plus à l'aise en anglais.

— Mais le zoulou, c'est ta langue maternelle?

— Tout le monde parle anglais à Johannesburg, je me suis habitué. Et contrairement à ce qu'on peut penser, l'anglais n'est pas seulement une langue utile, mais aussi poétique.

Je feuillette le livre un moment, avant de le lui redonner.

— Lis-moi celui que tu préfères.

— Quelle question! Comme si on pouvait demander à un parent de choisir son enfant préféré!

— D'accord. Dans ce cas, lis-moi celui qui sera mon préféré!

Il me scrute pendant quelques secondes, prenant visiblement le défi au sérieux. Ses doigts effilés se mettent à parcourir les pages, avant de s'arrêter sur un court texte de quelques lignes:

> *Take me in your arms*   *Serre-moi dans tes bras*
> *That I can find attachment.*   *Pour que s'y prennent mes racine*
> *So I can know*   *Pour que je sache*
> *I belong somewhere.*   *Que j'appartiens à un quelque part.**

Quatre petites lignes inoffensives, perdues au milieu d'une page blanche, et qui dévoilent à travers leur simplicité un besoin qui, hier encore, m'apparaissait indescriptible. Si je savais retrouver le chemin pour me sentir, à nouveau, appartenir à un «quelque part»... Ainsi, Thebo connaît aussi ce mal-être, cette sensation de vide qui vous gruge de l'intérieur, qui vous plonge dans cet état de manque permanent. Comment aurait-il pu écrire ces lignes s'il ne l'avait pas expérimenté? Je l'observe un moment. J'aimerais retrouver avec lui le courage que j'ai eu le soir où je suis allée voir Thomas, j'aimerais oser lui demander ce qu'il pense de cette petite éclaircie entraperçue à l'horizon au cours des derniers jours. S'apparente-t-elle à un mirage ou devrais-je la considérer comme une porte s'ouvrant enfin sur un

* Traduction libre de moi-même!

moment de répit imminent ? Mais à l'extérieur, une détonation. Un bruit sourd, violent. On dirait un coup de fusil. Tout le monde se fige. La résonance des conversations s'arrête net. Avril et Isabelle, qui discutaient paisiblement sur le balcon, entrent en trombe.

— De l'autre côté de la rue, un homme a tiré sur un autre, dans notre direction !

— Couchez-vous par terre ! ordonne Thebo.

Tout le monde se précipite sur le sol. Une deuxième décharge. Le bruit, si percutant, donne l'impression que le tireur est dans le salon. Mon cœur bat à tout rompre, je respire par petits coups. Une troisième décharge. Un silence glacial règne sur la pièce. Recroquevillés sur le plancher, nous attendons le prochain tir.

. . . .

Octobre & Novembre

Deuxième partie
(À Cape Town)

Le vertige

Elle enfouit quelques t-shirts dans son sac de voyage, marche jusqu'à la salle de bain, attrape sa bouteille de shampoing, un savon, revient dans la chambre, retourne à la salle de bain chercher sa brosse à dents, s'assoit sur le lit près de son sac, s'arrête de bouger. Elle ne veut pas partir. Personne ne l'oblige à le faire, mais surtout, personne ne l'en empêche. Si seulement quelqu'un cherchait à la retenir, tout serait plus facile. Elle jette un œil sur son réveille-matin, il est neuf heures et quart. À cette heure-là, il doit déjà l'attendre au café d'en face. Elle a cédé au besoin de le voir avant de quitter le pays. Une faiblesse. Elle sait qu'il laisse une fille encore endormie dans son lit pour la rejoindre. Y penser provoque en elle une vive brûlure dans la région de l'estomac. Elle attrape sa veste en jean, franchit la porte d'entrée sans la verrouiller derrière elle et l'aperçoit, en traversant la rue, à travers la grande fenêtre du café qui donne sur la rue Saint-Denis. Elle lui envoie un petit signe de la main, résiste à la tentation de rebrousser chemin, le rejoint à l'intérieur. Il a déjà commandé un café au lait pour elle, que la serveuse lui apporte dans un bol. Elle s'assoit à sa place habituelle, en face de lui. Il la regarde sans la voir. Un vertige insupportable. Celui de sentir que l'on s'efface peu à peu dans l'histoire de l'autre. Ses yeux à lui s'attardent sur différents détails, se posent sur elle, s'envolent aussitôt vers un autre point de fuite.

— Tu sais, je m'inquiète de... pour... Fais attention à toi, OK?

Elle lui renvoie un bref sourire. Rien ne lui paraît plus violent que cette tendresse désincarnée, vidée de tout sentiment amoureux. Il le sait. Il se tait.

Deux heures plus tard, à l'aéroport de Montréal, elle presse le pas en direction de sa porte d'embarquement, essayant de rattraper son retard. Elle entame alors une course absurde, se précipitant dans une direction vers laquelle elle n'a pas envie d'aller. Essoufflée, elle s'installe sur le bout d'une chaise inconfortable, sa carte d'embarquement entre les mains. Elle compte ses dernières minutes à Montréal, les yeux rivés sur le moniteur télé qui repasse en boucle les mêmes pubs. Elle jongle. Entre la peur de tout plaquer et l'anxiété de rester ici, dans son marasme. Les passagers sont appelés au comptoir d'embarquement. Le vertige. Elle doit trouver la force d'avancer, sans point d'appui. Sans envie. Sans espoir. Il faut se lever, surtout, chasser son image à lui de son esprit et ne plus penser à rien, si ce n'est à avancer. Tendre sa carte d'embarquement comme on avale un cachet pour guérir une migraine. S'engouffrer dans l'avion comme on s'endort pour oublier la douleur. Boucler sa ceinture pour réprimer l'élan qui lui commande de revenir sur ses pas. L'hôtesse de l'air lui fait signe de ranger son sac. Elle en retire, avant de l'enfouir sous le banc, une petite bouteille de vin rouge achetée au bar de l'aéroport. Elle l'ouvre, accrochée à l'idée que l'angoisse sera semée de l'autre côté de la planète et boit, à petites gorgées, au rythme de l'avion qui avance sur la piste d'envol.

. . . .

Les ombres de la fuite

Les lignes blanches s'embrouillent, sur le macadam noir, sous l'effet de la vitesse et de la fatigue. Je n'arrive pas à détacher mon regard de ces schémas abstraits, comme si eux seuls avaient le pouvoir d'apaiser mon esprit. Seulement quelques kilomètres nous séparent, à présent, de l'aéroport de Johannesburg. Thomas conduit en silence, Paul a l'œil absent. Dans l'habitacle de la Lada blanche, trois coups de feu résonnent en boucle, ceux qui ont provoqué de façon abrupte la fin de notre fête d'hier. Recroquevillés sur le plancher, nous avons longuement attendu, la peur au ventre, la suite de la fusillade, qui n'est jamais venue. Livides, nous nous sommes relevés au bout d'interminables minutes pour admettre qu'il valait mieux mettre un terme à notre soirée d'adieux. Thebo s'est excusé. Cela m'a paru absurde, au début. J'ai fini par trouver cela triste. Il nous a avoué que ces escarmouches éclataient encore régulièrement ici. Dans ses yeux, il y avait cet amour désespéré pour son pays, l'amour d'un parent devant son enfant malade. Lorsqu'il s'est tu, personne n'a osé commenter, ni poser d'autres questions. Ce soir-là, nous venions de comprendre qu'un être humain était probablement mort dans la rue et c'était déjà bien assez. Thomas s'est empressé de dévaler les escaliers pour aller vérifier

qu'aucun *street kid* n'était blessé. Paul, qui boit
très peu, s'est servi un verre de whisky et l'a avalé
d'un trait. Thomas est remonté en nous informant
que toute la bande était partie et qu'il n'y avait
aucune trace de sang. Bongiwe a remis sur le tourne-
disque un 33 tours de Tracy Chapman, mais rien ne
résonnait plus faussement que la voix folk de la
chanteuse dans ces circonstances. Chris et Thebo
ont quitté le domicile sans cérémonie, et je suis
allée me coucher avec cette impression que l'on
venait de me gifler. Trois fois. Comme si quelqu'un
tenait à s'assurer que je revienne à la réalité, cette
réalité douloureuse que j'ai cru semer pendant une
courte période. Au cours des deniers jours, j'avais
réussi à m'abandonner momentanément à un bien-
être fragile, à me sentir plus libre, plus apaisée. Il
n'a fallu que trois détonations, trois petits trous
dans mon esprit pour que le venin de l'angoisse s'y
infiltre de nouveau. Mon corps s'est crispé, mon
souffle s'est accéléré. Je ne pouvais me libérer d'une
pensée obsessive, celle que les coups de fusil avaient
été tirés à mon intention pour m'obliger à replonger,
tête première, dans le marasme provoqué par ma
séparation. Parce que quitter cet état dépressif voulait dire quitter la douleur née de sa perte, quitter
la dernière chose qui me liait encore à lui.

À l'aéroport de Johannesburg, en foulant les longs
corridors propres et vides sous la lumière crue des
plafonniers, je reprends contact avec la lourdeur
de cet après-midi de septembre où j'ai rencontré
Thomas la première fois. Je le quitte au même
endroit, avec le sentiment pesant de vivre en tournant en rond. Dans la file d'attente qui se déploie
devant la zone de contrôle de sécurité, je me range

derrière Paul, que je suis machinalement, à partir de cet instant, jusqu'à la porte d'un aéronef faisant des allers-retours quotidiens entre Johannesburg et Cape Town. À bord, il m'offre de prendre le siège à côté du hublot, ce qui lui laisse la latitude de pouvoir étendre ses longues jambes dans l'allée. J'enfouis mon sac à dos sous le siège du passager avant, déçue de ne pouvoir en retirer une petite bouteille de vin, comme je l'avais fait à Montréal. L'avion décolle, fonce à vive allure dans les nuages, en ressort au-dessus quelques minutes plus tard. Sous l'appareil, une ombre glisse à présent en silence sur ce brouillard cotonneux. Plus l'aéronef gagne de l'altitude, plus les contours de sa sombre silhouette s'estompent, comme s'il s'agissait d'une tache d'encre. Je fixe ce point noir diffus avec l'obsession de le voir disparaître, avalé par les nues. Mais rien ne bouge. Dans la fuite, les ombres restent les mêmes. Peu importe le bout du monde vers lequel je me précipiterai, cette masse diffuse planera toujours sur ma route. Cela m'apparaît comme une évidence en cet instant, la tristesse ne me quittera plus. Alors que je lutte pour chasser cette idée, je me débats aussi avec l'angoisse, qui monte d'un cran et qui empêche l'air de circuler dans ma trachée. J'ai peur de tout. J'ai peur de moi. Et Paul lit tranquillement le journal à mes côtés.

. . . .

Cape Town

À vol d'oiseau, Cape Town paraît si paisible… On dirait la côte de la Méditerranée au printemps, avec ses petites maisons tournées vers la mer et blotties au flanc d'une grande montagne. Lorsque Paul et moi descendons de l'avion, un vent chaud vient balayer les souvenirs de l'humidité de Johannesburg. Ici l'air salin a une odeur de trêve. Un étau se desserre. À l'aéroport, Ana nous attend. Un repère connu. Je retrouve la jeune activiste aux pupilles entourées d'un rayon d'or. J'observe un instant ses cheveux châtains bouclés et son corps vêtu d'habits trop grands qui lui donnent un air d'éternelle adolescente. Rien de plus trompeur comme apparence ! Cette petite bombe redoutable carbure aux injustices sociales. À Cape Town, les plus démunis ont une voix, la voix d'une femme-enfant dont la puissance résonne partout à travers le réseau des médias sociaux. Et nous avons droit à une manifestation en direct de sa fougue au moment où elle démarre le bolide rouillé qui lui sert de voiture ! Après avoir déposé nos bagages chez elle, puisque nous y passons notre première nuit, nous partons en direction du centre-ville pour casser la croûte. Sous le soleil cru de l'après-midi, nous déambulons dans la cité, que je découvre avec déception. J'ai l'impression

Elle conduit aussi mal qu'un cowboy sur un cheval de rodéo

de marcher dans les rues de Vancouver avec ses restaurants, ses cinémas, ses musées, ses grandes artères et son ciel marin. Cape Town resplendit d'une froide beauté coloniale. Des bâtiments de l'ère victorienne s'élèvent dans un ciel d'un bleu impeccable. Les rues de la ville sont envahies par des piétons blancs et des Métis à la peau pâle. De temps à autre, quelques visages foncés détonnent dans toute cette blancheur... La cité a ce petit air hautain qui me fait regretter la chaotique et sympathique Jo'burg. Je me retourne vers Paul, désemparée.

— Nous avons perdu l'Afrique!

. . . .

La joie

Le lendemain, je me rends dans une autre partie de la ville à la rencontre d'Althea Mckeana, une journaliste pigiste souvent embauchée à Bush Radio. Cette mère monoparentale sous-loue parfois une chambre à des voyageurs pour arriver à joindre les deux bouts. Ana m'a refilé son adresse en m'assurant que nous allions nous entendre comme larrons en foire. Après un trajet d'une vingtaine de minutes à partir du centre-ville, je descends de l'autobus au coin d'une rue tranquille, devant un immeuble rose de trois étages entouré de fleurs et de palmiers. L'endroit m'apparaît coquet, sans prétention. Je vérifie l'adresse une dernière fois avant de sonner.

— Bonjour, répond une voix vive en déclenchant à distance le loquet de la porte d'entrée, l'appartement est au dernier étage !

Dès qu'elle m'ouvre, j'éprouve un élan de sympathie pour cette femme de petite taille qui ressemble à une hobbit avec ses tresses crépues pointées vers le ciel, ses grands yeux et son nez à la forme arrondie. Elle m'invite à pénétrer dans un salon meublé de divans dépareillés et de coussins multicolores. Au milieu de la pièce, une enfant de sept ou huit ans est penchée au-dessus d'une table à café et

elle ne doit même pas mesurer plus de cinq pieds

s'affaire à dessiner un dragon. «Hello!» lance-t-elle, désinvolte, comme si elle s'adressait à une vieille amie de la famille. Au même moment, le vent de la mer fait doucement tinter le mobile de cuivre suspendu au-dessus de sa tête.

— Tu veux du thé? demande Althea en se dirigeant vers la cuisine.

J'accepte avec plaisir en lui emboîtant le pas. Au dessus de l'évier, une autre grande fenêtre offre une vue magnifique sur la montagne de Cape Town.

— Wow! Tu as droit à ce spectacle chaque matin?

— Eh oui! répond-elle en riant. À ma connaissance, il n'y a pas un matin encore où je me suis levée pour constater que la montagne avait levé les pattes.

Je souris, charmée par son sens de la répartie. Pendant qu'elle prépare le thé, mon regard s'attarde sur des photos collées sur son frigo. Sur l'une d'elles, je reconnais la fillette du salon vêtue d'un tutu. Sur une autre, où elle semble beaucoup plus jeune, elle s'agrippe au bras d'un homme. Son père, je suppose. Le reste des clichés a été pris au cours de différentes manifestations, des vestiges des luttes populaires contre l'apartheid. J'y aperçois, chaque fois, une jeune Althea qui brandit une pancarte à bout de bras. Je suis fascinée par l'expression des figures anonymes qui l'entourent, aucune d'entre elles ne paraît triste. Je devine que leur bouche ouverte scande des slogans, entame des chants d'espoir. La résignation semble complètement occultée de la vie des manifestants aux visages fiers, qui marchent avec confiance vers l'avenir. Pendant un moment, j'arrive presque à me sentir comme une de leurs pairs.

— J'étais encore adolescente, dit Althea, mais je me souviens très bien de la sensation qui m'habitait... Au fond de moi, je savais que j'étais en train d'écrire l'histoire.

— J'admire beaucoup le courage des Sud-Africains! Vous avez trouvé une façon de passer à travers cette période-là en gardant la tête haute...

— Ça, c'est grâce à l'Ubuntu.

— L'Ubuntu?

— Comment te l'expliquer? se demande-t-elle en marquant une pause. C'est cette idée qu'un être humain existe à travers d'autres êtres humains, que nous ne pouvons vivre notre humanité qu'ensemble... Je crois que c'est une philosophie qui est plus simple à vivre qu'à décrire.

— C'est drôle, l'inverse m'apparaît plus facile *a priori*...

— C'est parce que tu ne viens pas d'ici, conclut-elle en souriant.

Nous buvons notre thé un moment en silence, puis elle me propose de visiter la chambre. J'entre dans une pièce dont les murs sont décorés de dessins d'enfant. Un lit simple, deux commodes vertes et un panier rempli de peluches. Je devine, gênée, que la chambre à louer est en réalité celle de sa fille. Mais celle-ci vient rapidement nous rejoindre dans la pièce, en me tendant son dessin.

— Tiens, tu pourras l'afficher avec les autres, dit-elle en s'abandonnant dans les bras de sa mère.

Je comprends, grâce à son geste, que la décision a été prise d'un commun accord, qu'elle n'a pas été imposée par la mère. Sur la porte, la petite fille a collé une feuille blanche sur laquelle elle a tracé quatre lettres au feutre orange : JABU. Je demande à l'enfant s'il s'agit de son prénom.

— Ouiii ! répond-elle fièrement.

— Dans la langue zouloue, précise Althea, JABU signifie JOIE.

Je décide de prendre la chambre.

. . . .

La poésie du chaos

J'aime bien Althea, elle fait partie de cette caté-
gorie d'êtres humains à qui l'on s'attache dès une
première rencontre. Ce matin, ma nouvelle colocataire m'offre gentiment de m'accompagner jusqu'à
Bush Radio pour ma première journée de stage. La
radio communautaire se situe dans la communauté
de Salt River, une communauté voisine de celle où
nous habitons, et qui porte le nom de Woodstock.
Lorsque j'ai demandé à Althea si l'endroit avait été
nommé ainsi en l'honneur du mythique rassemblement de hippies des années 70 aux États-Unis,
celle-ci s'est mise à rire sans pouvoir s'arrêter avant
un bon moment.

— Woodstock porte son nom depuis 1867, bien
avant ton rassemblement de hippies. Vous, les
Américains, vous pensez que tout le reste du monde
tourne autour de vos références.

— Eh bien, enfin, oui, tu as raison…

Je n'ai pas osé me lancer dans une explication soulignant les différences entre les États-Uniens et
les Québécois et lui ai plutôt proposé de sortir une
carte, pour que je puisse visualiser notre parcours.
Cape Town, en réalité, est beaucoup plus vaste que

son centre-ville aux limites exiguës, et dont l'atmosphère m'avait paru froide au premier abord. L'agglomération se compose de petites communautés qui longent la mer et dont chacune, d'après ce que dit Althea, possède sa propre ambiance, sa personnalité unique. Elle me suggère d'ailleurs de partir un peu plus tôt ce matin afin que nous puissions visiter la nôtre.

En déambulant dans les rues étroites de Woodstock, délimité par la montagne au nord et par la mer au sud, je vis un véritable coup de cœur. Le plus grand charme du quartier réside dans les façades d'époque de ses maisons, peintes de couleurs variées. Certaines sont bleu pâle, d'autres jaune soleil, rose fuchsia, blanc lumineux ou vert tendre. Les couleurs des façades, superposées au ciel bleu électrique du Cap, paraissent d'autant plus éclatantes.

— Toutes ces couleurs, c'est à cause de l'influence malaise, précise Althea. Tu savais que c'est ici que les premiers Blancs se sont installés en Afrique du Sud?

— Oui, des navigateurs hollandais qui ont d'abord établi un poste de traite, avant de fonder une colonie, quelque part au milieu du dix-septième siècle...

— Exact! Ce sont les ancêtres des Afrikaners d'aujourd'hui.

— Et c'est quoi le rapport avec la Malaisie?

— Quand ils sont arrivés ici, les colons ont éliminé en grande partie les indigènes du Cap pour pouvoir s'installer. Les quelques survivants de la tribu

des Khois sont devenus des esclaves dans la colonie, mais ils n'étaient pas assez nombreux pour les
besoins des Hollandais. Alors les colons ont fait
venir des esclaves de la Malaisie et aujourd'hui, on
retrouve des traces de la culture malaise dans la
nourriture, les tissus ou la couleur des maisons,
par exemple...

— Et les Khois, ils ont encore des descendants?

— Très peu, se contente-t-elle de répondre avant de
m'inviter à descendre sur Main Road.

Main Road, je le sens dès que j'y mets les pieds, est
cette artère viscérale nécessaire à toute grande
ville, où circule le flux énergétique d'une métropole.
Ici, à Cape Town, la «Main» est la route qui relie
les communautés entre elles. Sous un soleil mati-
nal d'octobre, je découvre ce chemin où se côtoient
les vendeurs itinérants installés derrière leurs
stands de fruits, les restaurants de *fast food*, les
palmiers, les déchets, les travailleurs qui pressent
le pas et les sans-abri qui errent parmi la foule.
Rapidement, je remarque que la rue est envahie par
de vieilles camionnettes Volkswagen qui circulent
à toute vitesse dans les deux sens.

— Ça, ce sont les combis, nos taxis communautaires, explique Althea. C'est le moyen de transport
le plus facile et le plus économique pour te déplacer ici.

— Et c'est normal que les camionnettes donnent
toutes l'impression qu'elles sont sur le point de
perdre un morceau ou deux bientôt?

— Oh, tu sais, les normes, ça n'existe pas vraiment ici...

Je comprends, en les observant, que chaque combi possède son chauffeur et son copilote. Tandis que le premier fait du slalom à toute vitesse sur la route en évitant de justesse les autres voitures, le second, le corps à demi sorti par la fenêtre, tape sur la carcasse de l'automobile en criant à tue-tête sa prochaine destination : «*Mumbray! Salt River!*»

— Les combis, c'est notre héritage de l'apartheid, poursuit Althea. Quand ils ont déplacé des milliers de Noirs dans les townships, plusieurs avaient encore des emplois dans les villes et il fallait bien qu'ils trouvent un moyen pour se déplacer. C'est pour ça qu'ils ont organisé un système de taxis communautaires. Parfois, les combis, on les appelle aussi les tap tap.

— Quel drôle de nom! Tu crois que c'est parce que l'assistant du chauffeur est toujours en train de taper sur sa porte extérieure?

— Je ne sais pas, répond Althea en riant, c'est peut-être une explication. Mais je sais qu'on les appelle comme ça aussi sur le reste du continent.

Nous continuons à marcher en silence, un moment pendant lequel je profite pleinement de cette liberté toute nouvelle, celle de me promener dans une ville calme, au climat beaucoup plus tempéré que celui de Johannesburg. Un peu plus tard sur notre chemin, je repère une affiche dans la fenêtre d'une petite boulangerie. Un véritable mirage pour moi! Depuis le début de mon séjour, je n'ai pas eu

J'adore ce concept!

l'occasion de boire un vrai café puisque les Sud-Africains consomment en général du thé ou du café instantané. *l'influence des Anglais!* La découverte de cette petite boulangerie produit un impact puissant chez moi. Le goût, l'odeur, la texture du café... Tout me revient à la mémoire en quelques secondes. Je supplie Althea de m'attendre et j'entre dans le commerce, fébrile.

— Excusez-moi, vous vendez vraiment du café frais?

— Bien sûr, me répond la jeune caissière en souriant.

— Et qui vient d'une vraie machine à expresso?

— Une machine? Ah! non. Nous faisons le café avec ça, précise-t-elle en brandissant un pot de Maxwell House.

— Mais... c'est... du café instantané?

— Bien sûr, confirme-t-elle en souriant une autre fois.

— Mais... vous dites que vous vendez du café frais...

— Bien sûr, répète-elle, infatigable, il est frais puisque nous le faisons devant vous!

— Je... oui... Effectivement, vu comme ça...

Je lui souris à mon tour et lui commande un café «tout frais» avec lequel je ressors en rigolant, devant une Althea au regard interrogateur.

— Tu sais que je suis vraiment en train de tomber sous le charme de ton pays?

— Je ne sais pas ce qu'ils ont mis dans ton café, mais ça me fait bien plaisir de l'entendre !

Au bout d'une longue marche, ce matin-là, ma colocataire et moi arrivons devant un immeuble de briques à l'air vieillot et plutôt anonyme. Suspendu à l'une de ses fenêtres, un écriteau nous indique que nous sommes au bon endroit : «Bush Radio». Un peu déçue, je confie à Althea avoir imaginé que la radio communautaire, à cause de son nom, était située au milieu d'un grand parc.

— Bush radio s'appelle de cette manière, répond-elle, amusée, parce que son nom fait référence à l'Université Western Cape, où elle est née. L'université est entourée de buissons, alors on lui a donné le surnom de Bush University.

— Bush était une radio étudiante avant de devenir une radio communautaire ?

— Son histoire est plutôt inusitée, rétorque-t-elle. Dans les années 80, un groupe d'étudiants du Western Cape a eu l'idée d'enregistrer des émissions sur des cassettes audio et de les distribuer dans les townships. La population noire était complètement ignorée par le gouvernement de l'apartheid à l'époque et les étudiants cherchaient une façon de la rejoindre.

— Mais qu'est-ce que ça leur rapportait ?

— Je crois que pour la plupart des étrangers, ça ne va pas de soi d'imaginer que beaucoup de Blancs se sont aussi engagés dans le combat contre l'apartheid ici. Les capsules audio insistaient sur l'importance d'apprendre à lire et à écrire, elles incitaient les jeunes à s'éloigner du crime et surtout, elles permettaient aux Noirs de connaître leurs droits. Les étudiants avaient imaginé ce système de cassettes pour pouvoir communiquer avec une population qui était illettrée, ou en tout cas, très peu éduquée.

— Et ça a fonctionné?

— Bush Radio a joué un rôle très actif dans la lutte contre l'apartheid, mais aussi dans le domaine de l'éducation sociale, poursuit-elle en m'invitant à passer devant elle.

En gravissant l'escalier qui nous conduit au troisième étage, Althea me raconte que les cassettes sont rapidement devenues populaires et distribuées partout dans les townships des environs. Au début des années 90, les bénévoles de Bush Radio sont allés jusqu'à s'emparer des ondes pour diffuser illégalement leurs émissions au contenu un peu trop dérangeant pour les autorités en place.

Sur ces dernières paroles, Althea m'ouvre la porte d'un grand espace à aire ouverte. La première chose que je remarque, à l'entrée, est le panier de condoms sur le bureau de la réceptionniste. Ce contenant, généralement rempli de bonbons durs ou de petits chocolats à l'entrée d'autres entreprises, me laisse avec l'étrange impression, pendant quelques secondes, de pénétrer dans un club échangiste. Mais mon trouble s'estompe en un clin d'œil, le temps qu'il me faut pour balayer du regard la salle de presse bondée de journalistes, de recherchistes et d'animateurs qui s'activent. Peint sur un mur transversal, le slogan de la radio témoigne de son mandat:

« Notre but n'est pas de devenir une radio populaire, mais une radio indispensable. » J'en déduis que, fidèle à ses origines, Bush Radio joue toujours un premier rôle dans le domaine de l'éducation sociale.

Dès qu'Althea me présente la réceptionniste, celle-ci s'empresse de me tendre sa main droite pour me donner une poignée franche, puis sa main gauche, pour me refiler un mémo avec le nom de Paul et le numéro de téléphone auquel je peux le joindre. Incroyable! Ma première journée de travail, et il est déjà à mes trousses! Ana nous retrouve bientôt et je lui emboîte le pas pour aller à la rencontre de mes nouveaux collègues : Xswana, un gaillard timide à la peau d'ébène venu du Kwazulu-Natal, Kleyton, un Coloured du Cap plutôt mignon aux yeux noisette, et Patrick, l'un des rares descendants de la tribu des Khois. Le seul absent est Walton, un Sud-Africain d'origine anglaise, qui a pris quelques jours de congé pour aider sa mère récemment opérée. À partir d'aujourd'hui, je joins officiellement leurs rangs, ceux de l'équipe des reporters de Bush Radio.

Ana me suggère de m'installer à un petit bureau qui donne sur une fenêtre. Je comprends que j'occuperai la place de Walton, qui a fait le choix de déménager ses pénates sur le bureau d'à côté pour me laisser la chance de travailler au soleil. J'ouvre la fenêtre, un geste qui laisse pénétrer le vent chaud et humide de la côte, dans lequel on peut distinguer quelques odeurs lointaines des arbres de la montagne. Du troisième étage, il est possible d'embrasser d'un seul regard un grand tronçon de Main Road, dont on perçoit jusqu'ici les gazouillis : les cris des vendeurs itinérants, le son des klaxons, la voix des assistants chauffeurs qui tapent sur la carcasse de leur vieux combi. J'aime observer la vie qui se déploie en bas dans une sorte de beauté chaotique.

Il y a beaucoup de poésie dans le chaos. Chaque jour, l'Afrique m'initie un peu plus à cette notion impossible à saisir là d'où je viens, là où l'on accepte mal d'entrapercevoir quelques fils blancs dépasser d'une vie que l'on voudrait impeccable. Mais ici, les chauffeurs de taxi conduisent des camionnettes déglinguées, les radios s'emparent illégalement des ondes et le secret du café frais des boulangères se cache dans un pot de Maxwell House.

. . . .

Une petite note amusante sur Bush Radio :

Les Sud-Africains ont surnommé Bush « the mother radio » parce qu'elle est la plus ancienne radio communautaire au pays ! Certains disent même à travers l'Afrique !

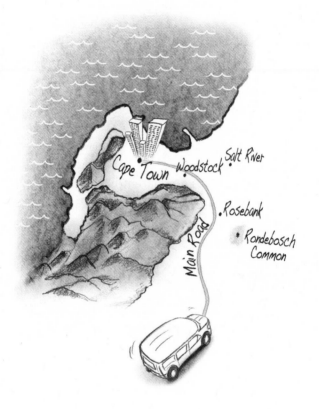

Cape Town Woodstock Salt River

Main Road

Rosebank

Rondebosch
Common

L'amour qui tombe

Cette nuit-là, je retourne me balader dans les rues de Woodstock, sans but précis, en m'arrêtant de temps à autre pour admirer la devanture colorée d'une maisonnette. Au loin, j'arrive à percevoir l'écho de chants *a capella*, des chants d'espoir. Ils proviennent de l'autre côté de la montagne, et j'avance dans leur direction en traversant les plaines et le temps. Je trace mon chemin jusqu'à cette petite île qui baigne dans le fleuve Saint-Laurent en face de Montréal, l'île Sainte-Hélène. Je marche sur sa terre couverte de vallons de neige, la neige crisse sous mes pas, le vent me fouette le visage. Dans la poudrerie, la silhouette de Gregory se dessine. Il porte un vieux manteau et une tuque qu'il a perdue il y a des années. Il passe devant moi et me sourit furtivement avant de poursuivre son chemin. Je sais que c'est sa façon de me dire au revoir, sans s'arrêter. Je sais que s'il continue ainsi, il sortira de ma vie. Pour de bon. Il faut le laisser partir sans moi, c'est ce qu'il faut faire. Mais voilà que je cours, à en perdre haleine, les jambes lourdes, mon visage brûlé par le froid, et mes pas s'enfonçant dans la neige. Je cours jusqu'à lui parce qu'à la seule pensée de le laisser fuir, je suffoque. Et j'arrive à le rattraper, et à l'enlacer par-derrière, et à l'emprisonner dans mes bras pour ne pas le perdre, pour ne plus jamais le perdre. Il ne se débat pas, il ne cherche pas à se dégager. Il sourit, avec résignation. Gregory demeure immobile, dans mes bras. Et l'amour tombe. Il s'échappe de nos pores, de nos mains, de nos mémoires. L'amour s'enfuit, se cristallise au contact de l'air froid, disparaît dans la tempête. Je me réveille en sursaut, aussi vide et triste qu'un paysage d'hiver.

. . . .

Un faux pas

À travers la fenêtre, les premières lueurs du jour s'infiltrent. La journée sera chaude, je le perçois au cri des oiseaux. J'enfile une paire de shorts, une camisole, et j'ouvre la porte qui donne sur l'extérieur. Un four. Sur Main Road, un tap tap coupe brusquement un automobiliste pour venir me cueillir au passage. À en juger par la mélodie qui s'échappe des fenêtres ouvertes, le chauffeur est un amoureux de kwaito, ce style musical où des chants traditionnels se marient à des rythmes électroniques. J'entre dans une camionnette bondée où la seule place disponible se trouve sur la banquette arrière, entre un homme d'âge mûr et une grosse femme. Je tends quelques pièces à la grosse femme, qui passe la monnaie au passager installé sur la banquette avant, qui la passe à son tour à l'assistant du chauffeur. Le combi repart en trombe, musique et champignon dans le tapis ! J'attrape mon calepin de notes au fond de mon sac pour griffonner quelques questions. Le mandat que m'a confié Ana m'apparaît encore flou. Je dois enregistrer mon premier reportage radio au cours de cette marche pacifiste organisée pour prôner le retrait complet des troupes américaines en Irak. Cape Town compte une importante communauté musulmane, dont

plusieurs membres demeurent sensibles au sort
de leurs frères et sœurs. Mais j'ai encore de la difficulté à trouver comment aborder le sujet avec per-
tinence. L'invasion de l'Irak, c'était il y a un siècle!
Ana m'a suggéré d'en profiter pour faire un retour
sur la tragédie du 11 septembre, vue par les membres
de la communauté. Je n'ai pas osé lui répondre qu'à
mon avis, le sujet avait déjà été plus que surexploité.

En descendant du combi, j'aperçois au loin les ban-
nières et les pancartes des manifestants qui se sont
rassemblés dans un parc. Je descends au coin d'une
rue et en m'avançant vers la foule, je scrute les visages, à la recherche d'interlocuteurs potentiels.
Une impression désagréable. Celle de me faire observer par ceux que j'observe. Des regards méfiants,
parfois même méprisants. Que se passe-t-il? C'est à
cause du micro? C'est parce qu'ils se sentent dévi-
sagés? L'espace d'une seconde de lucidité, l'évidence
me frappe. Je suis entourée d'hommes vêtus de
chemises à manches longues et de femmes voilées
aux jupes longues. Du coup, mes shorts me semblent
MALAISE!!! très, très courts et ma camisole… minuscule… Pendant un instant, je peste en silence contre Ana, qui
aurait pu m'avertir! Mais je dois admettre qu'elle
ne l'a pas fait pour une raison très simple: ça allait
de soi pour elle, j'allais y penser par moi-même…
J'imagine… Que faire? Rebrousser chemin, aller
m'habiller et revenir à la course? Je risquerais de
ne plus retrouver les manifestants et je m'en voudrais éternellement d'avoir bousillé mon premier
reportage. Je respire profondément, en tentant de
me convaincre que je n'ai rien fait de mal. C'est
vrai, après tout, je ne suis qu'une innocente reporter! Dans les deux sens du terme… Consciente de

l'absurdité de ma dernière pensée, je réprime un sourire avant de me lancer au front. Parmi les participants, j'en repère un dont le regard m'apparaît doux et paternel et vers lequel je m'avance timidement. À mon grand soulagement, il accepte de m'accorder une entrevue, mais au moment où je tends le micro dans sa direction, un manifestant arrive en trombe et me l'arrache des mains comme s'il s'agissait d'une arme.

— Vous êtes de CNN ou de FOX? Nous ne voulons pas vous parler! Vous êtes l'ennemi!

Je lui réponds calmement, en accentuant le mieux possible mon accent québécois.

— Écoutez, je suis seulement une stagiaire inoffensive qui...

— Les Français aussi sont les ennemis!

D'accord... je ne prendrai tout de même pas la peine de le corriger et de lui dire que je suis Canadienne, au cas où il aurait des cousins en Afghanistan... Vite, il me faut une solution pour le calmer. Je pointe un doigt en direction du micro qu'il tient toujours dans ses mains, en lui vendant l'idée qu'il s'agit pour lui d'une occasion de partager son point de vue sur les médias occidentaux. Les yeux illuminés, il entame un discours sur la manipulation de ces derniers, élaborant au passage une théorie selon laquelle les Américains auraient exporté le sida en Afrique pour y éliminer la population noire. Dès qu'il marque une pause, je le remercie en tentant de reprendre le microphone... qu'il garde bien solidement entre ses mains. C'est qu'il n'a pas terminé de m'expliquer! Parce que je dois savoir aussi que si le viol existe, c'est à cause des femmes occidentales qui ne se couvrent pas et qui ne portent pas le voile comme cette jeune adolescente qu'il attrape par le bras au passage. «Regarde cette jeune beauté, elle n'a pas besoin de se dévêtir pour qu'on la trouve belle!» s'enflamme-t-il. La jeune fille me sourit, embarrassée. Ça y est, j'ai maintenant l'impression d'être complètement nue au milieu de la foule! Le père de celle-ci arrive à la rescousse et, en s'adressant à l'homme en arabe et d'un ton calme, il le convainc de me rendre le micro. Mais déjà, le fou au micro voit passer un manifestant avec un t-shirt de Ben Laden et il se met à crier en levant les bras au ciel: «L'âme de la guerre sainte vit encore à travers nous!» Je me sens de plus en plus mal. Sueurs froides. Étourdissements. Je titube jusqu'à l'ombre d'un arbre. Le cri des manifestants se transforme en un long silement strident, ma vue s'embrouille. Une nuit noire s'abat sur le jour.

j'encaisse le coup!

. . . .

La fin de l'innocence

Dans l'appartement plongé dans l'obscurité, elle cherche à tâtons l'interrupteur du corridor. Elle entend en sourdine, venant du salon, le bruit de la télévision qu'ils ont oublié d'éteindre avant de partir. Ils ont dû quitter l'appartement en catastrophe à cause de leur retard, un grand classique. Les amis et les parents leur donnent systématiquement de fausses heures de rendez-vous, à présent, pour éviter de les attendre. C'est devenu une sorte de marque de commerce de leur couple, arriver en retard. Il lui semble même que la situation ait empiré depuis quelque temps, depuis la nuit du 1er janvier, au cours de laquelle elle a commencé à douter de lui. Le corridor enfin éclairé, elle le traverse rapidement et, en passant devant le salon, devine en un quart de seconde le sujet de l'émission diffusée : encore un de ces documentaires sur une théorie loufoque concernant le 11 septembre ! Elle déteste revoir les images de la fumée dans le ciel de New York ce jour-là, l'image de ces femmes et de ces hommes recouverts de cendre... Surtout, ne pas oublier d'éteindre la télé en repartant d'ici. Pour l'instant, il lui faut retrouver le foutu portefeuille de Gregory. Elle exècre ce type de situation, lorsqu'il se fâche contre elle, parce que, en réalité, il est fâché

contre lui-même. Ils roulaient sur l'autoroute, ils
avaient quitté la ville depuis un moment lorsqu'elle
a aperçu cette ombre dans son regard. Elle a tout
de suite su, même s'il n'avait pas encore parlé.
« Mon portefeuille », a-t-il simplement articulé. Elle
n'a pas tenté de le convaincre de continuer, même
si elle avait le sien et que c'était suffisant. Cela
n'aurait servi à rien, elle le savait bien. Ils ont fait
demi-tour. Lui, bouillant et renfrogné. Elle, froide
et frustrée. « Je n'y suis pour rien », a-t-elle finalement
laissé tomber. « Tu n'as pas arrêté de me talonner
pour qu'on parte viiiitteee, viiiitteee, et voilà où ça
nous mène ! On va arriver encore plus en retard,
maintenant ! » Elle a soupiré. Il l'a lorgnée avec
mépris. Elle a frissonné. « Je vais aller le chercher,
ton portefeuille ! » lui a-t-elle balancé en sortant de
la voiture, sans oublier de faire claquer la portière.

Elle fouille parmi les objets et les papiers qui encombrent son bureau. Au-dessus de celui-ci, comme si
elle la narguait, une photo encadrée d'un couple
amoureux. Elle et lui, vêtus de leur chandail d'équipe
d'improvisation, et qui s'embrassent en tenant le
trophée des vainqueurs d'un tournoi universitaire.
Un cliché pris sur le vif par l'un des spectateurs, et
qui avait fait la une du journal étudiant à l'époque.
Un vestige d'un autre temps, celui de leurs premiers
pas à l'université, où on les avait élus « couple de
l'année » au gala de fin de session. Elle retrouve
l'objet responsable de leur discorde sous le dernier
scénario que son agent vient de lui envoyer. Ce
qu'il peut être bordélique ! À côté, une carte postale
qu'elle n'a jamais vue. Une carte postale de Montréal... Quelle drôle d'idée ! Elle la retourne, sans
savoir encore à cet instant si c'est la curiosité ou

l'intuition qui le lui commande. Une écriture fémi-
nine. Des lettres rondes, tracées avec application,
avec de gros points sur les *i*. «Hier, je me suis promener dans les rue de Montréal qui sont pleine
de neiges maintenant. Ça m'a fait pensé à nos pro-
menades dans la ville en *roller blade* cette automne.
Je m'ennuie de toi, beautée.» Mais c'est bourré
de fautes d'orthographe! C'est la première chose
qu'elle pense, dans un soubresaut de lucidité, avant
de sombrer dans la déroute. Alors, elle pose ce geste
qu'elle n'a jamais osé poser de toute leur vie conju-
gale, elle ouvre tous ses tiroirs, comme le ferait un
cambrioleur pressé par le temps, et elle fouille. Elle
fouille jusqu'à ce qu'elle trouve ce qu'elle cherche,
depuis des semaines, sans le savoir. Un petit paquet
de missives et de cartes postales tenues ensemble
par un élastique bleu. Toutes noircies par la même
écriture, celle aux lettres rondes avec de gros points
sur les *i*. Un peu plus loin dans l'appartement, un
téléviseur diffuse en boucle une image dans un
salon vide. Le moment où le second avion vient
frapper la deuxième tour jumelle. Le moment où
l'accident se transforme en trahison.

. . . .

Walton

— Ça va ? Est-ce que tu peux m'entendre ?

C'est d'abord sa voix que je perçois. Son visage
m'apparaît ensuite, comme s'il s'agissait de la dernière image d'un rêve qui se superpose à la réalité.
Dès que je le vois, je ressens une sorte de réconfort,
un sentiment similaire à la connivence fraternelle.
Il a un sourire rassurant, des yeux de la couleur
du miel et des cheveux blond châtain. Pendant les
premières secondes, j'ai même l'impression de le
connaître et je cherche au fond de ma mémoire quel
rôle il a joué dans ma vie. Mais je reprends mes
esprits et, au moment où je lui souris, je sais que
je le fais devant un étranger.

— Tu viens de t'évanouir, dit-il, mais tu n'es pas
restée inconsciente très longtemps.

Je le regarde, attentive à ses gestes calmes, fouiller
dans son sac. Il en sort une bouteille d'eau qu'il me
tend.

— Il faut boire beaucoup lorsqu'il fait une chaleur
pareille et, idéalement, il faut se couvrir la tête et
le corps, tu sais, pour éviter les insolations…

— Oui, j'aurais dû savoir.

— C'est bien toi la stagiaire canadienne engagée à Bush Radio ?

Je lui souris.

— … Et toi tu es un… clairvoyant ?

— Je suis Walton, le reporter radio en congé, répond-il simplement. Je suis passé par le bureau ce matin pour avertir que je viendrais faire un tour à la marche aujourd'hui. Ana m'a appris que tu étais ici, alors quand je suis arrivé, je t'ai cherchée… Et je t'avoue que tu étais assez facile à repérer…

— Oh… je sais…

Il fouille de nouveau dans son sac et en ressort une chemise blanche aux manches longues, taillée dans un tissu léger.

— Tu avais déjà prévu qu'une fille avec une tenue indécente allait s'évanouir devant toi aujourd'hui ?

— Si tu savais le nombre de fois que ça m'arrive, réplique-t-il d'un ton faussement las. Tu te sens d'attaque pour retrouver les manifestants ? Si tu veux, je t'accompagne. Ils sont partis en direction du centre-ville, on n'aura pas de difficulté à les rattraper. Et je peux même te présenter des personnes que tu pourras interviewer sans avoir à te battre pour récupérer ton micro.

— Ton aide… en échange d'une bière à la fin de la journée ?

— Le marché me paraît convenable, répond-il d'un ton amusé.

En suivant les traces des manifestants dans les rues de Mowbray, nous avons le temps d'échanger sur nos vies. Deux vies, dans deux univers opposés. Pendant que je grandissais en banlieue de Montréal, Walton faisait ses premiers pas dans la campagne sud-africaine, sur une ferme exploitée par un père immigré d'Angleterre, et par une mère de descendance irlandaise. Élevé dans une famille aux valeurs libérales, il a grandi dans une région peuplée par les Afrikaners, et qui est l'une des plus conservatrices et des plus racistes du pays. Chaque jour, il devait côtoyer des camarades de classe et leurs parents qui croyaient fermement à l'idéologie du régime ségrégationniste alors que celui-ci était en train de tomber. Les fermiers de son village demeuraient persuadés que le privilège d'exploiter la terre devait être réservé aux Blancs, simplement parce qu'ils étaient «plus disciplinés» et «mieux organisés» que les Noirs.

Je comprends à travers son récit à quel point les origines d'une personne ici ont une incidence sur son rapport à l'apartheid

— Et aucun de ces fermiers ne s'est jamais aperçu qu'il était en train d'exploiter les terres ancestrales appartenant aux Noirs qu'ils dénigraient?

— Crois-moi, ça ne sert à rien d'argumenter avec des gens comme ça!

Walton me raconte qu'il a traversé l'adolescence dans un déchirement constant. Comment concilier le besoin de se sentir appartenir à un groupe et celui de vivre en accord avec ses convictions? Pour la première fois de ma vie, je me suis posé la question. Entre la possibilité de vivre dans un milieu aisé mais rejetée, ou d'évoluer dans un environnement pauvre mais où je serais bien entourée, quel choix aurais-je fait ? Je n'en ai aucune idée, je n'ai jamais connu ni l'une ni l'autre de ces situations. Et je dois bien admettre qu'avant cette matinée passée à marcher dans les rues de Mowbray aux côtés de Walton, je n'avais jamais pris conscience de ce privilège.

— C'est ici que j'ai vécu mon premier vrai sentiment d'appartenance, me confie-t-il au moment où nous rejoignons la queue de la manifestation.

— À Cape Town ?

— Oui, dans la « grande ville ». J'avais dix-sept ans et je venais de quitter mon village natal pour la première fois. Arrivé ici, j'ai rencontré Ana, qui m'a présenté à plein d'autres amis activistes… Je n'avais jamais vécu ça avant, me retrouver entouré de gens qui avaient les mêmes valeurs que les miennes. C'était génial ! Enfin, j'avais l'impression que ma vie commençait à signifier quelque chose…

Un long silence a suivi sa réponse. J'ai fini par lui avouer que je ne m'étais jamais demandé si ma vie signifiait quelque chose ou pas. Il m'avait toujours suffi de la vivre, simplement. Je m'attendais à ce qu'il me fasse une drôle de tête, à ce qu'il me réponde que je ne pouvais pas comprendre. Il s'est contenté de m'observer, pensif, avec une sorte d'admiration dans le regard. Pendant un instant, j'ai eu l'impression qu'il aurait tout fait pour me piquer une partie de cette insouciance. C'est à partir de ce moment, je crois, que j'ai commencé à l'aimer. À bien l'aimer. Grâce à lui, je venais de renouer un instant avec celle que je tentais de retrouver depuis des mois, celle d'avant la rupture.

Nous ne sommes jamais allés prendre de bière en fin de journée. Sa copine Lena lui a téléphoné et il a dû me faire faux bond pour aller la chercher au centre-ville. Au moment où il m'a quittée, je n'arrivais toujours pas à savoir si j'étais déçue d'apprendre qu'il était amoureux de cette fille, ou soulagée. Je savais qu'il l'aimait. Je le savais parce que parfois, les hommes laissent planer une ambiguïté subtile lorsqu'ils évoquent leur vie de couple. Une ambiguïté à peine perceptible, mais dont la présence laisse tout de même deviner une porte entrouverte. Au cas où. Et je n'ai pas senti cela chez lui. Parce que je ne l'ai pas senti, cela signifiait pour moi que ses rires et ses taquineries au cours de la journée étaient sincères, de simples expressions traduisant la joie d'une personne en train de passer du bon temps avec une autre personne. Et j'aime quand un homme me donne le droit d'être, sans me pousser à me retrancher derrière ce bouclier que j'utilise trop souvent, celui de la séduction.

Après son départ, j'ai acheté un sandwich dans un casse-croûte de Main Road, que j'ai mangé en marchant vers Bush Radio. Quand je suis entrée au bureau, la secrétaire m'a tendu une note. Un autre message de Paul, qui commençait à s'impatienter parce que je ne lui avais toujours pas donné de nouvelles. J'ai pensé que je devrais lui faire signe avant qu'il n'envoie une brigade de détectives privés à mes trousses. Mais je suis entrée dans la salle de montage et j'ai oublié Paul, une fois de plus. Lorsque j'en suis sortie, il ne restait plus personne à la station de radio. Je me suis dépêchée de rentrer avant la brunante. Déjà, dehors, les piétons commençaient à déserter les trottoirs. Quelques combis sillonnaient

encore les rues, mais la plupart roulaient en direction du centre-ville pour leur ultime voyage de la
journée. Sur Main Road, baignée par les derniers
rayons du soleil, le vent s'est levé. Lorsque celui-ci
s'emporte et souffle avec force, un phénomène
étrange se produit en haut de la montagne du Cap.
Son sommet, un plateau long et plat, se couvre de
nuages qui déferlent vers le sol comme s'il s'agissait
d'une chute d'eau au cœur d'un paysage sauvage.
Les nues éthérées descendent alors en cascade,
en effleurant les parois rocheuses de la montagne,
mais sans jamais atteindre le sol. J'ai regardé en
direction de la montagne et, pendant un instant,
je me suis mise à croire que le temps était suspendu.
Le vent s'est mis à souffler plus fort, et il a ramené
avec lui les souvenirs de là-bas.

. . . .

La citrouille

Quelques mèches de ses cheveux virevoltent, emportés par un solide coup de vent. Elle les replace derrière ses oreilles d'elfe en caoutchouc en continuant à marcher d'un pas léger. Dans la ville, les odeurs de l'automne sont multiples : celle du mont Royal après une première pluie froide ; celle des pommes et des courges dans les marchés ; celle des feuilles mortes qui tombent doucement sur le bitume. Quelque chose d'imperceptible est en train de changer. Ce n'est pas dans l'air, mais en elle. Les derniers relents de l'enfance la quittent pour de bon. Peut-être parce que c'est sa dernière année au cégep, ou parce qu'elle vient de décrocher ce boulot d'assistante du professeur de français. Peut-être, aussi, que la réponse se trouve dans son regard à lui, le nouveau joueur de l'équipe d'improvisation. Il la regarde comme une femme, malgré ses jambes maigrichonnes, ses petits seins et le chandail de l'équipe beaucoup trop grand pour elle. Il la regarde comme s'il arrivait à la percevoir à travers les années qu'elle n'a pas encore vécues. Dans ses yeux à lui, elle n'appartient pas à un présent insignifiant, mais à une étourdissante éternité.

Elle s'arrête un moment en se demandant si elle ne devrait pas lui acheter un cadeau, pour la forme.

Mais quoi offrir à un garçon que l'on connaît à peine,
et qui donne l'impression de nous connaître depuis
toujours? Et puis, qu'est-ce qu'on peut bien donner
à un étudiant qui pend la crémaillère – et qui fête
en même temps l'Halloween – et à qui les parents
ont déjà tout acheté? C'est en sortant de la bouche
du métro qu'elle trouve, dans un marché en plein
air. Une citrouille, un peu déformée, à la fois jolie et
singulière. Elle la porte à bout de bras en marchant
les derniers mètres qui la séparent de l'appartement.
Il vient lui ouvrir en personne. Elle éclate de rire. Il
s'est fabriqué une toge à l'aide d'un drap blanc et
il tient sur son épaule un ballon bleu, sur lequel il
a grossièrement dessiné les continents. «Salut
Atlas!» lance-t-elle, joyeuse. «Tu es la première à
deviner», répond-il avec admiration. C'est peut-être
à cet instant. Ou alors c'est arrivé plus tard, dans
la cuisine, lorsqu'ils se sont mis à découper des
yeux et une bouche dans la citrouille. Sinon, cela
s'est passé sur la piste de danse improvisée, dans
le salon. Ce moment où elle l'a observé sans filtre,
tel qu'il était. Encore imberbe, à dix-sept ans. Le
visage joufflu, les épaules légèrement tombantes
et, sous sa toge, un minime, mais perceptible surplus de poids. Et ce sentiment terrifiant de se sentir envahie par un amour incommensurable pour
un garçon ordinaire. Un amour dont rien ne justifie l'importance et qui, pourtant, s'impose en cet
instant comme celui qui sera l'incontournable, le
grand. Comment arrive-t-elle à éprouver une telle
certitude? Il lui est impossible de l'expliquer, mais
elle sait. Elle replace une mèche de ses cheveux
derrière son oreille d'elfe en caoutchouc, effleure
de son autre main la dague plantée au travers de

sa ceinture. Une arme ramenée en souvenir d'un voyage en Espagne, qu'elle touche régulièrement depuis le début de la soirée. Un tic nerveux, lié à sa peur de l'égarer par inadvertance dans une soirée d'Halloween bondée... Ou développé pour assouvir ce besoin irrationnel de se sentir protégée devant celui qui soutient le monde sur ses épaules. Elle s'avance. Ce n'est ni la conviction ni le désir qui la porte, simplement le geste. Le geste d'avancer vers l'autre, ce miroir de soi. Effleurer ses lèvres. Et vivre la peur. Celle de perdre tout ce que l'on vient de gagner en un instant.

. . . .

La parole du silence

Dès les premiers jours d'octobre, je me suis mise à chercher intuitivement les signes de l'automne nordique dans le paysage sud-africain. Les feuilles colorées dans les arbres, l'air frais, les squelettes en papier ou les bonbons en solde dans les vitrines des commerces. Et dans les marchés, les potirons. Mais à Cape Town, en automne, rien de tout cela n'existe. Et pourtant, je pense sans arrêt à la citrouille que je n'achèterai pas cette année. Depuis sept ans, chaque année, j'achète une citrouille que j'offre en cadeau à Gregory. Un rituel que je n'ai jamais abandonné. Offrir une citrouille à Gregory a toujours été ma façon de lui dire que je continuais de l'aimer, malgré les dérives, malgré le temps qui passe.

Il y a deux jours, j'en ai vu une dans une papeterie de Waterfront, le plus grand centre commercial au centre-ville. Une citrouille gomme à effacer, minuscule. J'ai rôdé autour du magasin pendant près d'une demi-heure, en repassant plusieurs fois devant la vitrine du commerce. J'ai fini par tourner les talons et par marcher dans la direction opposée sans me retourner. Je n'ai envoyé aucune nouvelle à Gregory depuis mon départ. Je ne sais pas quoi lui écrire. Je pourrais lui raconter le vent du Cap, la lumière ocre de l'Afrique, les taxis combis. Je pourrais lui décrire les nouveaux amis, les précautions à prendre lorsque je sors à la brunante, l'absence de café latté, et tous ces détails qui me rappellent chaque jour que j'ai changé de vie. Je pourrais tenter, aussi, de lui expliquer le vide, les crises de larmes qui arrivent comme des fusillades, la peur de ne jamais savoir se reconstruire. La vérité, c'est que je ne sais pas comment le lui écrire. Je n'ai pas envie d'être banale, ni profonde, ni tendre, ni distante. À défaut de choisir un ton, je choisis le silence. J'aurais pu, en silence, mettre la citrouille gomme à effacer dans une enveloppe et la lui envoyer. Sans un mot. Mais ça aurait voulu tout dire.

. . . .

Le déséquilibre

Contrairement au quartier Woodstock, où j'habite, celui de Salt River revêt un aspect plus industriel, définitivement moins charmant avec ses nombreux bâtiments à la brique effritée et aux parterres mal entretenus. Voilà plusieurs minutes, déjà, que Walton et moi marchons au hasard dans ses rues à la recherche d'un endroit pour s'asseoir et boire un verre. Je suis sur le point de lui proposer de rebrousser chemin au moment où il se souvient d'un pub situé dans les environs. Nous bifurquons dans une rue transversale, avant de tourner dans une ruelle et de nous arrêter devant une maisonnette aux lucarnes jaunes.

— On dirait une maison privée !

— Entre, dit-il en m'ouvrant la porte, je crois que tu vas aimer.

Au moment où je passe devant lui, il effleure mon dos de sa main. À travers ses doigts qui se posent un instant sur mon chemisier, j'entends en silence : « Je t'offre mon support, mon soutien. » De ses doigts qui se posent sans bruit sur cette frontière fragile qui sépare sa peau de la mienne, je recueille une chaleur qui me fait frissonner. Cela fait si longtemps que je n'ai pas été touchée. À l'intérieur du pub, une atmosphère chaleureuse. Des murs recouverts de lattes de pin et décorés de vieilles affiches publicitaires de différentes marques de whisky. Dans l'air, des effluves d'alcool fort et de bière. Nous nous assoyons à une table au fond, un peu en retrait des autres.

— Journée difficile ?

— J'ai vraiment l'impression que tout ce travail a été fait pour rien…

Tout a débuté il y a une semaine et demie, lorsqu'Ana m'a demandé de préparer un atelier sur les médias sociaux dans le style de la formation que j'avais donnée à Johannesburg. Je n'arrive toujours pas à savoir comment elle a réussi ce tour de force : me convaincre non seulement de recommencer l'expérience, mais avec la collaboration de Paul en plus. L'Ontarien que j'avais soigneusement pris la peine d'éviter depuis mon arrivée ici a eu la brillante idée de contacter ma supérieure pour lui offrir son aide. Sans m'y attendre, je me suis retrouvée un beau matin avec Paul entre les pattes, tout sourire, et prêt à m'accompagner dans cette aventure avec sa tête penchée vers l'avant et son corps désarticulé. Évidemment, nous avons commencé à nous obstiner dès le moment où nous avons tenté d'établir un plan pour l'atelier. Et puisque nous nous engueulions dans une salle de réunion de Bush Radio, quelqu'un a dû finir par s'en apercevoir… Peu de temps après, Walton nous a rejoints, soulignant avec un sourire en coin qu'Ana lui avait fortement suggéré de venir nous offrir son aide.

— Je sais ce que tu ressens en ce moment, commence-t-il.

— Bonne nouvelle, je n'arrive pas trop à savoir moi-même…

La serveuse nous interrompt, fière de nous énumérer tous les types d'alcool vendus par l'établissement. Nous nous contentons de lui commander deux pintes de la bière la plus populaire.

— Faudrait pas que tu crois que l'atelier n'a servi à rien, poursuit-il.

— Je n'arrive pas à voir comment je pourrais penser autrement…

Je me revois encore en train d'accueillir les participants en fin de matinée, et de mettre sur le compte de la gêne leur silence et leur sourire timide pendant que je leur fais l'apologie d'Internet, qui procure une liberté d'expression au peuple et qui n'a jamais été égalé à travers l'histoire. Et puis, j'entends de nouveau ce silence de plomb, à la suite d'une réplique lancée spontanément pendant que je leur apprends comment se servir d'un outil pour bloguer : « Ne vous inquiétez pas, plus vous l'utiliserez, plus vous serez habiles. Le truc, c'est d'y aller chaque jour ! » Et tranquillement, l'un d'entre eux lève qui la main et qui dit tout haut ce que tout le monde pense tout bas : « Mais comment pouvons-nous écrire chaque jour si nous n'avons ni un ordinateur, ni même l'électricité ? »

— … Quel moment absurde ! Je m'emporte en leur parlant de la liberté d'expression sur Internet et ils n'ont même pas accès à l'électricité !

— Faut pas te juger aussi sévèrement.

— Et pourtant, je vais t'avouer une chose dont je ne suis pas très fière... Quand le jeune journaliste à la casquette rouge – comment il s'appelle, déjà? Soyiso, je crois –, quand Soyiso est venu me voir au début de l'atelier et qu'il m'a tendu la main, tu sais quel a été mon premier réflexe? Je suis restée immobile et incapable de détacher mes yeux de sa manche sale et trouée. Sa manche sale et trouée, tu te rends compte, c'est ça qui m'a freinée... Je me suis reprise, je lui ai tendu la main et je lui ai souri. Mais pendant tout le reste de l'atelier, je n'ai pas arrêté de me demander s'il avait remarqué...

— Un réflexe, contre ton gré.

— Je n'ai pas envie... Je n'ai plus envie d'être celle qui est dégoûtée par une manche sale.

— Mais tu ne peux pas effacer en un claquement de doigt le contexte et l'environnement dans lesquels tu as grandi.

— En ce moment, je ne sais plus si je dois me sentir coupable d'avoir vécu dans l'abondance ou, au contraire, me forcer à être heureuse pour... témoigner une sorte de respect à ceux qui n'ont pas eu ma chance... C'est un peu tordu comme raisonnement.

— Non, je comprends.

— Mais pour que ça fonctionne vraiment, pour être heureuse, vraiment heureuse, il faudrait que je sois capable d'oublier leur sort. Et admettons que je décide de le faire, ce serait beaucoup plus facile d'y arriver si je n'étais pas confrontée à la misère chaque jour, mais ici... Je me sens...

— Impuissante?

— Oui, c'est ça... Comme paralysée...

— Je t'ai déjà parlé de mon village natal, réplique-t-il, eh bien le pays est rempli de ces villages où les habitants refusent encore d'admettre l'absurdité du régime de l'apartheid. J'ai grandi entouré de gens qui n'ont même pas encore atteint le stade où ils pourraient ressentir un malaise devant cette injustice. Au contraire, ils ont inventé une façon de penser qui la justifie. Et à partir de l'âge de quatorze ans, j'étais hanté par une question : qu'est-ce que je pouvais faire, moi?

— Tu as trouvé ta réponse?

— À quatorze ans, ce que je pouvais faire, c'était acheter une carte de membre de l'ANC, attendre que mes cours finissent l'après-midi, prendre le train en direction du township le plus près et aller assister à mes premières réunions politiques. Ce n'est rien, tu me diras, mais sachant que quatre-vingts pour cent des Blancs au pays n'ont jamais mis les pieds dans un township, c'était déjà quelque chose. Tu sais, je n'ai rien accompli d'extraordinaire dans ces réunions. De l'extérieur, j'avais probablement même l'air inutile, mais j'y étais. Un seul Blanc se trouvait parmi eux, et c'était moi, et c'était déjà beaucoup.

— J'aimerais... J'aurais aimé me sentir utile, aujourd'hui...

— ...

— Mais je me sens seulement vide.

— Tu es triste.

Il pose ce constat, simplement, comme s'il venait d'entrouvrir un rideau en remarquant : « Tiens, dehors il pleut. » Arrive-t-il à distinguer, en cet instant, la tristesse d'une journée de celle d'une année ? Devine-t-il la grisaille qui s'est transformée en courant de fond ? Cette force invisible, profonde et sourde, qui m'arrache au calme de la rive au moment où l'impression de l'atteindre me gagne... Cela fait des mois que je me soûle au chagrin, dorénavant dépendante à son goût amer. Je dois sûrement y trouver une forme de réconfort. Sinon, comment aurais-je pu tenir le coup aussi longtemps ?

Pendant que le silence s'installe entre nous, son regard s'accroche au mien, quelques secondes de trop. Parfois, c'est comme cela que ça se passe. Dans un moment vide, creusé par la vulnérabilité. Le désir s'infiltre comme un filet d'eau. Ce n'est pas la mer, ce n'est pas l'averse, mais une fragile rigole qui caresse l'amour-propre. J'essuie mes yeux humides. Il paie la serveuse. Nous rentrons peu de temps après. Lui, dans une maison où son amoureuse l'attend. Moi, dans un refuge temporaire où tout ce qui m'appartient se résume à une valise. Et à un état de déséquilibre.

....

Soyiso

(ou la nation debout)

La gare, située à l'extrémité ouest de la ville, repose sur un immense terrain vague, jonché de déchets. Le dos droit, la main agrippée à mon appareil photo caché au fond de mon sac, je traverse ces dunes de terre sèche et d'herbes grillées par le soleil sans trop oser regarder par terre. En gravissant l'escalier de ciment jusqu'au quai, je remarque de l'autre côté des rails une bande de jeunes qui s'amuse à lancer des cailloux sur une affiche publicitaire barbouillée de graffitis. Aucun agent de sécurité ne s'interpose. Le sifflement du train se fait entendre par petits coups timides au loin, puis de manière persistante lorsque celui-ci entre en gare, libérant des dizaines de passagers qui affluent sur le quai d'en face. À travers la foule mouvante, une casquette rouge. Même de loin, j'arrive à percevoir sous son ombre un sourire timide et des yeux un peu tristes. J'envoie un signe de la main à Soyiso, le jeune journaliste aux manches sales qui est venu me chercher à Cape Town. C'est lui qui m'a proposé, à la fin de l'atelier, une visite guidée à Kayelitsha. «Pour mieux comprendre nos conditions et penser à des solutions pour ton atelier», a-t-il précisé d'un ton laconique, avant de m'offrir de m'accompagner de Cape Town à son township. Embêtée de savoir qu'il ferait ainsi un aller-retour, mais soulagée en même temps de ne pas avoir à m'y rendre seule, j'ai accepté son offre.

— Laisse tomber, personne ne paie, dit-il au moment où je me poste devant la machine à billets.

— Vous ne vous faites jamais contrôler?

— Oui, mais le train roule lentement, alors on a le temps de sauter par la fenêtre quand les contrôleurs arrivent.

— Vous... Vous sautez comme ça... Dans les champs?

— Oui, et ensuite, on marche jusqu'à la prochaine gare et on attend l'arrivée du prochain train.

— Mais le train passe seulement toutes les heures!

Soyiso me fixe un moment, avec son drôle de sourire. Nous nous tenons debout à seulement quelques centimètres l'un de l'autre, mais ces quelques centimètres suffisent pour qu'un gouffre profond se creuse entre nous. Je le comprends, à travers ses yeux tristes. Une heure, dans sa vie, c'est une seconde où rien ne change. Une heure, dans la mienne, c'est un siècle rempli d'obligations, de plaisir, d'expériences, de projections dans le futur et de toutes ces choses qui m'entraînent dans un mirage où je me sens vivante.

— Soyiso... Ça t'embête si je paie nos billets quand même?

Il me sourit de nouveau, en haussant les épaules.

Nous pénétrons dans l'un des wagons avant de prendre place sur une banquette de plastique gris, près de la fenêtre. L'espace se remplit rapidement de nouveaux passagers ; des mères aux robes fleuries, leurs petits aux habits usés, la bande bruyante de jeunes qui lançaient des cailloux, des hommes vêtus de bleus de travail. Les odeurs se mêlent : les samosas chauds et épicés, la bière que quelques passagers boivent à la canette, la transpiration, le plastique, et les cacahouètes qu'un enfant écale avec minutie. Au bout de quelques minutes, le train se met en branle. Nos corps vacillent doucement, au rythme des paysages qui défilent derrière les vitres crasseuses. Je me tourne vers Soyiso. Sachant que nous devrons passer un long moment ensemble dans ce wagon bondé, je cherche quelque chose à lui dire.

— Alors, tu aimes le journalisme ?

— Je crois que c'est une nécessité, répond-il en m'observant avec une drôle de tête.

Il a raison de me dévisager de la sorte, je suppose. Je lui parle du journalisme comme s'il s'agissait d'un hobby de grand-père, alors que le désir de pratiquer cette profession semble indissociable pour lui de l'air qu'il respire.

— Je veux dire… Ça fait longtemps que tu sais… Que c'est ce que tu veux faire ?

— Depuis le 28 avril 1994.

Cette fois, c'est à mon tour de le regarder avec une drôle de tête.

— C'est le jour où je suis né. Et c'est aussi la journée où Mandela est devenu le premier président noir de l'Afrique du Sud.

— Alors, c'est tout un honneur pour un Sud-Africain d'être né cette journée...

— C'est vrai que ce moment était spécial. Ma mère m'a raconté que partout à travers le pays, il y avait de longues files d'attente devant les bureaux de vote. Et tout le monde était dans les rues des townships, même les aînés, les handicapés, les enfants qui n'avaient pas l'âge de voter... Tout le monde était dehors pour chanter des chants d'espoir. Quand j'étais petit, ma mère me disait : «Tu es né le jour où une nation s'est tenue debout.»

— Le symbole est fort !

— C'est sûr ! Cette journée-là, ma mère s'est dit que si Mandela était sorti de prison après vingt-sept ans et qu'il avait réussi à devenir président, le fils qu'elle mettait au monde pouvait le devenir, lui aussi... Sauf que... Regarde, dit-il en pointant un doigt vers la fenêtre où l'on voit défiler les abris précaires d'un bidonville. Tu crois que ce sont des Blancs qui habitent là ?

— Non, bien sûr que non...

— C'est vrai que le 28 avril 1994, on a gagné la liberté politique, mais pas la liberté de vivre dans la dignité, qui devrait être accessible à n'importe quel être humain. Cette liberté-là, on la cherche encore. Alors, c'est pour ça, le journalisme...

Devant son sourire triste, je souris tristement à mon tour.

Nous passons la suite du trajet en silence, jusqu'à ce que le train s'arrête devant une agglomération de chaumières aux toits roses, bâties sur le même modèle. Kayelitsha. J'emboîte le pas à Soyiso, qui se dirige vers la porte du wagon.

— Tu vois ces petites maisons, dit-il, le gouvernement les a fait construire dans le cadre d'un programme spécial de redistribution des terres.

— Celles avec les toits roses?

— Oui, celles-là. C'est pour cette raison qu'on appelle le township Kayelitsha: ça veut dire nouvelles maisons. Au départ, le but était de fournir une habitation décente à tous les gens du bidonville. Mais le projet a été arrêté parce que l'argent a manqué.

J'observe les demeures tournées vers la gare, témoins immobiles des convois de voyageurs qui arrivent et repartent chaque jour. Une centaine d'habitations similaires. Une vision figée dans le temps. Un espoir, comme tant d'autres, avorté.

. . . .

Xolilé
(ou la dignité)

Au fur et à mesure que Soyiso et moi nous enfonçons dans Kayelitsha, les chemins de terre remplacent les voies de bitume et les habitations se détériorent. Il vient d'un monde où les maisons sont bâties comme des châteaux de cartes, avec de la tôle, des morceaux de bois et ce que le hasard met sur le chemin de ses habitants. Il vient d'un monde en résonance avec mes espoirs, où les foyers aux fondations solides comme des racines n'existent pas. Nous arrêtons un moment devant un dépanneur de fortune, une cabane de bois à peine assez grande pour contenir un homme et une étagère sur laquelle on retrouve du Coke, des arachides, de la gomme, du savon à lessive et du pain blanc. Soyiso commande au commerçant un pain et une main de bananes, que celui-ci attrape d'un panier d'osier suspendu au plafond.

— Si ça ne t'embête pas, je vais d'abord passer chez ma sœur Xolilé pour lui porter ça, m'annonce-t-il.

— Bien sûr, je serai heureuse de la rencontrer.

Nous marchons quelques mètres sous le <u>regard intrigué</u> d'une bande d'enfants qui se remettent à courir en riant au moment où nous les dépassons.

Encore peu de Blancs osent s'aventurer dans les townships

Arrivé au seuil d'une maisonnette construite avec des lattes de bois blanches, Soyiso cogne quelques coups à la porte et l'ouvre sans attendre de réponse. Nous pénétrons dans une pièce plongée dans l'obscurité, de laquelle émerge la silhouette d'une jeune femme mince. Je suppose qu'elle a mon âge, peut-être quelques années de plus. Elle prend les bananes et le pain que son frère lui tend, en prononçant doucement des mots aux accents toniques chantants et qui font claquer sa langue. Soyiso me traduit : « Elle nous invite à prendre le thé. » Je m'assois sur un vieux fauteuil recouvert d'une couverture de tricot orange pendant que mon hôtesse fait bouillir de l'eau sur un brûleur à gaz. Dans le coin de la pièce, un lit de bébé.

— Ta sœur a un enfant ?

— Trois, spécifie Soyiso. Ils sont chez ma tante, chez qui ils vont manger parfois. Ma sœur n'a plus de mari, alors c'est difficile pour elle de trouver comment les nourrir chaque jour.

Xolilé nous rejoint en posant son plateau sur la table à thé, une caisse de lait renversée. Elle verse d'abord l'eau bouillante dans trois tasses dépareillées puis, avec patience, elle laisse infuser une poche de thé, la même, dans chacune des tasses. Le rituel se déroule dans un moment de silence pendant lequel je laisse vagabonder mon regard, celui-là s'accrochant à mille détails qui dévoilent la pauvreté de mon hôtesse. Un sac de plastique collé sur une fenêtre brisée. Deux divans au tissu déchiré qui se transforment en lit le soir venu. De vieux souliers troués abandonnés sur le plancher.

Comment décrire cet étrange malaise? On m'aurait invitée à prendre le thé dans un château moderne au cœur d'une foule habillée de Versace ou de Dior, j'aurais éprouvé un sentiment similaire. Je n'appartiens pas à cet univers. La réalité de Soyiso et de sa sœur se déroule parallèlement à la mienne. Ce sont des réalités, des vies qui n'étaient pas censées se croiser. Et pourtant, je suis bien là, assise sur le bout d'un divan au tissu déchiré, dans l'unique pièce d'un château de bois et de tôle.

— Fais attention, c'est chaud, m'avertit Xolilé en me tendant une tasse.

— Merci pour le thé. Et merci de me recevoir chez vous.

Son regard se plante dans le mien. Un regard franc, lumineux. Comme un point de ponctuation qui vient marquer la fin de sa phrase. Un regard que je comprends plus que n'importe quel mot de français: «Ne me prends pas en pitié. Je suis une femme, comme toi. J'ai des rêves, des amours, des envies. J'ai des moments d'égarement, des moments de joie. J'ai des blessures, des regrets, une vie. Et une dignité.» Nous prenons une gorgée en même temps. Je cherche désespérément un sujet de conversation à partager avec elle.

— Quel âge ont vos enfants?

— Oh! répond-elle dans un anglais approximatif, le petit dernier, il a presque un an et son frère, il a trois ans. Et ma fille, elle a onze ans… Déjà…

De ses trois enfants, c'est de sa fille qu'elle me parle le plus. Une enfant que tout le monde aime au township parce qu'elle est «spéciale». Lorsqu'elle utilise ce mot, je crois d'abord que sa fille est atteinte d'une maladie mentale, avant de comprendre qu'elle a simplement une sensibilité hors du commun. Xolilé me la décrit comme une enfant serviable, dévouée envers ses frères et très douce avec les gens.

— Elle sent les choses. On dirait qu'elle comprend ce qu'on pense même si on ne dit rien.

Je saisis à travers son récit qu'elle a eu son enfant très jeune, alors qu'elle était encore adolescente. Je devine aussi dans ses propos l'admiration qu'elle porte à sa fille, mélangée au sentiment trouble de n'avoir pas toujours su être à la hauteur en tant que mère. C'est une enfant qu'il est «impossible de ne pas aimer». Ce sont les mots qu'elle emploie avant de planter, une fois de plus, son regard dans le mien.

— Ils ont quel âge tes enfants à toi?

— Oh... euh... je n'ai pas d'enfants.

Je lui réponds rapidement, avec une certaine gêne. Devant le fort sentiment d'amour maternel qu'elle projette, je me sens étrangement incomplète. Et je dois combattre cette impression absurde d'avoir été prise en défaut devant elle. Comme si, en un sens, j'avais manqué à mes obligations de femme parce que je n'avais pas su enfanter.

— Raconte-moi ta vie là-bas, dit-elle au bout d'un moment.

S'agit-il de curiosité ou d'un besoin de rêver? Je l'ignore. Que raconter à Xolilé, une mère mono-parentale de trois enfants, qui vit dans un bidon-ville, sans travail ni éducation, et qui a presque le même âge que moi? C'est le seul point que je nous trouve en commun. Et pourtant, lorsque je commence à lui parler, j'ai tout de suite l'impression de me confier à une vieille copine. Sa façon de rire, ses questions intéressées, ses commentaires enjoués... Plus je passe du temps en sa compagnie, plus je dé-couvre la personnalité d'une mère qui est à l'image de celle de sa fille. Xolilé est une femme «qu'il est impossible de ne pas aimer». Je demeure fascinée, par ailleurs, par la différence entre elle et son frère. L'amertume que porte Soyiso semble absente de la vie de sa sœur, comme si elle avait délibérément choisi de laisser ce fardeau à celui-ci. Une fois nos tasses de thé terminées, ce dernier m'invite à le suivre chez lui. Je ne sais pas ce qui me prend, je serre Xolilé dans mes bras avant de la quitter. Une affinité spontanée, ou peut-être le désir de me rap-procher, un instant, de sa légèreté d'âme...

— Tu as de beaux souliers, mais ils me semblent un peu trop grands pour toi. À moi, ils me feraient parfaitement, lance-t-elle en me faisant un clin d'œil, avant de me laisser partir.

. . . .

Le cercle vicieux

Située à quelques mètres de la maison de Xolilé, un cabanon de jardin. Soyiso m'y conduit et compose d'une main le code du cadenas qui le protège. Le cabanon, je le comprends seulement au moment où il m'invite à entrer, c'est sa maison, une pièce sombre et exiguë. Entre deux feuilles de journal plaquées sur les trous du mur du fond, une phrase a été gribouillée : « *Socialism is the best. Capitalism is the beast.* » Les meubles de la pièce se résument à un lit simple et une table à cartes, sur laquelle repose un brûleur à gaz, un chaudron et des sachets de thé. Au-dessus de la table, une longue tablette avec des livres, des stylos, des papiers. Soyiso s'étire et il attrape une pile de feuilles.

Ça sent très fort l'humidité

— Les articles que j'ai écrits pendant que j'étais au collège, dit-il en me les tendant.

— Je peux lire ?

Il me fait un signe timide de la tête. Tandis que je parcours ses travaux, Soyiso me raconte qu'il a toujours eu de la facilité à l'école, mais jamais d'argent pour payer. Après le secondaire, un oncle lui prête trois cents rands pour qu'il puisse s'inscrire au collège, en journalisme. Soyiso lui promet de les lui remettre dès qu'il commencera à travailler. Pendant deux longues années, il se lève avant l'aube, à quatre heures et demie du matin, et traverse les rues sombres du township jusqu'à la gare, attrape le train en direction de Cape Town, somnole dans le wagon, marche jusqu'au collège et arrive en classe pour le début des cours à huit heures. Pendant deux longues années, il s'applique à travailler avec ardeur, et les bonnes notes s'accumulent en même temps que les dettes d'études. Mais lorsqu'il termine, ce sont celles-ci et non celles-là que l'établissement scolaire prend en considération. Le collège refuse de lui attribuer son diplôme tant que sa dette de deux mille rands ne sera pas remboursée.

— Mais pour pouvoir rembourser, je dois travailler, et pour pouvoir travailler, je dois présenter un diplôme, résume Soyiso. J'ai bien essayé de trouver du travail, mais chaque fois, on me demande une preuve de ma scolarité.

— As-tu déjà envisagé de demander un prêt à la banque?

Soyiso m'observe avec le même sourire qu'à la gare, devant le distributeur de billets.

— Pour emprunter de l'argent à la banque, il faut déjà avoir de l'argent, laisse-t-il simplement tomber.

Le silence s'installe entre nous en même temps que le malaise. La somme qu'il doit amasser équivaut peut-être à celle que j'aurais dépensée pour une semaine de vacances. Est-ce qu'il me serait possible de piger dans mes économies et de... M'a-t-il fait venir jusqu'ici pour me demander de lui prêter cette somme? La question me frappe de plein fouet. Et la perspective que la réponse soit positive me blesse. Une partie de moi voudrait l'aider et une autre se sent offusquée à l'idée qu'il m'ait invitée dans le but de m'utiliser.

— Tu sais, je ne suis pas le seul, poursuit-il. Et il faut que les gens le sachent. Nous sommes des millions à être sans travail ni propriété dans ce pays. Mon histoire, c'est l'histoire de plein d'autres gens. C'est vrai qu'en théorie, on a tous la chance de s'en sortir, mais en pratique, c'est presque impossible. Et le plus frustrant, c'est de vouloir y parvenir, mais avec l'impression que ça n'arrivera jamais.

— Cela te surprendra sans doute, mais je comprends...

Il m'observe un moment, se demandant peut-être s'il devrait me poser la question qui lui permettrait de savoir pourquoi, ou laisser le silence faire son œuvre. Il finit par hocher la tête en murmurant avec son accent chantant.

— Tu sais ce qui m'a permis de tenir le coup pendant deux ans? C'est la lumière, le soleil qui commençait à se lever quand j'arrivais à la gare.

Soyiso vient me reconduire en fin de journée jusqu'aux petites maisons aux toits roses. Après son départ, sur le quai de Kayelitsha, je prends un moment pour observer les rayons du soleil de la fin de l'après-midi. Je regarde cette lumière, cette bouée à laquelle il s'est accroché pendant les deux dernières années, comme si quelque chose pouvait en ressortir. Un espoir, un apaisement. Mais je n'arrive qu'à ressentir de l'impuissance. Combien de matins s'est-il entêté à poursuivre son chemin dans la pénombre du township pendant que tout le monde dormait ? Combien de levers de soleil a-t-il regardés en se promettant qu'un jour, il allait s'en sortir ?

Combien de temps un être humain peut-il trouver la force de lutter contre lui-même ? La question m'a hantée pendant que le train suivait la trajectoire du soleil couchant. Combien de jours ai-je résisté à entrer en contact avec Lui ? Combien de fois suis-je passée devant un café Internet en sachant qu'il me suffisait d'y entrer pour tisser à nouveau un lien avec Lui ? Combien de nuits lui ai-je écrit en silence cette lettre dans laquelle je lui raconte le combat entre l'amour et soi. L'amour qui gémit à n'importe quelle heure du jour et de la nuit pour ne pas mourir en silence. Et soi. Les derniers petits bouts de soi restés intacts par miracle sur le champ de bataille. Les derniers bouts de soi que l'on veut préserver à tout prix. S'il savait. Tous ces instants à tenter d'étouffer l'amour que j'éprouve encore pour Lui. J'ai cru que le silence, que la distance, que son absence, j'ai cru que tout cela allait me guérir, mais il n'en est rien. Les mois ont passé et il n'en est rien.

Combien de temps un être humain peut-il trouver la force de lutter contre lui-même ? Sur le chemin de Kayelitsha à Cape Town, l'impuissance de Soyiso ne cessait de me renvoyer à ma propre impuissance.

. . . .

La cafetière

Le salon de Walton est une grande pièce lumineuse dans laquelle il m'accueille avec un large sourire. J'entre en lui tendant une bouteille de vin blanc. Un geste simple, grâce auquel je revis ces soirées d'été à Montréal organisées dans la spontanéité, avec comme seul prétexte le beau temps ou l'amitié. Des soirées témoins d'une autre vie, cette courte-pointe tissée de moments de légèreté abandonnée sur un autre continent. Je rejoins le reste des invités autour d'une longue table basse remplie de divers plats. Je salue Ana, Althea, les reporters de Bush Radio, des amis de Walton, dont nous fêtons l'anniversaire, Paul et Lena, que je rencontre pour la première fois. Une jolie fille, avec un corps élancé, une taille fine et de longs cheveux bruns. Walton l'embrasse avec tendresse, avant de s'emparer d'une coupe dans laquelle il me verse du vin.

Il s'est fait inviter ou il s'est imposé ? Pas clair...

Un sentiment de sérénité se dégage de l'endroit, peut-être grâce aux murs peints de la couleur de la crème et aux deux futons marine qui rappellent la profondeur des océans... Ou peut-être est-ce simplement dû à l'ensemble des éléments qui composent la pièce. Dans les deux grandes bibliothèques qui montent jusqu'au plafond, des coquillages côtoient des romans, des cartes postales et des livres de Marx. Sur une tablette du haut, un portrait de Mandela. Le grand chef nous sourit de toutes ses dents blanches, comme s'il bénissait cette assemblée de gens justes qui participent à la construction d'une société plus équitable. Et pourtant, ni Soyiso ni sa sœur Xolilé ne comptent parmi les invités. Ce soir, c'est leur absence que je remarque plus que tout. Pourquoi n'y a-t-il pas encore de place pour eux dans ce salon ? Choisir de se battre en leur nom devrait peut-être aussi impliquer qu'on leur accorde le droit d'exister dans notre quotidien…

Après avoir porté un toast au jubilaire, Ana me tend quelques pages de journal pliées en deux. Je les déplie en l'interrogeant du regard. Je pense d'abord tenir entre les mains une publication sud-africaine, avant d'apercevoir dans le coin supérieur droit son coût en dollars américains puis, le nom du journal. Le *Washington Post*. Mon regard s'attarde ensuite sur la photo imprimée en première page du cahier international, une scène étrangement familière. Un petit groupe hétéroclite – des enfants, des femmes qui se protègent du soleil sous leur parapluie, des hommes tenant des canettes de bière – encercle deux techniciens en train de rebrancher l'électricité. Sur la photo, je reconnais Dudu, à la tête du Soweto Electricity Crisis Committee, le SECC. Sidérée, je scrute avec minutie les petits caractères au bas de la photo. *Courtesy of the SECC. Photograph : Fleur Fontaine.* Wow !

— Thomas m'a fait parvenir une copie pour que je te la donne, raconte Ana. Le correspondant du *Washington Post* en Afrique a entendu parler du travail de Dudu et il l'a contactée pour écrire un article. Elle lui a montré tes photos, son chef de pupitre a adoré et de fil en aiguille, ils ont décidé de publier le texte en première page du cahier international.

— C'est génial, s'exclame Althea. Tu te rends compte du nombre de personnes qui vont voir ça!

— Ouais, c'est super! renchérit Paul avec une pointe de jalousie dans la voix.

J'observe le titre, «Après la lutte contre l'apartheid, la désobéissance civile». Dans l'article, le journaliste fait l'éloge du travail de Dudu, dont il se sert comme exemple pour illustrer la force de la société civile sud-africaine. Je lis le reste du texte en diagonale, en identifiant mal les sentiments que j'éprouve. De la fierté, évidemment. Mais aussi une certaine déception. Ces mots, qui ne demeurent que des mots, n'estompent en rien le sentiment d'impuissance qui est né la journée de l'atelier sur les médias sociaux. Un sentiment d'impuissance qui s'est mis à grandir sur le chemin de Kayelitsha à Cape Town. Ces mots ne soulagent en rien la situation des millions de personnes au pays sans travail ni véritable toit. Alors, lorsque Lena me demande si je suis fière d'y voir ma photo imprimée, je lui rétorque que je ne peux m'empêcher de penser en cet instant à Soyiso, ce jeune journaliste sans travail à qui on aurait bien pu confier la tâche de l'écrire, cet article, plutôt que de le commander à un étranger. Mais surtout, je ne peux m'empêcher de penser que ces mots-là, au bout du compte, ne changeront rien à sa vie au quotidien.

— Alors, si on se fie à ta logique, ton travail ici ne sert à rien, résume Xswana, l'un de mes collègues à Bush Radio.

— Non, bien sûr que non, je crois au pouvoir de l'information, mais...

— Mais comme n'importe quel Occidental, si tu ne vois pas les choses évoluer devant tes yeux, tu en déduis qu'elles ne changent pas. Tout change, tout est en mouvement... Il faut seulement apprendre à vivre avec de la patience pour le comprendre.

Je savais qu'il avait raison. Que si je faisais l'effort de considérer les choses d'un point de vue global, la douleur de l'impuissance allait s'estomper. Mais mon esprit revenait sans cesse au cabanon de Soyiso et à la maison de tôle de Xolilé. Alors Ana m'a avoué que tous, ils avaient un jour ou l'autre connu ce sentiment d'impuissance, et que la seule façon de le combattre était de se plonger dans l'action. Mais par où commencer? Quel geste poser? Les questions sont sorties spontanément et ont provoqué un événement inattendu: Paul a eu une idée. Une idée plutôt brillante. «Il faut recommencer à donner des ateliers, a-t-il dit, mais dans les townships, amener les outils à eux, des ordinateurs portables, et leur proposer d'écrire leurs nouvelles de leur point de vue.» Walton a enchaîné en suggérant d'adopter un concept emprunté aux activistes de l'anti-apartheid qui placardaient des nouvelles directement sur les murs des townships pour que les informations se propagent plus vite. Cette fois, il proposait de faire imprimer ces histoires et d'aller les afficher dans les banlieues du nord. Une façon de forcer ceux qui s'enferment dans ces forteresses à prendre contact avec la réalité des bidonvilles, souvent occultée dans les médias du pays. C'est à ce moment que j'ai compris. J'avais besoin d'eux. Pour continuer à avancer, pour arriver à trouver un équilibre ici, pour me réinventer une vie, j'avais besoin d'eux.

La soirée d'anniversaire s'est poursuivie tard dans la nuit. Au quatrième digestif, Paul a eu une autre idée : engager Soyiso pour nous aider à donner les ateliers dans les townships. Ana a souri, en nous proposant de prendre le budget attribué au déplacement et de le transformer en salaire pour le jeune journaliste. De tous les échanges de la soirée, ce dernier est celui qui m'a le plus apaisée. L'espoir de briser un cercle vicieux. Au moment où je m'apprêtais à rentrer, Walton m'a attrapée par le bras et m'a conduite jusqu'à la cuisine.

— J'ai quelque chose pour toi, a-t-il dit en ouvrant une armoire.

Il en a sorti une petite cafetière à expresso qu'il m'a tendue avec fierté.

— Paul m'a confié que tu n'arrêtais pas de te plaindre du café instantané sud-africain...

Je suis restée bouche bée, avant d'arriver à bégayer un mot de remerciement. Il m'a répondu par la seule phrase que j'avais besoin d'entendre.

— C'est ma façon de te dire que j'aimerais que tu te sentes chez toi ici.

. . . .

L'indécence des larmes

Au milieu d'un champ de petites maisons de tôle et de bois s'élève une grande bâtisse de béton et ses deux immenses portes de métal, des portes jadis traversées par des véhicules lourds nécessitant des réparations urgentes. L'ancien garage a été reconverti en salle communautaire. Assis près d'un mur extérieur, le dos courbé et une casquette rouge enfoncée jusqu'aux sourcils, Soyiso nous attend. Je descends de la voiture d'Ana avec un soupir de soulagement en même temps que Paul, Walton et Xswana. Nous marchons en direction de Soyiso, qui se lève pour nous saluer. Ce dernier me sourit en soutenant mon regard, d'un sourire un peu moins triste que d'habitude. «Merci», se contente-t-il de dire. Dans le court moment de silence qui suit, j'entends les phrases qui lui donnent son sens. «Merci d'avoir fait de moi ton égal en me laissant devenir ton collègue. Merci de m'offrir un salaire et non la charité.» En réalité, je ne sais si c'est ce qu'il pense réellement, mais l'imaginer me procure une sorte d'apaisement.

Nous pénétrons à l'intérieur, où une vingtaine de participants nous attendent, chacun assis sur une chaise droite de métal. Dans le fond, à droite, je reconnais Xolilé, la sœur de Soyiso. Je lui envoie

Elle se surpasse chaque fois ppour conduire toujours + mal!

un petit signe de la main avant de la retrouver, quelques minutes plus tard, au moment où Ana invite les participants à former de petits groupes autour de chaque formateur. En plus de Xolilé, deux autres femmes se joignent à moi. Je leur explique les règles de base. Elles devront d'abord écrire leur histoire sur une feuille de papier et une fois la première version achevée, je m'occuperai de la réviser avec elles, en transcrivant le tout sur un portable que Lena m'a prêté. Elles acquiescent et se mettent toutes au travail... sauf Xolilé. Je l'observe du coin de l'œil avec hésitation, sans savoir si je dois lui offrir mon aide ou lui laisser l'espace nécessaire pour composer son histoire. Mais celle-ci demeure immobile, la tête baissée vers sa feuille. L'idée qu'elle ne sache pas écrire me traverse l'esprit.

— Tu voudrais que je t'aide à commencer?

— J'aimerais trouver la force de raconter mon histoire, lance-t-elle d'un souffle.

— Si tu veux, tu parles, et moi, je transcris.

Elle acquiesce d'un mouvement de tête.

— Comme tu sais, avance-t-elle, je suis la mère de trois enfants.

Ainsi commence l'histoire de Xolilé, l'histoire d'une femme qui est avant tout une mère. J'apprends que ses deux derniers ont le même père. Un homme qu'elle a véritablement aimé, qu'elle aime encore malgré la trahison. Un jour, il lui a annoncé qu'il avait trouvé du boulot dans un autre township de la région. Il est parti passer la semaine dans ce township et elle l'a attendu le week-end suivant. Il n'est pas revenu. Il n'est jamais revenu. Elle sait aujourd'hui qu'il vit avec une autre femme, là-bas, tandis qu'elle peine à nourrir ses enfants, qui sont aussi les siens.

— Mais c'est souvent comme ça ici, les hommes ne se sentent pas responsables.

Elle prend une pause pour me laisser le temps de transcrire. Une sensation bizarre, au moment où je tape ces lignes, cette impression de lui voler une partie de son intimité.

— Je voudrais qu'il me voie le matin quand je vais chercher de l'eau chez les voisins avec ma bassine parce que je dois faire boire les enfants. J'aimerais qu'il comprenne la honte de ne pas pouvoir les nourrir.

Pendant cet instant où je les transcris, ses mots à elle deviennent mes maux à moi. Je ressens de la honte. Et une grande tristesse aussi.

— Mais le pire, c'est de continuer à l'aimer encore. Je ne peux pas expliquer pourquoi je continue à aimer un homme qui m'a traitée comme ça.

Je ne sais pas, Xolilé, si je savais, j'aurais trouvé comment me débarrasser de l'amour que j'éprouve encore pour Lui. Mais ni la colère ni la haine, et c'est la seule chose que je sais, ne sont assez puissantes pour détruire cet amour-là.

— Peut-être parce qu'il est le seul à m'avoir fait me sentir importante...

C'est peut-être toi qui as raison, Xolilé… Peut-être qu'on a besoin de garder vivant ce sentiment pour continuer à avancer.

Mais son histoire ne s'arrête pas là et je ne connais pas encore tout le courage qu'il me faudra pour l'entendre. Le premier de ses enfants est né le jour de ses quatorze ans. Neuf mois après ce soir de mai où elle était restée seule à la maison pour garder son jeune frère, Soyiso.

— Deux hommes sont venus cogner à la porte. Ils ont dit que ma mère n'avait pas payé ses dettes et qu'à cause de ça, ils devaient partir avec les meubles. Soyiso, il s'est enfui par la fenêtre. Moi, je suis restée. Je voulais sauver les meubles, tu comprends…

Xolilé baisse les yeux et elle se tait. Une éternité. Ce que je saisis en cet instant, Xolilé, c'est que ton silence m'est plus difficile à supporter que n'importe quelle description précise. Ce que je devine, c'est que tu me demandes d'endosser la suite, et le courage me manque pour entendre ce que je ne veux pas entendre. Elle recommence à parler, lentement. Je recommence à écrire, difficilement. Ses mots se transforment en odeurs, en sons, en sensations. La sueur âcre des deux hommes. Le bruit des enfants qui jouent dans la rue en face. Un meuble à la patte brisée et la pensée qu'il ne vaut pas ce qu'elle donne. L'espoir que Soyiso revienne avec quelqu'un, n'importe qui. Chaque détail, chaque moment de cette scène, je les revis avec elle. Et Xolilé continue de raconter, le dos droit, l'œil sec. Et Xolilé continue de me regarder taper comme si la peur, la honte et le dégoût de cette soirée de mai allaient enfin s'échouer sur le clavier et y mourir, une bonne fois pour toutes.

— Et ton frère, il sait ?

— Nous n'en avons jamais parlé.

Je baisse les yeux, incapable de supporter son regard. Je m'accroche à l'écran de mon portable comme à une bouée, comme s'il pouvait me sauver du torrent de larmes qui menace de me faire chavirer devant elle. Des larmes que je réprime comme une envie de vomir. Je ne veux pas pleurer. Je ne peux pas pleurer. Pas devant le courage de Xolilé. Comment ai-je pu lui envier sa légèreté d'âme ? Cette fille de quatorze ans n'avait rien pour s'appuyer et se relever. Et la femme de vingt-cinq ans, devant moi, qu'est-ce qui lui reste pour s'imaginer un avenir ? Si elle savait tout ce que j'ai et qu'elle n'a pas. Si elle me voyait traîner ma peine à longueur de journée, me languir de ne pouvoir retrouver mon insouciance. Je m'en veux en cet instant de me savoir si privilégiée, si Blanche. Je m'en veux surtout parce qu'en ce moment précis, j'éprouve la conviction qu'un jour je retournerai dans mon pays et que j'oublierai l'histoire de Xolilé.

La suite de la journée demeure confuse. Elle s'est arrêtée de parler et j'ai trouvé un prétexte pour sortir. Un papier oublié dans la voiture d'Ana. Je suis partie en trombe pour aller respirer à grands coups l'air chaud et humide de l'extérieur. J'ai eu envie de m'asseoir, mais je ne l'ai pas fait. Je savais que si je m'accordais ce droit, je ne pourrais pas me relever. J'ai pensé au sourire triste de Soyiso, j'ai pensé qu'il était peut-être né cette journée-là, de la honte du frère de s'être enfui. Mais que pouvait-il faire ? Et que pouvais-je faire, moi, aujourd'hui ?

Sur le chemin du retour de Kayelitsha à Cape Town, je n'ai cessé de me répéter une phrase, toujours la même. Je ne veux pas oublier l'histoire de Xolilé. Je ne veux pas oublier l'histoire de Xolilé. Je ne veux pas oublier l'histoire de Xolilé. Après avoir déposé les autres, Ana m'a laissée chez Walton, qui s'est engagé à me ramener à Woodstock avec sa voiture. Nous n'avons pas parlé du trajet. Il a conduit d'une main et il a gardé son autre dans la mienne. Avant de le quitter, je lui ai dit ce qu'il savait déjà.

— Un jour, je vais rentrer, je vais retourner vivre dans ma grande banlieue du Nord. Et j'ai peur de retrouver mon indifférence, j'ai peur de choisir d'oublier. Parce que tu sais, c'est ce qu'il y aura de plus facile à faire.

— ... N'oublie pas le Sud, s'il te plaît.

Je ne sais plus à cet instant s'il parlait de Xolilé, de l'Afrique ou de lui. Tout ce dont je me souviens, c'est des larmes qui coulaient pour la première fois. Et de la peur de perdre celle que j'étais en train de devenir.

. . . .

Chanter

De la cuisine s'échappent les accords familiers de cette chanson camerounaise avec laquelle Althea commence chacune de ses journées. «Je téme... Tututu... Moi zossi... Tututu...» Depuis quelque temps, au petit matin, un autre son se marie à la mélodie. Celui, réconfortant, d'une cafetière qui bout. En ramenant le présent offert par Walton à l'appartement, j'ai transformé ma colocataire en une véritable apôtre de l'expresso. Et je ne me lasse plus de ces matinées où l'odeur du café se mêle à la voix suave du Camerounais. «Je téme... Tututu... Moi zossi... Tututu...» L'illustre inconnu – Althea a acheté son CD dans une rue de Yaoundé – chante comme s'il n'allait jamais s'essouffler d'aimer. Chaque matin, c'est sa voix qui me réveille. Alors j'ouvre les yeux, je vois danser dans la lumière le capteur de rêves installé par Jabu et je respire l'odeur du café. Chaque matin, je me sens un peu plus chez moi.

Lorsque je retrouve Althea à la cuisine, elle est déjà penchée sur son journal, en train de méditer sur les nouvelles du matin. Comme d'habitude, je m'installe devant la fenêtre pour y couper quelques fruits : un ananas, une mangue et des oranges. J'aime m'installer devant la fenêtre pour regarder la montagne du Cap et sentir le vent de la mer. J'y mange toujours quelques morceaux d'agrumes avant de les disposer dans un bol que j'apporte ensuite sur la table. Car c'est bien à cet endroit, devant la fenêtre, que leur saveur est la plus sublime. *C'est vrai!* ☺

— Tu savais qu'il y a un concert gratuit en plein air ce soir? demande Althea, sans lever son regard du journal.

Un week-end sur deux, Jabu va visiter son père et ma colocataire retrouve sa vie de célibataire.

— Oui, j'y vais avec Ana et les reporters de Bush Radio. Tu te joins à nous?

— Avec plaisir! Tu sais que c'est au township de Langa?

— Oui, et alors?

— Qui va conduire?

— Oh! c'est Ana... C'est vraiment loin d'ici, Langa?

Quelques heures plus tard, je me retrouve coincée sur une banquette arrière, assise entre les genoux de Walton et ceux d'Althea.

— Oups! Excusez-moi, en arrière! s'exclame Ana en entamant un virage trop serré.

J'aurais pu parier mille rands que j'allais l'entendre, celle-là! Après nous avoir fait le coup de rouler en sens opposé dans une rue à sens unique, elle vient de passer à la vitesse supérieure. Althea a eu la bonne idée d'insister sur le fait que le concert débutait dans une demi-heure, et non dans une heure comme Ana le croyait... Heureusement, nous arrivons à bon port tout juste pour le début du concert, au moment de la journée où le soleil de l'Afrique faiblit enfin et où la chaleur s'estompe.

Dans la lumière rougeâtre du crépuscule, des centaines de silhouettes à la tête crépue se tournent dans la même direction, vers cette grande scène, installée dans un parc, sur laquelle s'avance une femme, seule. «*Nkosi sikelel'Afrika…*» Au moment où sa voix rauque s'élève au-dessus des autres, les rires des enfants, les cris des vendeurs de Coca-Cola et de cigarettes, les murmures de la foule, toutes ces voix humaines s'estompent pour laisser la place à une seule d'entre elles. «*Maluphakamis'…*» Une voix dont la puissance vient réveiller une force latente, endormie en moi. «*Upondo lwayo…*» Je me souviens d'avoir déjà entendu ce chant, une première fois à Johannesburg, porté par la voix de Bongiwe. Elle m'avait raconté que dans une Afrique du Sud sous le joug de l'apartheid, celui-ci était interdit. Quiconque le fredonnait était passible d'emprisonnement. «*Yiva imitandazo yetu…*» Parce qu'il était l'hymne de l'ANC et qu'il demeurait un symbole fort pour l'ensemble des mouvements de libération. Pour ces mêmes raisons, les gens ont continué de le chanter partout à travers le pays malgré l'interdiction. Et aujourd'hui, une partie de ce chant a été intégrée à l'hymne national. Je me souviens des paroles de Bongiwe, qui avait ajouté : «Chaque fois que nous avons l'occasion de reprendre le refrain ensemble, nous vivons un grand moment de liberté.» Mais il m'a fallu attendre cet instant précis pour en comprendre véritablement le sens, exactement au moment où, sur la scène, un chœur se joint à la voix de la chanteuse. «*Yihla*

Moya...» Et puis, c'est la foule entière qui les accompagne pour le refrain. «*Yihla Moya Oyingcwele...*» Une telle force se dégage de ces voix unies qui chantent à la fois le passé et l'avenir d'une nation! Pendant que les dernières notes s'estompent, l'écho des paroles de Bongiwe se distingue des murmures de la foule. «Tu sais, ce sont les chants d'espoir qui ont tenu mon peuple debout.»

Sous un tonnerre d'applaudissements, un nouvel artiste s'avance sur scène. Devant la foule qui se met à l'acclamer, je devine sa grande popularité. Au moment où les premières notes de guitare se font entendre, des spectateurs commencent à crier, d'autres se mettent à sautiller. Leur effervescence est contagieuse. J'ai même l'impression de reconnaître cet air dont les accords me semblent familiers. Peu à peu, je me souviens. Je suis une enfant, dans le salon d'une maison de banlieue d'un autre hémisphère. Ma mère met une cassette dans un lecteur, et j'entends pour la première fois cette mélodie joyeuse, qui ne ressemble en rien à celles que je connais. «*African shadow man, tell me the future if you can tell it to me.*» Nous sommes au début des années 90 et cette voix est celle de Johnny Clegg, un héros de mon enfance. Grâce aux histoires de ma mère, je comprenais qu'il se battait pour que tous les êtres humains vivent égaux et que sa seule arme, c'était de savoir chanter. Presque vingt ans plus tard, je suis en Afrique, devant le véritable Johnny Clegg. Et je renoue avec cette enfant de sept ans qui rêvait à la liberté en même temps que tout un peuple. «*There's magic in your hands... Oh touch my life and set me free...*» Alors, le plus naturellement du monde, je me mets à

aussi appelé le «Zoulou blanc»

chanter en même temps que la foule. «*And it feels alright... It feels alright to be... An African!*»

Quelque chose se brise. Une fine couche de givre se brise entre moi et l'Afrique. Je sens le souffle de la foule, l'espoir qui traverse l'Histoire et les blessures. J'entends les voix, rauques, nasillardes, justes, claires, fausses, divines ou maladroites unies en une seule voix. Je deviens un être humain à travers d'autres êtres humains. Et je chante, les combats, les histoires d'amour, la peur, la compassion, le courage qui décline ou celui qui renaît. Je chante les rêves de tout le monde, en même temps que tout le monde.

Je suis. À la bonne place. Au bon moment.

. . . .

Décembre

Troisième partie

(Enfin les vacances !)

Un après-midi à la campagne

Walton vient me chercher à midi, à l'heure où le soleil se montre le plus cruel en cette période de l'année. En lui faisant l'accolade, je hume au passage quelques gouttes microscopiques de sueur qui perlent dans son cou. Il sent la forêt après la pluie, une odeur qui me procure un vertige petit et agréable. Nous quittons Woodstock à bord de sa voiture en empruntant l'autoroute qui longe la mer, avant de nous enfoncer dans les terres en direction de Stellenbosh. L'arrière-pays de Cape Town abrite des fermes où l'on cultive des fruits, en particulier le raisin. Au Québec, j'ai souvent acheté à la SAQ du vin de l'Afrique du Sud dont les bouteilles provenaient de cette région. Aujourd'hui, ils sont nombreux à travailler dans les vignobles et à se battre pour pouvoir le faire dans de meilleures conditions. C'est le prochain sujet de reportage de Walton, qui a déjà pris contact avec une membre fondatrice d'un organisme militant pour les droits des travailleuses, *Woman on Farm*. J'ai voulu l'accompagner. J'ai pensé au journal étudiant de mon université et au titre de l'article que je pourrai envoyer à l'équipe là-bas : « La face cachée de la bouteille. »

— Mon dernier reportage avant les vacances, lance Walton avec une pointe de soulagement.

— Le temps est passé tellement vite…

Hier, je me suis souvenue que j'avais une famille. Évidemment, je ne l'ai jamais oublié, mais eux, ils pensent que si. Ma mère m'a envoyé un courriel en sortant l'artillerie lourde : les jumeaux. « Tes frères s'ennuient de toi, a-t-elle écrit, ils ne l'avouent pas ouvertement, mais ils me demandent régulièrement à tour de rôle si tu as envoyé des nouvelles. » Il est vrai que je n'en ai pas donné depuis le concert en plein air, depuis le soir où j'ai raconté à ma mère que Johnny Clegg, il chantait toujours même s'il vivait à présent dans un pays libéré de l'apartheid. Je lui ai spécifié que c'est parce qu'il y avait encore un ou deux trucs qui clochaient ici, comme le taux anormalement élevé de gens qui mouraient du sida et de Noirs qui vivaient encore dans des conditions précaires dans les townships. Je lui ai aussi écrit que j'allais bien. Mais cette fois, c'était vrai.

Je jette un œil à Walton, concentré sur la route où des arbres fruitiers et de jolies maisons de campagne défilent sous un ciel bleu saphir. Le concert, c'était il y a un mois, ou presque. Un mois qui est passé beaucoup plus vite que celui vécu à Johannesburg. C'est à cause de la routine, je crois. Ici, j'ai arrêté de me sentir en voyage, même si le souvenir de Gregory n'a jamais cessé de m'habiter pour autant. Une plaie dont j'oublie parfois la douleur mais qui ne cicatrise pas. Walton dit que je suis trop impatiente, que je dois laisser le temps faire son œuvre. Je n'ose jamais lui répliquer qu'il ne peut pas savoir parce que lui, chaque soir, il retrouve les bras de Lena. On ne soupçonne pas la force de cet ancrage, les bras de l'autre. Pendant des années, ce sont les bras de Gregory qui m'ont accompagnée jusqu'au seuil du sommeil. Ils m'ont préservée des nuits blanches que je dois affronter aujourd'hui. Pendant des années, il m'a suffi de sentir l'odeur de son cou pour me rendormir, alors qu'aujourd'hui, c'est l'absence même de cette odeur qui me réveille en sursaut. Mais je n'ose jamais répliquer à Walton qu'il ne peut savoir parce que je connais trop bien les souffrances de son enfance. À travers lui, il m'arrive même de penser que je paye aujourd'hui pour mes années d'insouciance. En voyant Walton vivre heureux, je commence à me douter que le bonheur a un prix pour n'importe quel être humain. Et que seul le moment de payer ce prix varie véritablement.

En quittant l'autoroute pour une route secondaire où des plantations de vignes s'étendent ici et là entre les collines, Walton m'indique que nous approchons de notre destination. En effet, une vingtaine de minutes plus tard, nous empruntons un chemin de terre qui conduit à une maisonnette aux lattes de bois fraîchement peintes en blanc, et dont les corniches et les volets ont été peints en vert. Sur la porte, une affichette : « *Visitors' Entrance* ». Walton entre se renseigner pendant que je m'assois sur l'une des chaises en osier alignées sur le grand balcon, qui fait face aux vignes : soleil à son zénith, chants de centaines de criquets et ciel bleu électrique. L'ensemble des éléments du paysage rivalise avec les plus beaux coins de la Toscane. Tout paraît si paisible. À première vue, la détresse des travailleurs de la région semble difficile à imaginer. Dans les townships, j'ai vite saisi que les conditions de vie pénibles laissent des cicatrices partout dans le paysage. L'espace y est tellement peuplé que si un habitant crie, tous les voisins vont lui répondre de se la fermer, et que si un autre tire un coup de feu, ils vont tous se précipiter pour savoir qui a fait ça. Ici, je suppose que les drames, petits et grands, se vivent derrière des portes closes et se heurtent, chaque jour, au silence des champs et des vignes...

Lorsque Walton revient, il pointe du doigt vers une agglomération d'une vingtaine de maisonnettes blanches, le village des travailleurs viticoles. Nous partons dans sa direction, à la recherche d'une certaine Aunti Evi.

....

Aunti Evi

(ou la résilience)

Après avoir traversé un champ d'herbes jaunies par le soleil, nous arrivons devant une femme d'âge mûr qui balaie la galerie de sa maison. Dans sa robe fleurie et ses souliers de course, la dame à la silhouette imposante s'acquitte de sa tâche comme si elle avait vingt ans et la vie devant elle. Walton l'aborde en afrikans, la langue communément utilisée dans la région. Elle acquiesce, au fur et à mesure qu'il lui débite une série de mots incompréhensibles pour moi.

— Je te présente Aunti Evi, dit-il à mon intention. Aunti signifie « tante » en afrikans. Il paraît que tout le monde l'appelle comme ça et elle s'attend à ce qu'on fasse la même chose.

— *Dag!*

Je retrouve, alors que sur les lèvres de la vieille Evi se dessine un sourire de gamine, le goût de l'enfance. Un âge auquel je retournerais volontiers en cet instant pour pouvoir me blottir dans ses bras solides, les bras racines d'Aunti Evi, dont le nom ressemble au titre d'une comptine. Elle nous invite à visiter la petite communauté des travailleurs, partis trimer à cette heure de la journée au milieu des vignes. Chaque après-midi, elle garde le fort et les enfants du village.

— Je suis trop vieille pour travailler dans les champs, mais pas assez pour devenir inutile, précise-t-elle avec un air taquin.

Nous marchons d'un pas lent à travers le village de maisonnettes blanches identiques tandis qu'un groupe de six petits fonce vers nous. Le plus jeune, assis au milieu d'une brouette poussée par la plus âgée du groupe, hurle de rire chaque fois que son bateau improvisé menace de chavirer en passant sur l'un des trous qui jonchent le terrain. Leur gardienne leur débite une série de mots qui me sont inconnus, à une vitesse folle.

ils doivent avoir entre cinq et neuf ans

— Elle leur dit de faire attention, sinon... son cœur va se mettre... à faire du jogging... et elle va faire une crise d'asthme et... elle sera très malheureuse... et eux aussi car ils ne pourront plus jouer avec elle...

— Tu es certain que tu me traduis correctement ses paroles ?

— Pas du tout ! admet Walton.

Je profite de cette pause pour prendre en photo les enfants qui s'amusent avec la brouette, devant les modestes maisons blanches des travailleurs.

Aunti Evi revient vers nous en mentionnant d'emblée que ces enfants n'ont pas une vie facile. Plusieurs d'entre eux ont des parents alcooliques, et ce n'est pas un hasard. À travers son discours, je comprends qu'il y a peu de temps encore, le propriétaire de la ferme avait l'habitude de bonifier le maigre salaire de ses employés avec des «cadeaux», des bouteilles de vin provenant du vignoble. Une tradition transformée en pratique régulière dans l'ensemble des fermes de la région, et contre laquelle se battent des regroupements de travailleurs aujourd'hui.

— Quand les hommes boivent, ils deviennent violents. Beaucoup de femmes et d'enfants sont battus à cause de l'alcoolisme… Sans parler des agressions sexuelles, laisse planer Aunti Evi dans un souffle.

J'aurais préféré qu'elle nous parle de faits, de statistiques. J'aurais voulu qu'elle nous débite des informations judicieuses et précises prêtes à être utilisées dans un article, qu'elle nous vante les mérites de l'organisme qu'elle a fondé avec d'autres femmes. J'espérais encore qu'elle se reprenne, qu'elle agisse comme une relationniste. Mais elle a dit: «Moi aussi, vous savez, j'ai connu ce que certains de ces enfants connaissent…» Et c'était déjà trop tard.

Alors qu'Aunti Evi s'engage sur la route sinueuse de ses souvenirs, je retrouve cette sensation malsaine qui accompagne généralement la transcription d'une histoire que je ne veux pas entendre. Une mère partie trop tôt. Un père qui commence à boire après la mort de sa femme. Une jeune Evi qui doit prendre la relève parce que c'est elle la plus vieille, parce que ce foyer a besoin d'une mère temporaire, même si celle-ci a l'âge de jouer à la poupée, et non celui d'endosser la vie d'une femme. Mais c'est pourtant ce que lui commande son instinct de petite fille. C'est aussi ce que lui commande son père qui, après avoir trop bu, la confond avec cette femme qu'il a jadis aimée. Qu'il a jadis embrassée. Qu'il a jadis caressée. Aunti Evi s'arrête en me regardant dans les yeux.

— Ne t'en fais pas, je suis en paix avec cette histoire, maintenant.

J'aurais envie de lui répondre que moi, par contre, je ne serai pas en paix avec son histoire avant bien longtemps. Mais elle poursuit, comme si elle répondait à un besoin plus fort que tout.

— Aujourd'hui, je sais que mon passé a le pouvoir de soulager d'autres histoires. C'est comme ça que je peux aider, vous savez.

Un jour, elle tient tête à son père qui la bat à en perdre le contrôle. Ce sont les voisins qui la retrouvent inconsciente et l'amènent à l'hôpital. Elle en ressort deux semaines plus tard et constate, de retour au vignoble, que toute trace de son ancienne vie a disparu. Pendant son absence, son père a mis le feu à la maison et s'y est enfermé avec ses deux jeunes sœurs.

— Quand je suis revenue, il ne restait plus rien de la maison, ni de mon père, ni de mes sœurs. J'avais douze ans et ce jour-là, je suis morte moi aussi.

Un ange passe. J'observe Walton du coin de l'œil. Ni lui ni moi n'osons la relancer avec une question. Ni lui ni moi ne trouvons les mots qui auraient le pouvoir de réparer ce qui ne se répare pas.

— J'ai continué à travailler, à manger et à dormir. Mais en dedans, je ne ressentais plus rien. Je ne me suis pas enlevé la vie, vous savez, c'est la vie qui s'est enfuie de moi.

Comment a-t-elle fait pour savoir que l'avenir lui réservait des jours plus cléments ? Comment peut-on deviner lorsqu'on a douze ans et une vie bousillée ?

— Un jour, une amie m'a raconté son histoire à elle et j'ai ressenti beaucoup de colère contre son agresseur. Et j'ai compris que je ne m'étais jamais donné la permission de détester mon père… Et qu'il fallait que je le fasse… Mais vous savez, ce n'est pas…

Comment fait-elle aujourd'hui pour composer avec la violence de son passé et la douce humanité qui émane d'elle ? Cette dichotomie en elle me trouble.

— La haine m'a redonné la force de me battre. Et j'ai haï, vous savez, j'ai haï. J'ai haï mon père, j'ai haï le propriétaire qui a fait de mon père un alcoolique, j'ai haï les dirigeants de l'apartheid qui ont légitimé le pouvoir des Blancs et leur ont donné le droit d'exploiter des hommes comme mon père.

Elle s'arrête un moment pour reprendre son souffle, comme si cela exigeait encore d'elle beaucoup de force pour revivre ces heures-là.

— J'ai aussi haï ma mère, vous savez, de ne pas avoir eu la force de survivre pour nous protéger… Mais surtout, je me suis haïe, moi. Parce que je n'ai pas trouvé le moyen de me protéger. Parce que moi, j'avais survécu, et pas mes sœurs. Et je me haïssais parce que je ne trouvais pas de sens à cela.

Comme s'il attendait précisément ce moment pour se précipiter sur Evi, un enfant arrive en pleurant et lui montre ses mains écorchées. Et elle l'accueille dans ses bras solides et elle le berce, simplement. À travers ce geste maternel, je comprends. L'enfance et la mère qui lui ont manqué, elle les retrouve dans cet instant. Ce qu'elle a perdu, ce dont elle a été cruellement privée, elle le récupère en le donnant.

— Nous ne soupçonnons pas à quel point nous sommes capables de supporter de grandes souffrances. Mais il faut pouvoir y trouver un sens. Même si on ne le voit pas, même si on ne sait plus où chercher, il faut tout faire pour s'en fabriquer un. C'est ça la survie, dit-elle en se levant avec l'enfant dans ses bras.

Nous comprenons que nous devons la laisser aller le soigner. Je jette un coup d'œil à Walton, embêtée à l'idée de la quitter sans avoir obtenu plus d'informations sur le groupe qu'elle a fondé. Je suppose qu'elle le devine puisqu'elle nous propose de la suivre afin de nous remettre des documents relatant les actions de ce dernier sur le terrain. Nous pénétrons à l'intérieur d'une maisonnette d'une pièce plongée dans la pénombre, où elle dépose l'enfant sur un lit simple en fer forgé, avant de s'emparer d'une petite trousse de premiers soins. Pendant qu'elle nettoie les plaies de l'enfant, je lui pose la question qui me brûle les lèvres.

— Comment y êtes-vous arrivée, Aunti Evi, comment êtes-vous devenue celle que vous êtes aujourd'hui ?

— Un jour, je suis devenue fatiguée de haïr, répond-elle simplement. La haine avait pris toute la place et ça non plus, ce n'était pas la vie.

Aunti Evi fait partie de ces êtres humains qui ont connu la lie de l'existence avant son nectar. Elle a commencé sa vie en tombant, une chute de loin plus violente que celle de cet enfant aux mains blessées. Elle a consacré une autre partie de son existence à se relever. Et le reste, à soutenir les autres. Je le comprends à présent, c'est le sens qu'elle a fini par se fabriquer, pour sa survie à elle.

— Ça a été long? Je veux dire, de trouver la force de vous relever...

— Seulement le temps qu'il me fallait.

De nouveau réunis sur la galerie de la maison où nous l'avons rencontrée, nous remercions notre hôtesse pour sa générosité. D'un geste spontané, elle agrippe de Walton pour lui donner une chaleureuse accolade. Je souris au moment où arrive mon tour. J'aurai donc la chance de vivre ce que l'on ressent quand on s'abandonne un instant dans les bras d'Aunti Evi.

— Chacun de nous finit par connaître la paix... Un jour, vous serez en paix, dit-elle en me serrant dans ses bras.

....

L'ivresse

Walton et moi retraversons le champ d'herbes jaunies par le soleil jusqu'à la maison de campagne aux pignons et aux volets verts. Il attend d'arriver au portique de celle-ci pour me demander si tout va bien. Il me connaît assez pour savoir que la rencontre avec Aunti Evi m'a secouée, ou peut-être qu'il ne cherche qu'un prétexte… Lorsqu'il s'avance vers moi, je la perçois dans ses yeux, la seconde d'hésitation. Celle qui donne plus de portée à son geste. S'il avait été trop confiant, son intention m'aurait paru moins sincère. Mais lorsqu'il s'avance vers moi et qu'il me prend dans ses bras, je ne doute pas de la vérité du moment. Et nous restons comme ça, un peu trop près l'un de l'autre, un peu trop longtemps. Ma poitrine contre la sienne, et mon nez dans son cou à humer les gouttes microscopiques de sueur qui sentent la forêt après la pluie.

— On en profite pour acheter quelques bouteilles?

— Je ne sais pas si c'est une bonne idée…

Mais déjà, nous traversons la porte où est accrochée l'affichette « *Visitors' Entrance* », et en ressortons quelques minutes plus tard avec des vins s'étant démarqués dans de prestigieux concours, un tire-bouchon et le reste de l'après-midi devant nous. Puis, en effleurant mon dos de sa main, il m'entraîne en direction d'un sous-bois aux limites de la propriété du vignoble. Même si nous savons tous les deux que ce n'est pas une bonne idée.

Nous descendons une pente qui conduit à un cours d'eau. Sous nos pas, le sol regorge d'humidité. Walton s'assoit près du ruisseau et s'empresse d'enlever ses souliers pour y plonger ses pieds. Je le rejoins en l'imitant. Dans l'air, flotte un léger parfum boisé, et je jurerais que le bruissement des feuilles cherche à provoquer un moment d'égarement. Sous nos pieds, le lit du ruisseau, son eau libre qui parcourt la terre avec sensualité. Nous nous éloignons de la rive quelques instants plus tard. Il choisit la meilleure bouteille, qui libère des effluves de cannelle et de merisier. Je m'enveloppe dans cet instant délicieux comme je l'aurais fait d'un édredon un soir d'hiver. Je pose mes yeux sur Walton, qui verse le vin dans deux coupes. Nous les faisons se rencontrer pour le plaisir d'entendre le verre tinter, et celui de nous regarder dans les yeux. Je bois. Ce regard qui ne se détache pas du mien, le moment présent, la chaleur du soleil. L'enivrement s'installe tranquillement. Celui que fait naître l'alcool, celui de se savoir démunie devant la soif de l'autre. Il me désire, je le sais. Je reconnais cet œil, rempli de lumière grisante, ces mains qui caressent l'herbe pour détourner son envie de me posséder, ces lèvres qui s'humectent à l'idée de parcourir ma peau. Je retrouve une fois de plus ce regard que portent la plupart des hommes sur mon corps, et dont l'effet est encore plus fort que celui des drogues douces. Un poison si facile à consommer, qui endort les angoisses de la mort et de la vieillesse.

Devant mon désir à moi, l'ambivalence. Flancher ou résister ? Résister. Pour celle qui partage sa vie, pour la morale, pour la fierté de se montrer supérieure à ses instincts. Résister. Parce que c'est ce qu'il faut faire. Flancher. Parce que c'est ce qu'il ne faut pas faire. Flancher. Pour sentir ses doigts monter le long de ma cuisse et soulever ma robe d'été. Sentir ses mains flâner sur ma peau, s'attarder à caresser mon ventre et m'enlever ma petite culotte. Flancher. Pour que mes cuisses se mouillent de nouveau. Pour tenir entre mes mains un sexe gonflé de plaisir. Pour que ma langue se love dans une autre langue. Pour que mon corps s'imbrique dans un autre corps. Flancher. Pour vivre l'abandon, celui qui endort les angoisses de la mort et de la vieillesse.

Je choisis de m'avancer. Lentement. Pour lui laisser le temps de me repousser. Je sais que ce moment, il le désire et ne veut pas le vivre à la fois. Mais il est déjà trop tard, parce que je suis déjà trop près de lui, parce que je suis déjà en train de l'embrasser. La sensation de me laisser tomber dans un lac des Laurentides, en pleine canicule. La volupté de me laisser dériver en abandonnant mon corps à ses caresses, des baumes. Habile capitaine à la barre de ses lèvres, je le laisse naviguer sur ma peau et louvoyer entre mes mille cicatrices invisibles. Je confonds tout, les gémissements du vent, la chaleur de son ventre, les morsures du soleil, ses lèvres tièdes auxquelles je m'abreuve. Et l'oubli, l'oubli de la lourdeur des jours, de l'amour fissuré, des rêves pourris et du futur flétri. L'oubli et la fuite, la fuite devant l'angoisse qui dévore l'estomac, devant les coups de poing du destin dans le ventre. La fuite devant les certitudes, les *ce qu'il faudrait*, les *plus jamais*, les *je devrais*, les *plus rien ne sera comme avant*. Enfin, je me perds dans un autre. Enfin, je m'enfuis de moi.

. . . .

Le poids de la liberté

Elle reboutonne son chemisier en jetant un regard furtif sur le corps amorphe à ses côtés, échoué dans le lit comme une épave. Combien d'heures a-t-elle dormi? Deux? Peut-être trois? À en juger par les rayons du soleil qui pénètrent par la fenêtre, il doit bien être six heures du matin. Ils sont rentrés du bar un peu avant la fermeture, peut-être vers trois heures. Et combien de temps cela a-t-il duré avant qu'ils ne s'endorment? Pas longtemps. C'est ce qu'elle suppose. Ce n'était ni bon, ni désagréable. Clinique. C'est le mot qu'elle cherchait. Un acte clinique. D'abord, il a pris le temps de lui parler et de la caresser des yeux, au bar. Ensuite, il l'a embrassée en plaçant sa main sur sa joue, puis sur sa nuque, pour relever ses cheveux. De loin, elle est persuadée que leur baiser avait l'air passionné, parfait. Ils sont rentrés en se tenant la main, comme si ça pouvait accélérer la naissance d'un lien entre eux. Arrivés chez lui, il l'a embrassée de la bonne façon, a détaché son soutien-gorge avec facilité et relevé sa jupe avec grâce. Il a mis ses mains aux bons endroits, il a bougé son corps comme il le fallait. Puis elle s'est endormie. Pour deux ou trois heures. À présent, il lui est impossible de retrouver le sommeil. Ce qu'elle veut, c'est retrouver son amour, son odeur, sa peau, et se blottir contre lui pour oublier. Comment a-t-elle pu se croire assez forte pour écarter l'image de celui qu'elle aimait au moment de se déshabiller devant un autre? Et pour se persuader qu'il suffisait de serrer un peu les lèvres pour chasser le dégoût de sentir contre soi un corps étranger, un corps qui n'est pas celui de son amour. Elle finit de boutonner son chemisier, se lève sans faire de bruit et enfile ses autres vêtements dans le corridor. Elle ouvre la porte et la referme doucement pour ne pas réveiller – comment s'appelle-t-il, déjà? – cet homme de passage. Une fois à l'extérieur, elle se repère rapidement dans la ville et marche en direction de son appartement. En montant les marches, elle sait qu'il n'est pas seul. Ce n'est pas un doute, mais une certitude. Mais elle s'en fout de l'autre, tout ce qui lui importe est ce besoin pressant de retrouver son amour. Elle les réveille tous les deux en entrant dans la chambre. Envie de vomir et de pleurer en même temps. Elle s'adresse à l'autre et lui demande de partir. Maintenant. Lui, il ne dit rien. Il ne regarde ni l'une ni l'autre. L'autre se lève sans trop comprendre, si ce n'est qu'il vaut mieux ne pas s'éterniser. Elle attend. Le bruit de la porte qui se referme. Enfin. Elle se déshabille et se couche à côté de lui en le serrant très fort.

— Je ne veux plus jamais refaire ça.

— Mais tu étais d'accord, pourtant…

. . . .

L'oasis

Je n'aime pas les aéroports, ces lieux de transition désincarnés. Ils se ressemblent tous avec leurs boutiques de souvenirs insipides et leurs planchers immaculés foulés par les voyageurs à l'air absent. Je déteste entendre à travers les haut-parleurs cette voix impersonnelle ordonner aux retardataires de presser le pas. Je déteste leur éclairage cru. Les aéroports sont toujours trop éclairés. Je trouve Walton tellement moins beau sous cette lumière. Ses yeux ont moins d'éclat, ses cernes paraissent plus bleus et sa peau, plus livide. Je suppose que lui aussi a mal dormi ces derniers jours. Nous ne nous sommes pas revus depuis... notre moment d'égarement, mais il a insisté pour me reconduire ici.

Comment le qualifier ?...

— Je me sens coupable de te voir partir pour le temps des fêtes à Jo'burg...

— T'en fais pas, c'est une vieille promesse que j'ai faite à Bongiwe. En plus, les autres stagiaires vont venir nous rejoindre à l'appartement et après, on va tous partir en safari ! On a aussi parlé d'aller visiter les Drakensberg.

— J'aurais aimé t'inviter dans ma famille, mais...

— Mais ç'aurait été compliqué...

On se sourit, navrés. Je ne sais pas s'il l'a avoué à Lena. Je ne sais même pas ce qu'il ressent ni ce qu'il pense. Je n'ose pas le lui demander non plus. Je me contente de sa présence le jour de mon départ, de son regard bienveillant et de son ton amical. Cela me suffit. De toute façon, je ne suis pas amoureuse. Walton est une oasis. En flânant dans le désert, je me suis enfargée dans les racines de ses arbres luxuriants. Un simple incident. Le début de ma vingtaine a été forgé par ce type d'incidents. Gregory et moi, nous en avons chacun constitué une collection personnelle. Lui, il disait que c'était ça, le véritable amour. Partir et revenir avec la confiance absolue que les sentiments éprouvés envers l'autre n'en seront pas altérés, mais qu'au contraire, ils en seront renforcés. Comment a-t-il pu me convaincre que j'allais me nourrir de cet amour rongé par l'obsession de consommer? Parce qu'il s'agissait bien de consommer. Consommer d'autres lèvres, d'autres peaux, d'autres regards et d'autres sexes pour se prouver qu'on était libres, qu'on était en vie. Au fil des accrochages, je me suis fabriqué une liberté de fortune. Ce n'était pas une liberté de premier choix, c'en était une de survie. Une liberté à laquelle on s'accroche parce qu'il nous manque le reste, la fidélité, la transparence, l'amour imperméable aux tentations. Comment ai-je pu me tromper de la sorte? Comment ai-je pu penser qu'il suffisait de lui donner de l'air pour qu'il se consume pour moi? Un jour, Gregory a fini par se perdre dans les incidents. Cela s'est passé sans que je n'y prenne garde, il n'a plus retrouvé le chemin qui le ramenait sans cesse vers moi. Alors j'ai su qu'on avait oublié l'essentiel, que les sentiments avaient leurs propres règles et que la plus grande des erreurs avait été de penser que nous avions la force de tromper l'amour.

Juste avant que je ne passe le contrôle de sécurité, Walton me prend dans ses bras pour la première fois depuis l'épisode du vignoble. Puis, il me donne un baiser sur la joue.

— Joyeux Noël !

— Joyeux Noël... Et à Lena, aussi.

. . . .

Les enfants de la rue

Au loin, je reconnais l'immeuble avec ses fenêtres sales grillagées et ses escaliers de ciment. Un sentiment étrange, celui de revenir à la maison. Devant la porte d'entrée, les *street kids* sont fidèles au rendez-vous. Le taxi me dépose en face d'eux, j'attrape mon sac à dos et cours retrouver les petits rois de la rue. Je les compte en silence. C'est la première chose que je fais. Je les compte pour me rassurer, pour me persuader qu'aucun d'eux ne s'est fait frapper par le malheur, la faim, une balle perdue... Mais ils y sont tous, avec leurs traits d'enfants et leurs yeux d'adultes. Max, le plus vieux d'entre eux, m'observe avec son sourire en coin.

Ils m'ont manqué plus que je ne le croyais

— *How's Cape Town?*

— *Sooo whhhite!*

Ils rigolent, même si je sais qu'ils n'y sont jamais allés. Pendant que le chef inhale la fumée de sa cigarette, je lui emprunte son ton frondeur et lui renvoie sa question.

— *How was Jo'burg without me?*

— *Soooo black!*

Ils éclatent de rire. Un concert familier qui annonce de joyeuses vacances à Johannesburg. Je distribue tous les rands qu'il me reste dans les poches. Ça n'a rien à voir avec la culpabilité. Mon geste est naturel, différent de celui que je posais au début de mon séjour ici. Aujourd'hui, je le vois comme une manière de témoigner ma solidarité envers des frères que je considère comme mes égaux et avec qui il est normal de partager.

· · · · · · · ·

Revenir

J'ouvre la porte de l'appartement et tout me revient à la mémoire. L'odeur du whisky, la voix lancinante de Tracy Chapman, la marijuana, les conversations politiques jusqu'aux petites heures, les rires, les disputes. Entre le bruit des casseroles qui s'entrechoquent et les chants de Bongiwe, je perçois la voix des autres, qui me parvient du bout de l'appartement. Personne ne s'est aperçu de mon arrivée. Je dépose doucement mon sac dans l'entrée et traverse le salon en silence jusqu'à la cuisine. Je les observe un moment s'activer dans la préparation du réveillon. Bongiwe est la première à remarquer ma présence. «*SIIISSSTEEERRRR!*» Elle me saute dans les bras, tandis qu'Isabelle et Avril me rejoignent à leur tour. Pendant un long moment, nous nous serrons les unes contre les autres, sous le regard embêté de Thomas, qui ne sait plus s'il doit continuer à cuisiner, nous rejoindre, ou attendre stoïquement que ce débordement de tendresse se termine. Il choisit de patienter et il me fait l'accolade au moment où nous nous séparons. Puis, il me demande coup sur coup comment je vais et comment se porte Ana. Je ne lésine pas sur les anecdotes qui la concernent, devinant qu'il s'intéresse plus à la vie de cette dernière qu'à la mienne. Au

bout de plusieurs minutes, il semble enfin se souvenir d'un détail important.

— Oh! Et comment va Paul?

Avril me tend un verre de vin pendant que je leur
raconte la vie à Cape Town. J'en profite pour leur
transmettre les salutations de Paul, qui a décidé
de passer la période des fêtes dans la famille d'une
de ses colocataires, envers qui je le soupçonne de
nourrir un intérêt amoureux. Va savoir! Bongiwe
nous prédit que l'Afrique finira par transformer
Paul en un *cool* Casanova... Alors nous buvons à sa
santé. Et à l'Afrique. Et à nos retrouvailles. Notre
série de toasts à peine terminée, Thebo apparaît
dans le cadre de porte avec une bouteille de whisky.
«THEBOOO!!!» En me précipitant dans ses bras,
j'ai le temps d'apercevoir au passage Thomas qui
lève les yeux au ciel. Et nous voilà, quelques minutes plus tard, reprenant une série de toasts, dont
les prétextes deviennent de plus en plus insignifiants. Les prémices d'une soirée qui s'annonce bien
arrosée. Mais je n'ose toujours pas m'abandonner
complètement à l'ambiance festive. Il me reste une
chose importante à régler. Je vérifie auprès des
autres si le café Internet de Time Square est encore
ouvert, même si nous sommes à la veille de Noël,
et leur explique que je dois aller y faire un saut.
Bongiwe me le confirme, alors je leur ordonne
d'attendre mon retour avant de devenir complètement ivres. Isabelle me rétorque que je devrais
par ailleurs m'assurer de prendre mes médicaments contre la malaria, en vue du safari, avant
que moi-même je ne sois trop soûle pour m'en souvenir. J'avais effectivement complètement oublié

que je devais commencer à prendre ces cachets.
Une forte recommandation de la part du médecin
consulté avant de partir pour l'Afrique : « Si vous
vous éloignez des villes, vous devez impérativement
prendre des médicaments contre la malaria. Sinon,
vous pourriez en MOURIR. » Je retourne à la chambre les chercher et reviens dans la cuisine pour
avaler, avec une bonne gorgée de vin, une pilule qui
m'évitera de MOURIR au milieu de la savane africaine. Je finis le reste de mon verre avant de quitter la cuisine. Deux bouteilles de vin y sont déjà
entamées, l'évier déborde de vaisselle et une coquerelle longe le mur en direction d'une armoire. Je
suis de retour à la maison.

un ordre plutôt !

. . . .

La trêve de Noël

Le bruit des klaxons, les cris des vendeurs itinérants, la musique hip-hop qui s'échappe d'une
fenêtre... La rumeur de la ville parvient presque
à enterrer celle de mes pensées... Je marche d'un
bon pas jusqu'au café Internet. Si je ralentis la
cadence, j'ai peur de rebrousser chemin. À l'intérieur, je m'assois devant l'ordinateur que l'on
m'assigne et je tape cette adresse que je connais
par cœur. J'écris sans faire de pause, comme si je
lui parlais sans reprendre mon souffle.

24 décembre. C'est aujourd'hui que je flanche,
un peu à cause de la date, un peu à cause de
moi. Je suis fatiguée de résister au silence
que j'ai imposé entre nous et Noël est un
excellent prétexte pour faire une trêve.
C'est ce que font toutes les armées de la
terre. Mais maintenant que je viens de
m'accorder ce droit, je ne sais plus trop quoi
te raconter... Tu me manques... Je n'en suis
pas fière, tu ne le mérites pas, mais j'avais
besoin de te l'écrire. Depuis toi, je n'arrive
plus à croire aux *pour toujours* et parce que
je n'y crois plus, je me sens vulnérable.
Et vieille. Demain, je vais peut-être retrouver
une partie de l'enfance perdue. Je pars en

safari. Je t'ai tellement cassé les oreilles avec ce rêve-là ! Tu te rends compte, je vais voir les lions, les éléphants et les girafes pour vrai, dans la nature ! Et aussi le ciel d'ici avec les étoiles à l'envers. Je vais penser à toi à Noël.

F.

J'aurais pu lui écrire n'importe quoi, ça n'avait pas d'importance. Ce qui en avait, c'était d'éprouver, à travers les mots, le sentiment de presque le toucher. La sensation qui a suivi est difficile à décrire. Un mélange de soulagement et de culpabilité, une sorte de liberté malsaine... Parce que je retrouvais ce point de repère perdu, une certaine fidélité à notre amour, et parce que je n'en témoignais aucune à mon besoin de guérir.

. . . .

Le réveillon

De retour à l'appartement, je retrouve les odeurs familières de mon quotidien à Johannesburg, celles de la courge musquée dans le four et de la soupe à l'oignon qui mijote sur le feu. Des mets qui serviront d'accompagnements au plat de mouton et de fèves préparé par Bongiwe, une recette traditionnelle qu'elle tenait à partager avec nous pour le réveillon. Je lui ai répété une fois de plus que j'étais touchée par son choix de passer ce moment en notre compagnie plutôt qu'avec sa famille dans son village natal. Elle m'a répondu qu'elle n'était pas du genre à trahir ses promesses. Thebo s'est lui aussi laissé tenter par l'idée et nous nous sommes reconstitué une famille pour Noël. Une famille hétéroclite, improvisée, irrésistible, et dont le charme atteint son apogée avec le retour de Thomas et la « surprise » qu'il nous rapporte : un clavier électronique, emprunté au voisin. Il lui suffit de le brancher et d'appuyer sur un bouton pour que le clavier se transforme en piano. En quelques minutes, nous voilà tous réunis autour de l'instrument, en train de chantonner des airs traditionnels du temps des fêtes. Nous rions en chantant, ou nous chantons en riant, je ne sais plus trop. Un réel moment de bonheur. Je n'avais jamais fait cela avant, identifier ce type d'instant. J'ai vécu les premières années de ma vie insouciante et heureuse, une période où je ne prenais pas conscience du bonheur parce qu'il était là, simplement. C'est à travers son absence que j'ai commencé à le reconnaître. Et pendant l'une de ses visites furtives, aujourd'hui, je peux me dire : «Tiens, ici et maintenant, en train de chanter des cantiques en faussant, je reconnais le goût du bonheur. Et je sais que cela passera.»

J'ai longtemps appréhendé ce premier Noël sans famille, sans neige, sans Lui. Les seuls éléments que je pouvais imaginer étaient ceux qui allaient me manquer. Mais ce soir, je suis fière de vivre une soirée à l'opposé du réveillon parfait dont j'aurais pu rêver. Comment aurais-je pu inventer cette scène dans laquelle je valse au salon avec Thebo pendant que Bongiwe chante langoureusement *White Christmas*, accompagnée par Thomas au clavier électronique transformé en piano ? Et pendant que Thebo continue à me faire danser, et que ma tête continue à tourner, je me dis que c'est peut-être cela, savoir se reconstruire. Se retrouver dans une vie que l'on n'aurait jamais su concevoir en l'extrapolant à partir des éléments de notre ancienne existence. Accepter que le vide ne soit pas un gouffre, mais un tremplin. Accepter que l'errance soit une nécessité, et non un chemin à éviter. Ce soir, je suis heureuse d'avoir quitté Montréal pour me propulser dans cette autre vie que je n'aurais pas su imaginer sans ce saut dans le vide.

Au bout d'un moment, je dois demander à Thebo de s'arrêter. Je crois avoir trop dansé, ou trop bu, ou peut-être les deux. Je m'assois un instant dans l'un des vieux divans du salon, étourdie. Je frissonne.

Ce n'est pas le bonheur, mais une légère chaleur générée par le corps. Je sens mes muscles ramollir, ma peau s'alourdir. Les frissons parcourent mon corps et j'ai soif. Bongiwe me tend un verre de whisky comme si elle avait deviné. Je bois à petites gorgées, mais je m'arrête rapidement à cause du mal de cœur. Je me sens soudainement lasse, si lasse. Je quitte le salon pour aller m'étendre dans une chambre et retrouve mon sac de couchage enroulé en petite boule. Cela me prend une éternité pour le dérouler, l'étendre sur un lit, ouvrir la fermeture éclair, me faufiler à l'intérieur, refermer la fermeture éclair. Peut-être que c'est à cause de mes mains qui tremblent. J'ai froid. Je pense que ce n'est pas normal, que je suis à Johannesburg, que l'été bat son plein dans l'hémisphère Sud et que je ne devrais pas avoir si froid. Je pense aussi que c'est injuste de grelotter dans un sac de couchage alors que tout le monde fête Noël au salon. Je les entends rire et chanter, ils se mettent à danser et je leur demande d'arrêter parce que toute la chambre se met à tourner autour de moi. Je ferme les yeux et je vois Gregory, qui se penche au-dessus de mon lit. «Moi aussi, je pense à toi.»

— Elle fait de la fièvre.

— Il faut aller chercher des compresses d'eau froide.

— Et de l'eau. Il faut la faire boire, elle transpire beaucoup.

— La pauvre, elle grelotte et claque des dents.

— On devrait peut-être l'amener chez un médecin?

— Laissons-la se reposer. On verra demain...

. . . .

Crocodile Dundee

Au moment où j'ouvre les yeux, cela me prend plusieurs secondes avant de reconnaître les murs de ma chambre à Johannesburg. Je me rappelle que j'y suis arrivée la veille, pendant que des souvenirs troubles de la soirée remontent à ma mémoire.

— Salut. Tu vas mieux?

Un inconnu s'approche du lit en posant sa main sur mon front.

— Qui êtes-vous?

— Ton guide.

J'ai la bouche pâteuse, le corps en sueur.

— Vous venez m'apprendre que je suis morte et que vous m'amenez au paradis?

— Mais qu'est-ce qu'elle raconte? dit-il en se tournant en direction de la porte de la chambre.

Je prends conscience, à cet instant, de la présence des autres, qui se sont rassemblés près du seuil de la porte.

— Hé! Ho! Je suis ton guide de safari, précise l'inconnu.

— Ah... le safari...

Je regarde mes colocataires, l'air navré. Nous devions partir à l'aube, ce matin.

— Et c'est ce moment que tu as choisi pour tomber malade... Bien joué, jeune fille !

— Mais qui êtes-vous à la fin ?

— Ton gui-de-de-sa-fa-ri. La fièvre t'a rendue débile ou quoi ?

— Mais pour qui vous prenez-vous ?

— Certainement pas pour ton guide spirituel, glousse-t-il en riant de sa propre blague. Bon, assez paressé ! Tes copains m'ont raconté que tu fais de la fièvre depuis hier. Et ils sont embêtés, là... Ils se demandent s'ils ne devraient pas annuler le safari et t'amener plutôt chez le médecin. Tu ne vas quand même pas t'arranger pour leur bousiller leurs vacances ?

Évidemment, je ne voudrais en rien qu'on annule nos plans, mais à la seule pensée de devoir me lever, prendre une douche et m'habiller, je perds courage. L'antipathique de service décèle rapidement mon hésitation.

— Et je suis certain, dit-il en direction des autres, qu'ils en rêvent depuis longtemps, au safari, en plus... C'est vrai, ça, non ? Tout le monde rêve de la savane, des animaux sauvages, des baobabs... Enfin, ce n'est pas une petite fièvre qui va les empêcher de vivre tout ça... Tu es d'accord avec moi, jeune fille ?

— Oui, mais…

— Alors voici ce que je propose. Tu te lèves et tu marches. Hé! C'est vrai que ça ressemble à des paroles bibliques, mon truc! Bon, trêve de plaisanterie… Hi! hi!… Voici mon plan: je t'emmène au parc Kruger avec les autres comme prévu. Si tu fais encore de la fièvre là-bas, on demande à un ranger de te conduire chez un médecin, et si la fièvre est tombée, tu fais le safari avec nous. C'est une situation gagnant-gagnant, tu comprends?

— Oui, mais…

— Super! On vient de régler la situation! déclaret-il en tapant à tour de rôle dans les mains des autres.

La route cahoteuse. Le soleil qui frappe à travers la fenêtre du passager. Le vacarme strident des conversations mêlées aux rires des autres voyageurs. Et l'envie de vomir, chaque fois que le minibus attaque un virage serré. Ça me semble presque impossible à admettre, mais notre chauffeur surpasse les prouesses routières d'Ana avec sa conduite de brousse.

aussi guide de safari, cuisinier + mauvais humoriste

— Tiens bon, jeune fille, il ne reste que cinq heures de route!

En plus, il m'a obligée à m'asseoir sur le siège avant de sa fourgonnette. Pendant que les autres somnolent à l'arrière, je dois endurer les histoires à dormir debout de Frank.

— … Jeune fille, tu sauras que la brousse est terrifiante la nuit. La première année que j'ai travaillé au parc, j'ai eu une panne d'essence à la tombée du jour. Les rangers ont mis QUARANTE-HUIT heures avant de me retrouver. Tu te rends compte, DEUX jours à survivre dans la brousse !

— Oui, je peux imaginer...

— Tiens bon, jeune fille, il ne reste que quatre heures trente de route !

Le plus absurde, dans cette situation, est le regard de la jeune femme faisant partie d'un autre groupe de touristes que nous sommes allés chercher en route. Je l'observe de temps à autre dans le rétroviseur. Assise sur la première banquette, de biais avec le siège du conducteur, elle écoute religieusement les aventures rocambolesques de celui-ci depuis le début du trajet. Et moi qui aurais donné ma chemise pour pouvoir changer de place avec elle !

— ... Mais mon acte le plus héroïque, c'est le moment où j'ai tiré sur un serpent grand comme ça, dit-il en lâchant le volant pour me montrer la taille de l'invertébré. Depuis ce temps – hé ! hé ! – les copains me surnomment Crocodile Dundee...

euh...
jaune
peroxyde

Effectivement, le surnom lui colle à la peau : des pantalons d'aventurier, une chemise déboutonnée jusqu'au nombril, une peau ridée par le soleil et des cheveux blonds retenus par un bandeau dont les couleurs ressemblent à celles d'un couvre-lit des années 80.

— ... Tu sais, jeune fille, je suis un véritable survivant.

— Oui, je peux voir ça !

Et pendant que Frank continue à débiter avec entrain ses aventures, je dois me concentrer pour résister à l'envie de vomir, de plus en plus forte. Je voudrais être partout ailleurs, sauf sur cette route cahoteuse à côté d'un Crocodile Dundee verbomoteur qui éclate de rire à chacune de ses blagues.

— Tiens bon, jeune fille. Il ne reste que quatre heures de route !

— OK, Frank Crocodile Dundee, je n'en peux plus ! Je m'excuse, mais je dois vomir.

Il s'arrête <u>brusquement</u> sur l'accotement. J'ouvre *tout pour m'aider !* la portière et, sans même avoir le temps de m'éloigner, je rejette tous les restes de mon repas de Noël sur l'asphalte.

— Prends ton temps, jeune fille !

Si je n'étais pas si occupée, je le tuerais sur place ! Isabelle sort en trombe du minibus avec une boîte de papiers-mouchoirs, suivie de près par Avril, qui me tend une bouteille d'eau.

— Les autres vont aller prendre quelques photos sur le bord de la route pendant que tu finis ton truc, n'est-ce pas, groupe ?

Heureusement pour lui, je suis encore trop faible pour lui sauter à la gorge ! Je m'assois sur le garde-fou, respire profondément et avale une gorgée d'eau. Évidemment, Dundee choisit ce moment pour s'allumer une cigarette. Il s'approche et me donne quelques petites tapes sur l'épaule.

— Alors, ça va mieux maintenant ?

Je lui fais signe que oui, découragée à l'idée qu'il me reste encore quatre heures à endurer ce calvaire.

transformée en four !!!

Nous remontons dans la fourgonnette, Dundee redémarre en trombe et recommence à parler au même rythme. Pour la première fois, j'ose prononcer la phrase que j'aurais dû prononcer beaucoup plus tôt.

— ... Frank Crocodile Dundee, je crois que je vais dormir un peu, là...

— Ah? OK!

Il est évident que je n'arriverai jamais à m'assoupir, étant donné sa façon de conduire, mais je suis prête à jouer au cadavre jusqu'à la fin du voyage pour éviter d'entendre les histoires ahurissantes de Mister Indiana Jones hyperactif.

je n'y croyais plus !

Quelques heures plus tard, la fourgonnette s'avance enfin sur une petite route de terre qui conduit à l'entrée d'une des plus anciennes réserves fauniques au monde, le parc Kruger. Une simple barrière de bois marque la frontière entre le pays et cet immense parc naturel qui chevauche les terres du Zimbabwe et celles de l'Afrique du Sud. Dundee arrête le moteur de son véhicule, saute à l'extérieur et se met en marche, sans plus d'explications, en direction d'une guérite. Une jeune femme ronde en sort. Même de loin, il est facile de supposer que les blagues de Dundee ont un effet du tonnerre sur elle. On les entend ricaner ensemble quelques minutes, avant qu'il ne décide de revenir vers la fourgonnette.

— Et alors, ta fièvre, elle est tombée? demande-t-il en ouvrant la portière.

— Honnêtement, je ne me sens pas très en forme...

— Parfait ! C'est ton jour de chance, la ranger Natalie doit justement se rendre au village après son quart de travail et elle accepte de t'emmener chez le médecin. Natalie, c'est la meilleure ! On a déjà eu une aventure ensemble et j'ai toujours regretté de ne pas lui avoir demandé de sortir avec moi. Ah oui, mais c'est vrai qu'à l'époque, j'étais plus jeune et frivole ! Oui mais bon, c'est pas tout ça, nous on doit retrouver les amis à quatre pattes qui nous attendent dans la savane, n'est-ce pas, groupe ? dit-il en s'adressant au reste des passagers.

Quelques « oui » timides se font entendre, mais ils sont rapidement enterrés par le bruit du moteur qui redémarre. Dundee envoie la main à « Natalie-c'est-la-meilleure » et il me conduit jusqu'à la tente-roulotte de cette dernière, où je pourrai me reposer en attendant qu'elle finisse de travailler. Évidemment, j'ai droit à un dernier conseil avant qu'il ne redémarre en trombe.

— Et surtout, ne pense pas à t'enfuir de là, jeune fille. La savane est dangereuse pour les jeunes filles fiévreuses. Hé ! hé !

. . . .

Zimbabwe

Bostwana

Mozambique

Parc
Kruger

Johannesburg

Swaziland

Afrique
du Sud

Lesotho

Des bêtes et des hommes

J'envoie un signe de la main à Natalie, qui reprend le volant après m'avoir laissée devant la clinique du village le plus près du parc. J'arrive encore mal à jauger cette fille qui, il y a à peine une heure, est venue me réveiller gentiment en m'apportant de l'eau et des muffins. Lorsque nous sommes montées dans sa voiture, elle s'est empressée de me tendre un bouquin sur les animaux sauvages parce que de cette manière, on allait «pouvoir se faire notre propre petit safari hi! hi!». Puis, elle s'est mise à parler avec passion des espèces animales qui peuplent le parc Kruger, en me spécifiant qu'il fallait s'en méfier.

— On raconte que des rangers ont déjà trouvé des membres entiers dans l'estomac des fauves du parc.

Je n'étais pas certaine d'avoir bien saisi.

— Des membres... d'êtres humains?

— Des mains, des genoux, des pieds de Noirs.

Je suis restée songeuse un moment, puis je lui ai avoué que je croyais que la plupart des rangers étaient des Blancs, ce qu'elle m'a confirmé.

— Mais tu as précisé que les membres humains étaient noirs.

— Oh, ces parties de corps humain n'appartiennent pas aux rangers, mais à des fugitifs du Zimbabwe qui tentent de traverser la frontière illégalement par le parc. Certains ne survivent pas à leur première nuit, ils se font dévorer par les fauves avant l'aube.

Je ne sais pas ce qui m'a choquée le plus à ce moment-là, l'image d'un membre humain dans l'estomac d'un fauve ou le ton désinvolte avec lequel Natalie rapportait ces événements... Elle en parlait de façon si détachée, alors que je trouvais cette histoire si bouleversante. Comment ne pas être troublée par l'idée que pour certains humains, la liberté et l'espoir comptent plus que la vie elle-même ? Quelle sorte de pays fuit-on quand la perspective de se faire avaler par des fauves nous paraît moins effrayante que celle de rester ?

Après le départ de Natalie, je dois prendre mon courage à deux mains pour ouvrir la porte de la clinique et faire face à ma peur irrationnelle de subir un examen médical. Je pénètre dans une pièce archi-luxueuse. Divans de cuir noir, bureau d'accueil en marbre et immense aquarium encastré dans le mur. La secrétaire, après avoir examiné mon passeport et pris mon nom en note, m'invite à patienter dans l'un des fauteuils. J'attrape au hasard un magazine sur la table basse. Des familles heureuses – papa, maman et enfants blancs coiffés et habillés de façon impeccable – posent devant de magnifiques paysages sud-africains, tantôt sur des chevaux, tantôt sur des bicyclettes, tantôt en surfant et tantôt en jouant au tennis… Complètement insouciants du sort des milliers de leurs concitoyens plongés dans la pauvreté… Complètement déconnectés de cette autre réalité qu'ils ont pourtant devant les yeux.

Quelques minutes plus tard, un homme en blouse blanche blanc se racle la gorge avant de massacrer mon nom à voix haute. Je ne peux pas lui en vouloir, même lorsqu'un francophone le prononce pour la première fois, il le fait en étouffant un petit rire. Fleur Fontaine. Quel nom de clown! Après avoir rejoint le médecin dans son cabinet, j'estime que ça lui prend entre deux et trois minutes pour poser son diagnostic. J'ai la grippe. En plein hiver, mais dans l'hémisphère Sud. C'est-à-dire au moment où il fait le plus chaud ici… Cela doit être la nostalgie du corps, docteur. Si ma tête retourne parfois dans mon autre vie, mon corps quant à lui ne peut jamais la suivre. Prisonnier de ce continent brûlé par le soleil, il a dû user d'un subterfuge pour replonger dans les souvenirs de la période hivernale au Québec. Je l'ai pensé, mais je ne lui ai rien dit. Avant de quitter son cabinet, je lui parle tout de même des cauchemars et de mon sommeil agité.

— Prenez-vous des médicaments contre la malaria?

— Bien sûr! Je n'ai pas envie de MOURIR, docteur.

Ce dernier s'empresse de lever les yeux au ciel en pestant contre les médecins nord-américains qui «prescrivent des pilules dont les effets s'avèrent aussi néfastes que la maladie elle-même». Il m'apprend que chez un certain pourcentage de la population, les cachets contre la malaria provoquent des cauchemars, de la fièvre et des hallucinations. Verdict? Je dois tout arrêter, immédiatement.

— ... Et... Mais... Je ne risque pas de MOURIR?

— Vous n'avez qu'à vous enduire d'insecticide avant le crépuscule et tout se passera très bien. Et assurez-vous de ne pas laisser les moustiques entrer dans votre tente avant de vous endormir... OK?

Temps de la consultation? Dix minutes. Montant à débourser pour la consultation? Deux cents dollars.

En retrouvant Natalie, je lui demande si les frais de consultation sont aussi élevés partout au pays.

— Avant, on avait des meilleurs soins de santé et qui nous coûtaient moins cher en plus, réplique-t-elle. Mais depuis que l'ANC dirige le pays, tout va de travers!

— Mais... avant l'ANC... c'était l'apartheid?

— Justement, ce système-là était efficace, il fonctionnait. Et tu sais pourquoi? Parce que la façon de penser des dirigeants s'appuyait sur une logique implacable: nous ne sommes pas faits pour vivre ensemble.

Ainsi, Walton avait raison... Même après toutes ces années, l'idéologie de l'apartheid survit encore au régime lui-même. Mon premier réflexe est de protester, mais un autre désir le sublime très tôt, celui de satisfaire une curiosité perverse et de tester jusqu'où peut se tordre son raisonnement.

— Et pourquoi vous n'êtes pas faits pour vivre ensemble ?

— Eh bien, parce que nous sommes différents ! Nous, par exemple, on mange avec des ustensiles et eux, ils mangent avec leurs doigts.

Pour la première fois, je prends la peine de la regarder, vraiment. Sans être laide, elle n'est pas particulièrement jolie non plus : des cheveux châtains mi-longs, des yeux gris, un long nez et des lèvres minces qu'elle s'efforce d'étirer le plus souvent possible en un sourire. Du coup, j'arrive même à éprouver une certaine sympathie pour cette fille qui a dû miser sur son sourire et développer son sens de la générosité pour pallier l'anonymat de son air banal. Les muffins, l'eau, le livre sur les animaux, toutes ces petites attentions qu'elle a eues envers moi... En réalité, je me rends compte à ce moment-là que Natalie se contentait d'obéir à un vieux réflexe, celui de plaire à tout prix, dans l'espoir de se faire aimer à tout prix.

— Ce n'est pas moi qui l'invente, poursuit-elle sur sa lancée, tout le monde sait que les Noirs sont plus paresseux que les Blancs. Ma mère enseigne depuis des années et je te jure que les standards ont baissé dans les écoles quand les enfants noirs sont venus étudier avec les enfants blancs. Ils sont moins...

— ... Tu crois qu'ils ont un cerveau moins développé ?

— C'est qu'ils ont tellement de difficulté à s'organiser, soupire-t-elle d'un air désolé. Pourquoi penses-tu qu'il y a si peu de Noirs parmi les rangers ?

— …

— Mais ce n'est pas leur faute, enchaîne-t-elle sans attendre ma réponse. Je ne les juge pas. Ils ont une façon de penser et de vivre qui est différente de la nôtre et un jour, il va juste falloir qu'on admette que c'est plus logique pour tout le monde de vivre séparément.

— Mais moi, par exemple, j'habite en colocation avec une Coloured – qui ne mange pas avec ses doigts, d'ailleurs – et tu crois que c'est mal ?

— Oh, mais toi tu viens de l'extérieur ! Si tu étais née ici, tu ne serais jamais allée vivre avec elle.

Et le pays a une des constitutions les + libérales au monde

Je sais que son raisonnement ne tient pas la route puisque aujourd'hui les Sud-Africains se permettent de vivre des amours et des amitiés entre gens de différentes etnies. Mais je me pose tout de même la question. Qui serais-je devenue si on m'avait élevée avec la certitude que j'appartenais à une race supérieure ? Et si on m'avait appris que les plus démunis méritent de vivre dans des conditions précaires, parfois inhumaines, parce qu'on les trouve justement un peu moins humains que nous, est-ce que j'aurais eu la force de remettre en question ce que personne n'aurait remis en question autour de moi ? Je n'ose même pas tenter de répondre à ma propre interrogation. La seule chose à laquelle j'arrive à me raccrocher en cet instant est la force tranquille de Walton. Jamais, depuis le moment où nous nous sommes vus pour la dernière fois à l'aéroport de Cape Town, il ne m'aura autant manqué. Je voudrais tellement qu'il soit à mes côtés en ce moment, il saurait, lui, trouver les mots que je ne trouve pas.

Nous arrivons bientôt à l'entrée du parc et, clin d'œil du hasard, l'un des rares rangers noirs qui y travaillent vient nous ouvrir la barrière de bois. Natalie le salue de la main en lui souriant, comme si de rien n'était.

— De façon individuelle, les Noirs que je connais sont très corrects, poursuit-elle. En tant que peuple, il leur reste tellement de chemin à parcourir ! Ils sont agressifs, ils violent leurs femmes, ils se battent. Ils sont… moins civilisés. Mais je ne leur en veux pas, je suis seulement désolée pour eux.

Elle s'arrête bientôt devant le camp de base, un regroupement de tentes d'armée entouré d'une clôture de fer barbelé pour empêcher les fauves d'attaquer la nuit.

— C'est ici. Tu vas retrouver les autres au fond. En tout cas, très contente de t'avoir rencontrée ! dit-elle en me serrant la main avec enthousiasme.

Et moi, je ne peux m'empêcher d'observer ces deux mains qui se touchent et de penser qu'il me suffirait d'avoir la peau noire pour que ce geste n'ait pas lieu, pour qu'il se transforme aux yeux de Natalie en un rituel dégoûtant. Elle attrape un oreiller qui traîne sur la banquette arrière.

— Tiens, prends ça, tu vas mieux dormir ! Tu n'auras qu'à le remettre à Frank avant de partir.

— Je te remercie, mais ce ne sera pas nécessaire.

J'ai claqué la portière et je suis partie. Ce n'est pas ce que je voulais faire. J'aurais voulu lui dire à quel point son raisonnement était tordu, à quel point il manquait d'humanité. J'aurais voulu lui crier que ça n'a pas de sens d'aimer autant les bêtes sauvages et si peu les êtres humains. Mais peu importe mes arguments, jamais je n'aurais su déconstruire le raisonnement sur lequel elle s'appuie depuis des années. J'ai retrouvé les autres qui, dispersés autour du feu de camp, répondaient aux ordres du Grand Dundee afin de «concocter» le repas du soir. Bongiwe et Thomas faisaient griller des tranches de pain blanc, tandis que Frank et Thebo ouvraient des boîtes de spaghetti en conserve pour en jeter le contenu dans une marmite au-dessus du feu, sous le regard horrifié d'Avril et d'Isabelle. Une autre fois, j'ai eu envie de vomir.

. . . .

La fragilité

Après le repas, nous avons regardé le soleil se coucher sur la savane. Un horizon de feu, rouge et or, sur des milliers de kilomètres de brousse. Les silhouettes des arbres rachitiques, dont les branches ressemblent à des bras de ballerine qui se tendent vers le ciel. Le cri lointain des fauves. Puis les étoiles. J'ai remercié en silence Crocodile Dundee de m'avoir extirpée de mon lit à Johannesburg. C'est en entrant dans la tente que j'ai recommencé à frissonner. Je me suis enduite d'insecticide une dernière fois avant la nuit. En fermant les yeux, j'ai retrouvé l'image du soleil qui embrase la nature sauvage. Pendant ce temps, dans un autre pays, au Zimbabwe, des habitants se mettaient en route pour braver ce désert et ses fauves. Sans savoir si c'est la mort ou la liberté qui les attendrait au bout du voyage. J'ai pensé à la vie, si fragile. Aux grains de sable qui bloquent des engrenages. Aux erreurs qui succèdent à la grâce. Aux autres qui ne pensent pas comme on le voudrait, à ces êtres humains qui ne savent pas toujours reconnaître leur humanité en leurs semblables. Et dans l'horizon incendié de la savane, j'ai reconnu la silhouette de Gregory parmi celles des arbres. Avant de disparaître, il m'a murmuré : « Pardonne-moi. »

. . . .

J'aime les levers de soleil...

Comme une page blanche sur
laquelle tout reste à écrire...

Le safari

Quelques heures plus tard, en ouvrant la fermeture à glissière de ma tente, le spectacle du petit matin sur la brousse m'attend. La rosée a recouvert la terre ocre, le ciel rouge de la veille est devenu rose.

— Tiens! Ça va mettre du bonheur dans ton corps, me lance Dundee en me tendant une tasse de café à l'odeur infecte.

Ailleurs au campement, des sacs de couchage se froissent et des campeurs toussotent. Après avoir fait un premier safari la veille, mes compagnons me refilent tous le même conseil : il faut s'armer de patience. Si les filles ont aimé l'expérience et si Thebo l'a trouvée amusante, Thomas, lui, répète à plusieurs reprises qu'il n'y a rien de plus bourgeois comme activité. Ce qui ne l'empêche pas de nous suivre ce matin. Quant à moi, je ne peux m'empêcher de retenir mon excitation à l'idée de vivre mon premier safari, d'autant plus que la fièvre me laisse enfin un moment de répit. Je me sens d'attaque pour mon vieux rêve d'enfance : l'Afrique avec ses baobabs, ses animaux sauvages et son soleil de feu. Dans mon imagination, il y avait toujours une jeep, semblable aux deux Range Rover stationnés à l'entrée du campement.

Parce qu'il n'y a plus de place dans le véhicule de mes compagnons, je rejoins le groupe de touristes avec lesquels nous sommes arrivés au parc. Je m'installe sur la banquette arrière, à côté d'une vieille Anglaise vêtue de shorts kaki et d'un chemisier blanc. Son mari rachitique, qui a adopté le même style vestimentaire, s'est même coiffé d'un chapeau Tilley. Dans une brochure publicitaire vantant la beauté des safaris, ils auraient été parfaits. Nous roulons pendant plusieurs kilomètres sur une route de sable et sous un soleil qui gagne de la force en même temps que de l'altitude.

— Oh… une girafe ! s'exclame le mari.

— Comme c'est excitant ! répond sa femme en mitraillant l'animal – ou plutôt la tache jaune perdue dans le paysage – avec son appareil photo.

Alors que la vieille Anglaise et son mari rachitique s'accrochent à leur arsenal photographique comme à un dernier soupir, le Range Rover poursuit sa route dans la savane, où les animaux demeurent résolument absents du paysage. Un paysage qui reste toujours le même : du sable, des buissons, de l'herbe brûlée par le soleil et, de temps à autre, un arbre solitaire. Il nous faut attendre une bonne demi-heure avant d'avoir la chance d'apercevoir une masse grise au loin.

— À trois heures, à trois heures ! s'enflamme le mari en pointant le doigt en direction d'un éléphant.

— Oooohh, il est gros ! enchaîne sa femme, qui ne donne pas sa place en matière de corpulence. L'éléphant se déplace vers nous en se dandinant pour

ah ! ah ! Même démarche que Dundee !

s'arrêter à quelques mètres de la jeep. Nullement impressionné par tous ces passagers qui se bousculent à bord d'un vieux Range Rover pour le prendre en photo, il semble même y prendre plaisir. Une vraie star de magazine, qui se prête avec amusement à la séance photo pendant quelques minutes, avant de se lasser et de retourner vaquer à ses occupations dans la brousse. Ma voisine s'empresse d'essuyer quelques gouttes de sueur sur son front, visiblement ébranlée par autant d'émotions. Le véhicule redémarre en trombe, à la recherche de nouvelles aventures. En route, nous voyons passer un troupeau de zèbres et puis, plus rien. La vieille Anglaise se tourne vers moi.

— Quel pays magnifique, n'est-ce pas ? Dommage qu'il y ait eu l'apartheid, enchaîne-t-elle sans attendre ma réponse... Et ces pauvres Noirs qui sont toujours aussi pauvres !

— Oui, déplorable, rajoute son mari en hochant la tête.

— Vous devriez, poursuit-elle à mon intention, vous inscrire à un tour guidé dans les townships. Mon mari et moi y avons appris tellement de choses sur les conditions de vie des habitants. Vous savez, comment dire, c'est toujours plus saisissant de voir la pauvreté de ses propres yeux...

— Mais je n'oserais jamais faire ça !

— Mais il ne faut pas vous inquiéter, c'est très sécuritaire. Les vitres de l'autobus sont teintées, alors les Noirs ne nous voient pas.

— Ce que je voulais dire, c'est que je n'oserais jamais faire ça parce que, bordel, il y a quand même
une différence entre une girafe et un être humain !

— Écoutez, je suis désolée si je vous ai offensée…

— Ce n'est pas moi que vous offensez, mais la race
humaine au complet. Et vous la première.

— Oh ! se contente-t-elle de répondre en attrapant
le bras de son mari. Tu crois que nous allons voir
d'autres éléphants ?

Je détourne la tête et fixe l'horizon. Du coup, l'idée
que je sois en train de me balader dans la savane
à la recherche de bêtes à photographier me paraît
stupide. Le cœur n'y est plus. L'Afrique imaginée
dans mon enfance avec ses paysages à couper le
souffle et ses animaux sauvages est une Afrique
de brochure publicitaire. Mon Afrique, c'est cette
mosaïque humaine qui se dessine chaque jour par
la juxtaposition des histoires de Bongiwe, Althea,
Ana, Xolilé, Aunti Evi, Thebo, Soyiso, Walton… Et
dans ce tableau formé de visages de différentes
couleurs, j'entrevois dorénavant mon propre visage.

. . . .

Les blessures de l'autre

À la fin du safari, trois jours plus tard, Frank nous dépose dans la ville la plus près, où nous louons un véhicule pour le reste de nos vacances. Je quitte avec soulagement l'univers de Natalie et de Dundee, où l'on traite avec plus de respect les bêtes que certains êtres humains, pour celui des montagnes. Nous prenons la route en direction des Drakensberg, «les montagnes du Dragon», qui traversent les provinces du Cap-Oriental, de Mpumalanga et du Kwazulu-Natal, l'ancien puissant royaume de la tribu des Zoulous. Ceux-ci, reconnus pour leur armée redoutable, l'ont surnommé «le rempart des lances». Nous filons en direction d'une auberge où nous avons réservé toutes les chambres, située à la frontière du Lesotho, un pays minuscule enclavé dans le récif montagneux des Drakensberg. C'est là-bas que nous accueillerons la nouvelle année.

En début d'après-midi, nous arrêtons dans un casse-croûte sur une route secondaire. Un château de la patate au cœur de son royaume, érigé sur un terrain vague jouxtant une station d'essence. À l'intérieur, nous collons deux tables ensemble, dont les nappes sont tachées de graisse. Je lance un regard distrait en direction du téléviseur où une présentatrice blanche rapporte d'un ton désolé une histoire sordide. Celle d'un homme noir de trente-huit ans qui a violé une enfant de dix-huit mois. Le coupable clame son innocence. Il n'a pas voulu faire de mal, mais simplement guérir. Comme d'autres au pays, il s'est accroché à cet espoir, porté par la rumeur qui court dans les campagnes : les jeunes vierges ont le pouvoir de guérir la maladie honteuse, le sida. Tout le monde sait ça. Enfin, pas tout le monde, seulement les Noirs qui sont pauvres et peu éduqués. Les Blancs, eux, ils n'ont pas besoin de savoir puisqu'ils ont assez d'argent pour se payer les traitements de trithérapie. Et parce qu'ils ne savent pas, ils s'offusquent. Comme cette présentatrice de nouvelles qui emprunte la même voix brisée que celle de Natalie au moment où elle se désolait du manque de civilité des Noirs. Je suppose que la présentatrice rentrera chez elle ce soir en se disant qu'il aurait mieux valu pour tous de continuer à vivre séparément. *Je sais, suis ironique, mais l'attitude des Blancs ici me décourage tellement des fois !!!*

Dès le repas terminé, nous avons poursuivi notre route pour ne pas prendre de retard. J'ai posé mon front sur la fenêtre qui me séparait de la campagne sud-africaine. J'ai regardé défiler le paysage avec une sorte de tendresse. Comme si je retrouvais un vieil ami et qu'il nous suffisait à présent de nous contempler sans un mot pour que l'un reconnaisse en l'autre ses propres blessures. Thomas a allumé la radio. Gabriel chantait Biko. *fondateur du Black Consciousness Movement* Je me suis mise à fredonner à mi-voix, instinctivement. « *You can blow out a candle but you can't blow out a fire.* » Je me suis mise à fredonner comme je l'aurais fait avec un enfant pour lui donner envie de s'endormir en oubliant ses peurs et le monde qui ne tourne pas rond. « *Once the flames begin to catch the wind will blow it higher.* » J'ai fermé les yeux et j'ai retrouvé le ciel embrasé de la campagne sud-africaine. Puis, la silhouette de Gregory. Cette fois, il m'a regardé en silence. Je savais déjà ce qu'il me demandait.

. . . .

Les Drakensberg

Au bout de la route, elles apparaissent enfin à l'horizon. Les montagnes du Dragon. Encore lointaines, mais déjà majestueuses. Au-delà de leur grandeur, c'est leur beauté qui en impose le plus. Des falaises escarpées qui flirtent avec l'horizon, des vallons recouverts d'un fin duvet vert, et des sommets vertigineux qui transpercent les nuages. Nous nous enfonçons au cœur de ce récif montagneux avec l'impression de pénétrer dans un temple. Les conversations s'estompent, les regards deviennent contemplatifs et le silence finit par s'imposer en souverain sur notre espace commun. Vaillante, la fourgonnette attaque les côtes abruptes, descend à grande vitesse les pentes et s'accroche à la chaussée sinueuse qui trace son chemin entre le vide et les falaises.

Une heure plus tard, nous nous arrêtons devant un sentier au bout duquel une coquette maison blanche trône sur le flanc d'une colline. Nous sortons du véhicule, qui ne peut se rendre plus loin, et sortons nos bagages. J'en profite pour me dégourdir les jambes et faire une pause en marchant pieds nus dans l'herbe mouillée. Il a plu avant notre arrivée. Sous les rayons du soleil, le paysage n'en paraît que plus brillant avec ses collines, ses moutons et ses arbres, qui semblent avoir été astiqués spécialement pour notre visite. Un colley vient nous rejoindre en jappant joyeusement. Pendant que chacun attrape son sac de voyage et se met en route, celui-ci exécute des allers-retours de nos jambes à la galerie avec cet enthousiasme débordant dont seuls les chiens connaissent le secret.

Les propriétaires, Mary et Lebolang, un couple mixte dans la force de l'âge, paraissent sincèrement heureux de nous accueillir. Mary me promet la meilleure chambre, «le privilège de la malade». Je lui en suis reconnaissante. Même si la fièvre est tombée et que les cauchemars ont disparu, j'ai des heures de sommeil à rattraper. Elle me conduit jusqu'à une pièce coquette qui sent le bois et la lavande, et dans laquelle le lit occupe la majeure partie de l'espace. Tout, ici, donne envie de dormir, la brise dans les rideaux diaphanes, la couette blanche et les draps qui sentent l'air des montagnes. Je résiste à l'envie de plonger mon nez dans l'oreiller et de m'assoupir sur le lit, qui ne demande qu'à accueillir mes muscles endoloris. Il me reste encore une chose à faire.

Je descends dans la pièce commune du premier étage à aire ouverte. De multiples fenêtres, décorées par de jolis rideaux blancs, une grande table de cuisine antique et un salon, avec un long canapé face au foyer. À côté d'une des fenêtres, un secrétaire supportant l'écran d'un ordinateur et son clavier. Je tape le mot de passe que Mary nous a donné à notre arrivée. Un message me demande de patienter. Un long moment d'attente. Le cœur qui s'accélère. De la même façon qu'un cœur amoureux s'emballe, de la même façon qu'un cœur anxieux s'active. Comment

faire de l'ordre parmi ces battements effrénés ?
Comment discerner la hâte de le retrouver, la peur
d'être ignorée, la peur d'être rejetée ou celle d'être
trop aimée ? J'ouvre ma boîte de courriel. Un nouveau message. Le sien.

Je viens de lire ton email. Il était un peu court,
mais ça n'a pas d'importance, il venait de toi.
La seule chose que je souhaitais depuis
longtemps était d'avoir de tes nouvelles.
Je l'ai même relu plusieurs fois pour me
donner l'impression qu'il était plus long.
J'ai pensé à toi à Noël. Comment aurais-je
pu faire autrement ? Tu n'es plus mon
amoureuse, mais tu restes mon premier grand
amour… Malgré tout, malgré nous. Pour la
nouvelle année, je vais enfiler mon bel habit
de neige et je vais me mettre à tourner très
très vite sur moi-même. Je vais tourner si vite
que je ne me sentirai même plus étourdi par
ce qui s'est brisé entre nous. Et quand je vais
me laisser tomber dans la neige pour regarder
le ciel, je verrai moi aussi les étoiles à
l'envers.

G.

. . . .

Un chemin dans la montagne

Dehors, la brume se lève sur les montagnes en même temps que le petit matin. Un tableau impressionniste avec ses taches blanches, vertes, marron et bleues. Seul signe de vie dans ce paysage désert, une fourgonnette fend l'air en direction du Lesotho, «le royaume du peuple qui parle le Sesotho». Coincée à l'arrière du véhicule entre Bongiwe et Avril, je respire à grands coups pour soulager un mal de cœur apparu après une nuit presque blanche. J'ai passé une partie de celle-ci à tourner dans le lit d'un côté et de l'autre. Je n'arrivais pas à trouver une position confortable, ni pour le corps ni pour l'esprit. Car tout se résume à cette question: quelle position adopter? S'attendrir devant son attachement? Le haïr d'entretenir ce lien d'attachement? L'aimer parce qu'il ne m'a pas oubliée? Le détester parce qu'il m'aime avec négligence? Parce qu'il ne me dit pas: «Je m'excuse, je m'en veux, je t'en prie, reviens vers moi pour que cette fois, je puisse t'aimer correctement.» S'il savait à quel point j'aurais eu besoin d'entendre ces mots: «Je m'excuse.»

Nous arrêtons bientôt à la frontière des deux pays, délimitée par une simple barrière de bois à côté d'une guérite. Un vieux douanier sort de la guérite, réprime un bâillement et tend la main vers Thomas, derrière le volant. «Vos passeports!» traduit Thebo. L'homme examine nos papiers, émet un grommellement incompréhensible et rebrousse chemin pour nous libérer la voie. Celle-ci nous conduit à l'orée d'une agglomération dont les maisons traditionnelles, des habitations cylindriques coiffées d'un toit de paille, ressemblent à des pots de sucre. Au fur et à mesure que nous nous en approchons, la brume se lève et nous laisse sur l'impression de pénétrer dans un village qui a traversé les siècles en échappant aux cicatrices du temps. À l'entrée du bourg, nous stationnons la fourgonnette, un anachronisme dans le paysage. Amusé, un cavalier nous observe à quelques mètres de là, depuis le flanc d'une colline. Drapé d'une couverture de laine et installé à califourchon sur une peau de mouton qui lui sert de selle, il expose à l'air ses jambes frêles enfoncées dans des bottes de pluie. Sur la colline voisine, des enfants, vêtus eux aussi de lainages et chaussés de caoutchouc, s'amusent à courir en brandissant des branches en direction des nuages, comme s'ils n'avaient de jouets que le ciel et la terre.

La rue principale est un sentier de terre dont chacune des ramifications se rend à la porte d'une des maisons traditionnelles. Difficile de savoir si ce village a été déserté ou si ses habitants dorment encore, les rues sont vides. Au bout de l'agglomération, un magasin général vend de la bière, des cartes postales, des couvertures et des tuques en laine de mouton. Je suggère aux autres d'y aller sans moi. Après ma nuit blanche, la fièvre et le mal de cœur m'ont rattrapée et je ressens le besoin de me reposer. Tandis qu'ils s'éloignent, je trouve un endroit confortable au pied d'un arbre et tente de m'assoupir. De longues minutes s'écoulent avant qu'une petite voix m'extirpe de ma demi-somnolence.

— *You OK?*

J'ouvre les yeux. Une bande d'enfants m'entourent, ceux qui jouaient sur la colline à notre arrivée au village. Ils me fixent de leurs grands yeux noirs. Au même moment, mon ventre se contracte et je vomis. Ils m'observent sans un mot, paralysés par le spectacle d'une femme blanche malade. Impuissants, mais fidèles spectateurs. Ils se retrouvent dans la même position que moi lorsque je peine à m'endormir la nuit à Montréal, lorsque la télé me donne le choix entre un vieux film en noir et blanc, des filles à demi nues avec des seins artificiels et les enfants de Vision Mondiale. Je choisis toujours les enfants. Je les regarde souffrir un peu, se battre pour rester en vie. J'éprouve plein de sentiments. De la culpabilité, de la colère, de la résignation, de la tristesse, surtout. Mais je termine toujours par la résignation. Et puis, fatiguée par les injustices du monde, j'éteins la télé et je m'endors enfin. Mais j'oublie un peu trop vite qu'ici, je suis au beau milieu des montagnes et qu'un événement ne peut être remplacé par un autre d'un simple coup de télécommande. Bientôt, un des enfants se penche et pose un geste, simple, mais d'une grande humanité. Il me prend la main. Tandis que les autres partent en direction d'une chaumière de laquelle s'échappe un mince filet de fumée, un petit homme de neuf ou dix ans veille sur moi en me tenant par la main.

Les enfants reviennent avec une femme d'âge mûr qui me dévisage un moment, avant de me faire signe de la suivre. Le petit homme reprend ma main et nous marchons ainsi jusqu'à la chaumière de la dame. À l'intérieur, la pénombre enveloppe l'unique pièce de la demeure circulaire. Une minuscule fenêtre laisse pénétrer la lumière du jour, ainsi qu'un trou au plafond, par lequel la fumée s'envole vers l'extérieur. La femme m'invite à m'asseoir à même le sol, son espace vital étant totalement dépourvu de meubles. Seules des couvertures ont été disposées en cercle autour du feu qui brûle au cœur de la pièce. Elle s'empare d'un des pots de terre cuite qui jonchent le sol et y recueille une poignée d'herbes qu'elle jette dans une marmite posée sur les flammes. Pour la première fois, elle me sourit. Et pour la première fois, je prends conscience de l'aspect insolite de la situation. Je viens de suivre cette inconnue sans lui adresser la parole, avec une confiance absolue. Elle s'avance vers moi jusqu'à ce qu'elle atteigne mon front de sa main afin d'y exercer une légère pression.

— *You sick!*

Je lui donne raison d'un hochement de tête, en haussant les épaules pour lui laisser comprendre qu'il n'y a rien que je puisse faire.

— *You angry!*

— *No, no hungry, thank you.*

Je pose ma main sur mon estomac en montrant un signe de dégoût. Avec ce mal de cœur, je n'ai envie d'aucune nourriture.

— *No! You anger inside you. Anger against you.*

Je lui réponds de nouveau par un hochement de tête, sans comprendre. Sérieuse, elle s'empare d'un des pots de terre cuite, puis le remplit avec l'eau de la marmite où elle a laissé infuser des herbes. Elle me tend le gobelet et, avant de le porter à mes lèvres, j'attends qu'elle remplisse le sien. Nous buvons l'une en face de l'autre, sans un mot. Puis, je l'entends murmurer une phrase.

— *You get better when you leave anger.*

Elle me fait signe de regarder dans le fond de mon pot. Les feuilles de thé y forment la silhouette des montagnes.

. . . .

Johannesburg •

Parc Kruger •

Chaîne de montagnes Drakensberg

Lesotho •

La lumière sur le roc

Quelques heures plus tard, alors que le soleil s'apprête à descendre sur les Drakensberg, nous rebroussons chemin en direction de l'auberge. Après avoir parcouru les routes du Lesotho pendant une journée, je regarde ce minuscule pays disparaître à l'horizon avec la sensation d'avoir volé un peu de temps au temps. À partir du moment où je suis entrée dans la demeure de la vieille femme, j'ai perdu mes repères et je ne saurais dire à présent si notre rencontre a duré quelques minutes, ou quelques heures. Je suis sortie de sa chaumière déroutée, mais apaisée. Grâce à la tisane, le mal de cœur avait disparu et j'étais prête à reprendre ma route. Pendant toute la journée, ses paroles m'ont habitée sans que je trouve quel sens leur donner. « Tu te sentiras mieux lorsque tu quitteras la colère. » Ses mots résonnent encore en moi. Mais ce n'est pas tant leur signification qui m'intrigue, que la façon dont elle les a prononcés... En me laissant supposer que c'était à moi de trouver le moyen de me guérir...

En arrivant à l'auberge, un spectacle hors du commun nous attend. Celui de la lumière sur les falaises, dont les couleurs se mélangent : le vert au bleu ; le jaune à l'orangé ; le rose au mauve. Dans le ciel, des traces de nuages comme des coups de pinceau. Et sur le relief des parois, des taches de soleil. Nous quittons la fourgonnette et marchons jusqu'à la cour arrière de l'auberge, où nous nous assoyons sur le bord d'un roc escarpé. Encore une fois aujourd'hui, j'accède à cet état dans lequel le temps perd son emprise. Petit à petit, les autres partent, alors que je n'arrive pas à détacher mon regard de la lumière qui danse. Bientôt, je me retrouve seule devant cet immense écran de cinéma, sur lequel est projetée une scène que je connais par cœur. Une scène sur laquelle, cette fois, je m'interdis de fermer les yeux.

....

La fin du jour

Les cartes postales, les lettres et l'élastique bleu sont dispersés sur la table de cuisine. À travers la fenêtre, elle perçoit les derniers rayons de la journée qui déclinent à l'horizon. Elle le regarde et elle attend. Il ne parle pas. Il ne parle pas mais son regard le fait pour lui. En ce moment, elle en est persuadée, il pense qu'il faudrait commencer par s'excuser. Mais il n'y arrive pas parce que ce serait aussi admettre qu'il est coupable, et le poids de la culpabilité lui est si difficile à supporter. Il pense à lui dire qu'il en aime une autre. Elle, bien sûr, il l'aime encore, mais c'est un amour qui s'essouffle et qui vieillit. Il veut changer avant qu'il ne soit trop tard. Comme un téléphone cellulaire ou un ordinateur qui fonctionne toujours, mais qui a perdu son charme au moment de la sortie du dernier modèle. Et elle, elle voudrait bien lui rétorquer que l'amour n'a rien à avoir avec un contrat de service sans garantie prolongée. Que ce n'est pas en l'échangeant contre un modèle de six ans sa cadette qu'il s'assure de vivre une relation plus passionnante. Que ce n'est pas au coin de la rue qu'il retrouvera le grand amour, ni sur Internet, même si l'on peut tout y commander aujourd'hui. Elle voudrait bien lui dire aussi qu'elle a seulement vingt-cinq ans et que ce n'est pas normal à son âge de se sentir si vieille et désuète. Mais elle se tait. Comment pourrait-elle lui répondre tout cela s'il ne lui dit rien ? Il n'a même pas le courage de formuler la première phrase... Comme il n'a pas eu le courage de lui parler de ses doutes, de ses déroutes et de cette toile qu'il tissait tranquillement dans son dos pour construire le nid d'un nouvel amour. Il l'a laissée deviner, simplement. Cette carte postale qu'il a laissée traîner sur son bureau, c'était un acte manqué. Cela lui paraît évident à présent. Et parce qu'elle n'en peut plus de supporter la lourdeur du silence, et parce qu'elle n'en peut plus d'attendre après lui, c'est elle qui finit par murmurer, la voix brisée et les yeux baissés :

— Alors, c'est fini ?

— Oui. C'est fini.

. . . .

Haïr

Il fait noir à présent sur les montagnes. Mais chaque détail de la scène n'en paraît que plus clair. Son sourcil figé, sa bouche réduite en de fines lèvres rongées par la nervosité, ses yeux livides... Je regarde cette scène comme on regarde un film, comme si la fille en face de Lui n'était pas moi. Comme si elle était un personnage de cinéma et que je me révoltais devant sa passivité. Pourquoi elle ne se fâche pas? Pourquoi elle ne le gifle pas? Pourquoi elle ne lui crie pas à quel point il est lâche, à quel point elle le déteste de ne pas avoir fait attention à elle, à eux, à leur histoire? Elle ne le fait pas parce que ce n'est pas... La même phrase, celle prononcée par Aunti Evi au vignoble, celle qu'elle n'a jamais terminée, revient me hanter. Parce que ce n'est pas... Parce que ce n'est pas inscrit dans les gènes d'un être humain de ressentir à la fois la haine et l'amour inconditionnel. Pour cette raison, chaque fois que cette scène m'est revenue à la mémoire, je n'ai su trouver le courage d'aller là où je devais me rendre. Alors, devant le roc, je prends la place de la fille et je me mets à réciter le texte de la scène qui n'a jamais été écrit: «Je t'haïs Gregory Filozinsky. Je t'haïs. Je t'haïs. Je t'HAÏS.»

....

Aimer

J'enfile une robe d'été malgré l'air frais. C'est jour de fête et j'ai envie de le souligner. Pour la veillée du jour de l'An, nous boirons tout à l'heure du mousseux autour de la grande table antique, et nous regarderons le soleil tomber sur les montagnes comme un rideau qui se ferme sur l'année. La fin d'un acte mouvementé, pour moi. Je rejoins Mary et Bongiwe à la cuisine, affairées à la préparation du repas du soir pendant que les autres sont partis se balader dans les montagnes. Dehors, dans le pré adjacent à la maison, Lebolang tire le lait de la vache Beth. Lorsque Mary passe devant la fenêtre et que son regard croise celui de son amoureux, un sourire indéfinissable se pointe sur ses lèvres. Je le lui fais remarquer avec envie. Elle me répond que si elle avait choisi, elle n'aurait pas aimé cet homme, que cette histoire n'était pas faite pour être écrite, pas dans un pays où sévissaient encore les lois de l'apartheid. Alors, devant Bongiwe et moi, qui n'avons pas connu ce pays divisé, elle replonge dans les dernières années du régime...

Mary est une étudiante qui arrive de Londres pour entamer une année d'études à l'université de Durban et elle cherche un colocataire. Lebolang lit sa petite annonce dans un journal, mais dès qu'il entend sa voix au téléphone, il comprend qu'elle est Blanche. Il s'excuse et il veut raccrocher. Elle ne saisit pas. Il lui répond que dans son pays, deux personnes de couleurs différentes ne vivent pas ensemble, c'est comme ça et c'est tout. Et elle, frondeuse, de lui rétorquer que les lois de l'apartheid sont stupides et de l'inviter à prendre un café. Il l'attend déjà à une table lorsqu'elle arrive. Dès qu'il la voit s'approcher, il se lève. Cela se passe en quelques secondes, comme un premier fixe d'héroïne. Elle devient accro à cette sensation, celle de sentir qu'il peut à la fois la dominer et la protéger. Parce que la hasard l'a mené à quelques centimètres d'elle, Lebolang vient de la condamner à chercher sa dose pour le reste de ses jours. Ils ne parlent pas beaucoup, cela n'a pas d'importance puisqu'ils savent exactement ce dont l'autre a envie. Il la suit jusque chez elle et la déshabille devant son lit. Sa main noire qui caresse sa peau blanche. Sa bouche charnue qui baise son sein blanc. Son sexe noir qui se presse sur son poil blond. Pendant des semaines, elle ne se lasse pas de regarder leurs corps s'imbriquer l'un dans l'autre. Lui faire l'amour, c'est se foutre du régime ségrégationniste, c'est écrire un manifeste pour l'égalité et faire triompher la liberté.

— J'étais jeune, avoue Mary avec son sourire indéfinissable, et je ne connaissais pas encore le prix à payer pour ce moment de volupté.

— Mais avoir su, tu aurais choisi de ne pas le vivre? lui lance Bongiwe.

Mary réfléchit un moment.

— Malgré ce que je vous ai dit, c'est vrai qu'il m'arrive de douter. Parfois, je rêve que j'ai vécu une vie amoureuse plus tranquille et fondé une famille. D'autre fois, je me dis que sans Lebo, je n'aurais pas connu la passion ni le grand amour, répond-elle avec franchise avant de poursuivre son récit.

Ils vivent leur histoire en cachette. Pendant des semaines, Lebolang arrive et repart par la porte d'en arrière en espérant ne pas se faire remarquer. Mais un soir, des voisins l'interceptent et le battent jusqu'au seuil de la mort. À partir de ce moment, elle perd la trace de son amant et elle comprend : ce n'était pas une histoire de politique, de liberté ou de cul, mais une histoire d'amour. Ces prétextes ne lui ont servi qu'à masquer ce qu'elle refusait de voir, un lien inextricable et grandissant entre eux.

— Vous comprenez, il n'y avait aucun problème pour moi de coucher avec un homme noir mais aimer profondément un homme d'une autre couleur, d'une autre classe sociale, d'un autre monde, ça, c'était impensable.

— Mais tu as pourtant été la première à lui dire que le régime ségrégationniste n'avait pas de sens…

— Ça, je dois bien l'avouer, cette histoire m'a obligée à faire face à mes propres contradictions.

Les mois qui suivent se ressemblent tous. Une cure de désintoxication cruelle. Réapprendre à vivre sans lui. Essayer de le retrouver à travers d'autres hommes. Essayer de l'oublier à travers ces mêmes hommes. S'inventer des passe-temps. Se concentrer sur les études. Penser chaque minute de la journée qu'il ne faut plus penser à lui, y arriver pendant un instant et se faire happer la seconde suivante par les souvenirs qui reviennent avec la force d'un tsunami. Et à bout de souffle, abdiquer. Accepter la tristesse, la perte. Se convaincre que le temps se chargera du reste. Mary retourne vivre en Angleterre, les années passent et la brûlure demeure vive. Un jour, elle reçoit de ses nouvelles par l'intermédiaire d'une amie restée ici. Il vit à Durban et il est marié, heureux. La douleur, encore plus cruelle que celle provoquée par la rupture. La douleur d'apprendre qu'après cette nuit où il s'est fait battre, lui, il a su guérir ses plaies. Cette fois, elle ne pense pas pouvoir survivre, mais c'est exactement le contraire qui se produit. Le lien qu'elle entretient avec son souvenir se brise. Et chaque jour, elle se met à faire cet exercice qui la sauvera : l'imaginer heureux avec une autre dans une vie de laquelle elle est absente et ressentir un bonheur véritable pour lui. Mary prend un moule à tarte et dépose, sur la pâte et sur les fruits, un mélange d'œufs battus dans la crème. Nous sommes suspendus à ses lèvres.

— L'amour est la plus grande liberté lorsqu'on accepte que l'autre ne nous appartient pas.

Au moment où Mary enfourne le dessert, les autres reviennent de leur balade en montagne les bras chargés de fleurs. Un joyeux bordel s'installe avec leur arrivée et je comprends qu'il me faudra patienter pour entendre la suite de l'histoire de Mary. D'autant plus que Lebolang se joint à nous quelques minutes plus tard, avec deux seaux de lait bien frais et l'appétit aiguisé. Tandis qu'il s'empare d'un bol de fruits, en dépit des protestations de Mary, je l'observe d'un regard neuf. Un corps athlétique, des lèvres pulpeuses et des yeux de braise. Je peux facilement imaginer l'homme qu'il était vingt ans plus tôt. Mais son charme tient à autre chose, à la façon dont il couve Mary des yeux. J'ai peine à croire qu'il ne l'a pas aimée autant qu'elle et je m'impatiente d'apprendre comment ils ont pu se retrouver. Les autres ont toutefois décidé que l'heure n'était plus aux confidences, mais à la fête. Les casseroles sont mises de côté au profit de la décoration et chacun compose un bouquet pendant que Thebo fait claquer ses doigts. Un rythme qui ressemble à la mélodie de la chanson *Love Me Do*. «*Ou mélélé bongououou, ousakata chaniyou.*» Nous enchaînons en chœur. «*Ou mélélé bongououou.*» Un chant d'espoir. «*Ousakata chaniyou.*» Avec un refrain où le chanteur nous répète que, du jour au lendemain, tout peut basculer, tout peut changer. «*Ousakata. Ousakata. Ou lélééé…*»

Chanter, c'est ce que nous avons fait toute la soirée. Pendant que Thebo jouait à la guitare des accords de Bob Dylan, nous avons décoré la salle à manger et mis les couverts en fredonnant *Don't Think Twice*, puis nous avons sorti les plats du four et allumé les chandelles, accompagnés par la reprise de *I Won't Back Down*. Lorsque nous avons porté un toast, c'était Ben E. King qui chantait pour nous: «*When the night has come, and the land is dark…*» Alors, Isabelle a proposé qu'à tour de rôle, nous fassions un souhait pour le Nouvel An. J'ai commencé la première, au moment où King entamait son refrain. Je leur ai avoué que mon séjour en Afrique était l'une des plus belles et des plus troublantes périodes de ma vie. Parce que plus d'une fois, cette expérience m'avait confrontée à une autre vision du monde que la mienne. Parce que je sentais bien que quelque chose changeait en moi, de façon encore indistincte, floue, mais je savais. L'Afrique, ce n'était ni une odyssée ni une expédition, mais un long voyage intérieur. Et pendant que King continuait de chanter «... *just as long as you stand, stand by me...*», je leur ai avoué qu'il m'avait fallu venir jusqu'ici pour découvrir la force de la solidarité. Et je leur ai dit que c'était ça, mon souhait pour la nouvelle année. Devant la grande table, entourée de ces gens qui étaient sur ma route à cet instant, j'ai fait le souhait de ne plus jamais me sentir seule.

Il y a eu un long silence parmi nous. Long, mais léger. Puis Mary a enchaîné.

— Quant à moi, je souhaite simplement savoir profiter de chaque instant passé aux côtés de Lebolang. Parce que je connais le prix de ce bonheur.

J'ai souri à Mary et je me suis dit que c'était le meilleur moment pour lui poser la question.

— Comment vous êtes-vous retrouvés?

Le hasard a fait en sorte qu'elle soit invitée, des années plus tard, dans un colloque organisé à Durban. Un colloque auquel Lebolang s'était inscrit. Il l'a croisée le premier matin, devant la machine à café.

— Elle fronçait les sourcils et je savais exactement ce qu'elle pensait à cet instant: «Mais comment cette foutue machine peut-elle fonctionner?» a-t-il dit en l'imitant. Je ne me suis pas demandé pourquoi elle était là ni à combien d'années remontait notre dernière rencontre. Je n'ai même pas pensé que la vie était ironique. Je me suis seulement dit que Mary avait besoin d'aide pour venir à bout de cette machine à café.

Quant à elle, elle nous a confié qu'elle avait envisagé la possibilité de le retracer en retournant à Durban, mais qu'elle avait finalement décidé de ne pas remuer le passé.

— Ça m'avait pris des années à l'oublier, je me sentais libre, en paix, et je désirais que cela demeure ainsi. Et c'est précisément à ce moment que la vie nous a remis sur le chemin l'un de l'autre.

— Qu'est-ce qu'on ressent, qu'est-ce qu'on pense pendant cette fraction de seconde où on recroise enfin le regard de l'autre? ai-je demandé.

— J'ai vécu cette étrange impression de l'avoir quitté la veille et qu'en une nuit, j'avais eu le temps de retourner vivre en Angleterre, d'apprendre à me connaître et à me reconstruire. Et qu'en une nuit, lui, il avait eu le temps de panser ses plaies, de se marier et de divorcer. Quand vous vivez une expérience semblable, vous expérimentez un nouveau rapport au temps. Certains scientifiques disent que si on arrivait à trouver le moyen de traverser les trous noirs dans l'univers, on trouverait le moyen de voyager à travers le temps. Dès l'instant où j'ai revu Lebo, j'ai eu l'impression que j'avais voyagé dans un de ces trous noirs et que je venais d'en sortir.

— Vous savez, l'a interrompue Thebo, moi, je ne suis ni scientifique ni astronaute, et je fonctionne encore avec la même méthode que celle utilisée depuis des siècles pour mesurer le temps. Et en ce moment, ma montre m'indique que la nouvelle année arrive dans quelques secondes.

Sur les douze coups de minuit, cette nuit-là, nous avons trinqué à l'amour.

. . . .

Les étoiles à l'envers

Je me réveille en sursaut sur le canapé du salon. La pièce est vide, les autres sont partis se coucher. Sur la table de la cuisine, de la vaisselle sale et des coupes de vin encore remplies à demi. J'ai mal à la tête. Je peine à me rappeler comment la soirée s'est terminée. Mes derniers souvenirs remontent à cette scène où nous sommes rassemblés au salon, suspendus aux lèvres de Thebo, plongé dans la narration d'un conte. Mary l'accompagne au violon, un héritage de ses ancêtres irlandais. Je ne veux pas perdre une seconde de ce moment. Mais mes yeux sont lourds d'alcool. Cela me demande une force inestimable pour relever mes paupières chaque fois qu'elles tombent. Alors je choisis de les laisser se fermer et d'écouter la voix de Thebo et celle du violon qui s'unissent pour nous faire voyager à travers le temps, avant l'arrivée de l'homme sur terre. C'est ça, nous sommes à l'origine du monde et les animaux se sont réunis pour savoir qui sera leur roi… Et puis, je ne me souviens plus de rien. Je relève la tête pour regarder par la fenêtre du salon. Quelle heure est-il? Peut-être trois ou quatre heures du matin. Dehors, le ciel s'est rempli d'étoiles.

J'attrape une couverture dans laquelle je m'enveloppe. Je tire le loquet de la porte d'entrée, pose un pied à l'extérieur et marche à tâtons, pieds nus dans l'herbe mouillée et vêtue de ma robe d'été. J'ai froid, mais ça me rappelle l'hiver. Celui que je connais depuis toujours. Dans la nuit opaque, je distingue à peine la silhouette des montagnes. La lumière de la lune brille faiblement, celle des étoiles n'en paraît que plus éclatante. Je déambule jusqu'à une dénivellation du terrain, où je gravis une petite butte. J'installe la couverture sur son sommet et je me couche en imaginant la sensation qu'on éprouve lorsqu'on se laisse tomber dans la neige. Je n'ai pas besoin de fermer les yeux pour retrouver Gregory. Il est là, dans la même position que moi, dans un autre espace-temps. Et pour la première fois, je le vois tel qu'il est. Je ne l'observe plus comme un ennemi qui m'aurait aimée puis trahie, mais simplement comme un être humain qui tente d'exister à travers d'autres êtres humains. Je vois en lui un homme qui m'a aimée comme il a pu, avec ses limites et ses faiblesses. Un homme qui m'a aimée comme le ferait n'importe lequel de ses semblables, de manière imparfaite. Je me rends même jusqu'à un point où j'arrive à le reconnaître comme une partie de moi-même. Et à travers cette reconnaissance, il m'est dorénavant impossible de lui vouloir du mal. Alors je l'imagine heureux, dans une vie de laquelle je suis absente, avec cette autre fille. Cela me demande beaucoup de force pour parvenir à cet état d'esprit. Comme si j'escaladais la paroi d'une montagne et qu'à chaque prise, je devais tendre mes muscles jusqu'à l'impossible pour parvenir à la prise suivante. Mais je tiens le coup. Et au sommet de cette ascension, j'arrive à ressentir un bonheur véritable et franc pour lui. De toute ma vie, je ne me suis jamais sentie aussi libre.

***

Le blanc et le noir

Quelques petits coups, doucement frappés à ma porte. J'ouvre un œil, la chambre est plongée dans une lumière bleutée. J'ai le bout du nez froid, l'aube se lève à peine, et la dernière chose dont j'ai envie est d'en faire autant. Je rabats l'édredon sur mon visage et enlace l'oreiller comme le corps chaud et humide d'un amant dont la respiration me bercerait jusqu'au sommeil. Quelques petits coups, de nouveau. «Réveille-toi!» Je reconnais sa voix de miel. Qu'est-ce que le poète de Johannesburg fait à ma porte, à cette heure-ci? Je respire profondément en serrant l'oreiller un peu plus fort. Il finira bien par partir. Mais j'entends encore le bruit de ses doigts qui grattent la surface de la porte. Il cogne avec plus d'insistance. «Je sais que tu m'entends. Ouvre-moi.» Je me lève à contrecœur, lui ouvre la porte et m'empresse de replonger dans mon lit. Il vient me rejoindre et s'assoit à mes côtés. Son regard effleure mon épaule droite, dans un moment assez long pour que je devine son désir. Ma bretelle a glissé, laissant à découvert une partie de mon sein. Je ne pose aucun geste pour me couvrir.

— Bongiwe et moi avons un cadeau pour toi.

— Et c'est pour cette raison que tu es venu me réveiller à cette heure?

Je sais que je le trouble, il lutte pour ne pas regarder là où il meurt d'envie de poser les yeux. Pendant que mon imaginaire se laisse envahir par les mots de Mary qui me décrit son corps sur celui de Lebolang, je plonge mon regard dans celui de Thebo. Je prends sa main, moite. Il ne m'offre aucune résistance. Je la pose sur mon sein à demi découvert et, en gardant ma main sur la sienne, je la fais glisser sur ma chemise de nuit pour qu'il dénude ma poitrine. Au moment où je sens sa main exercer une légère pression, je lui rends sa liberté. Il écarte les doigts et effleure mon sein qui se durcit et se tend vers sa bouche. Ses lèvres répondent à l'appel. Un long et délicieux frisson de plaisir. Mon corps se cambre, le suppliant en silence de continuer. Il m'enlève ma chemise de nuit et, maintenant complètement nue, je monte à califourchon sur ses cuisses. J'aime sentir mon sexe sur le tissu âpre de ses jeans, et mes mains qui devinent la forme de son torse à travers sa chemise. J'aime me savoir nue sur lui, encore vêtu. Je pose mes lèvres sur les siennes, chaudes et molles. Je ferme les yeux un instant, mais les rouvre bientôt parce que plus que tout, je désire voir. Mes mains blanches sur son torse noir. Ses mains noires sur mes cuisses blanches. Son sexe noir entre mes seins blancs. Mon corps blanc sur son corps noir. Il me fait l'amour comme il danse. Son corps, souple comme l'eau. Tantôt semblable à une pluie qui effleure la peau. Tantôt comme un torrent qui emporte tout, les hésitations, la retenue et la décence. Un déluge. J'ai l'impression de terminer un marathon. Rouge, en sueur, et avec un rythme cardiaque dangereusement élevé.

— C'était ça, mon cadeau?

— Tu viens d'avoir l'extra, qui n'était pas prévu…
Ça te fait sourire?

— Je viens de me souvenir de cette soirée à Johannesburg où tu m'avais demandé si j'avais déjà fait
l'expérience d'un homme noir.

— Et alors, qu'est-ce que tu en penses?

— Je recommencerais, là, tout de suite!

— Allez, dépêche toi de t'habiller, répond-il, amusé.
Bongiwe va s'impatienter.

. . . .

L'accueil des ancêtres

Sur les marches de la galerie, Bongiwe nous attend avec un sachet d'herbes entre les mains.

— Fleur a mis un bon moment avant de se réveiller, explique Thebo avec un sourire évasif.

Elle ne semble pas embêtée, seulement un peu surprise du temps que nous avons mis à la rejoindre. Sans poser de questions, elle marche en direction du soleil qui se lève. Et lui, il la suit sans un mot.

— Eh... On s'en va où comme ça?

— Réaliser un de tes souhaits, rétorque Bongiwe.

Nous empruntons un chemin qui conduit à un sous-bois escarpé. Les nombreux feuillus obstruent la lumière naissante et le sentier louvoie entre d'immenses rochers. Plus haut, la piste débouche sur une clairière et le soleil embrase de nouveau le paysage. Sous cette lumière, les végétaux paraissent d'une couleur difficile à définir, d'un vert vif, presque fluorescent. Alors que le vent se lève et transporte avec lui l'odeur sucrée des fleurs qui se mêle à celle des arbres, nous continuons à marcher sur un sentier de plus en plus escarpé. De temps à autre, Thebo effleure de sa main quelques feuilles sur son passage, faisant ressurgir par son geste les souvenirs sensuels du petit matin. Pendant la dernière partie du trajet, une légère brume se lève et transforme notre ascension en une scène qui me semble surréelle, une impression accentuée par mon manque de sommeil. En réalité, ce n'est pas la brume que nous traversons, mais les nuages. Je le comprends lorsque j'atteins le sommet : nous avons marché jusqu'à une crête de laquelle on peut apercevoir d'autres cimes, de lointaines corniches qui pointent au-dessus d'une mer de brume… Je m'assois, essoufflée, pour pouvoir profiter de la beauté et de la grandeur du paysage. Bongiwe et Thebo me rejoignent.

— Il existe une cérémonie chez les Xhosas, commence-t-il, où l'on souhaite la bienvenue à un garçon ou à une fille dans la grande famille des êtres humains.

— Et nous avons décidé de l'adapter pour toi, poursuit-elle en sortant de son sac le paquet d'herbes et une boîte d'allumettes.

Elle en fait craquer une et approche la flamme vacillante de son bouquet. De la sauge. Je crois en reconnaître les feuilles, dont le bout se met à brûler. Bongiwe tend le bouquet à Thebo, qui le prend avant de se lever. Il tient la sauge de sa main gauche et, de sa main droite, il envoie la boucane vers moi. Petit à petit, la fumée m'enveloppe et, avec elle, une sorte de paix de l'esprit.

— Dans notre culture, commence Bongiwe, nous croyons que les ancêtres veillent sur nous, en fait, qu'ils veillent sur leur lignée au complet… Peu importe où nous sommes, peu importe où nous allons...

— Nous savons qu'ils sont là pour nous protéger et pour nous servir de guides, enchaîne Thebo.

— Grâce aux ancêtres, nous ne nous sentons jamais seuls sur la terre...

— Et c'est pour cette raison que nous leur demandons aujourd'hui de te considérer comme l'une des nôtres...

— Comme une véritable sœur de sang ! Et en tant que ta sœur, moi, Bongiwe, je leur demande de t'accueillir dans notre famille et de t'aider à y trouver ton rôle et ta place...

— Et en tant que frère, moi, Thebo, je leur demande de t'aider à ne jamais perdre ce sentiment d'appartenance...

— Ah, oui ! l'interrompt Bongiwe en regardant au ciel, et chaque fois qu'elle reviendra en Afrique du Sud, arrangez-vous s'il vous plaît pour qu'elle ait toujours le sentiment de revenir à la maison...

Je me suis levée. Pendant que la brume montait dans le ciel de l'année naissante, j'ai pris mon frère et ma sœur à tour de rôle dans mes bras.

. . . .

Petit itinéraire
de mes vacances...

Namibia

Bostwana

Parc Kruger

Johannesburg

Chaîne de montagnes Drakensberg

Afrique du Sud

Lesotho

Cape Town

Janvier et Février

Quatrième partie

(et la fin du stage ☹)

Le bout du monde

Du haut des airs, je reconnais Cape Town, blottie contre sa montagne, assoupie devant l'océan. À vol d'oiseau, les villes et les hommes paraissent toujours si fragiles. Je regarde ma ville d'adoption comme une mère regarderait son enfant endormi, avec un fort sentiment d'appartenance. L'avion atterrit avec lenteur, je trépigne. Il me tarde de retrouver la chambre de Jabu, les fruits frais, la montagne du Cap. Je reviens et pourtant, je ne cesse de penser qu'il me faudra repartir dans moins de deux mois. Il me reste si peu de temps avant la fin de mon stage, et tant de facettes du pays à découvrir. Je descends de l'avion avec hâte, le visage offert aux rafales du vent chaud qui se lève sur le tarmac. À l'aéroport, devant le carrousel, j'empoigne mon sac d'une main libre et forte. Je le porte non plus comme un fardeau, mais comme un bagage qui me définit. Je me sens à des kilomètres de la personne que j'étais à mon arrivée au pays et je retrouve cette rafraîchissante sensation de liberté, celle de croire que rien ne peut m'atteindre. Et pourtant. En franchissant les portes coulissantes qui donnent accès à l'aire des visiteurs, je me heurte de plein fouet à son sourire. Walton, calme et confiant, me fait un signe de la main. Surprise, nerveuse, je ne pense pas à lui dire bonjour et lui demande plutôt ce qu'il fait là. Il me répond qu'il avait gardé en note les coordonnées de mon vol et qu'il a pensé que ça me ferait plaisir...

Nous nous observons un moment sans savoir comment continuer la conversation. Alors il me prend dans ses bras et je retrouve son odeur de forêt après la pluie. Puis il attrape mon sac et m'annonce qu'il m'invite à luncher en se dirigeant vers le stationnement. Je lui emboîte le pas, confuse.

— Tu es déjà allée à Cape Point? demande-t-il en enfouissant mon sac dans le coffre de sa voiture.

— Pas encore.

— Parfait, je te kidnappe! J'ai apporté de quoi pique-niquer.

Nous passons par l'appartement, désert. Althea a laissé une note dans la cuisine indiquant qu'elle sera en visite chez ses parents pour les deux prochains jours. Pendant que Walton dépose mon sac dans la chambre sous le regard joyeux d'un lion rose – un nouveau dessin affiché par Jabu –, je m'empare d'une serviette et d'un savon pour me doucher avant de repartir. En me dirigeant vers la salle de bain, je remarque qu'il feuillette un de mes livres traînant sur la table de chevet. C'est à ce moment que je comprends. Son calme apparent n'est qu'un masque, ce roman est écrit en français, une langue qu'il ne sait ni lire ni parler.

Carnets de naufrage de G. Vigneault. J'adore ce roman!

Dans la voiture qui roule en direction de Cape Point, nous discutons très peu. «Tu as passé de belles vacances? Oui, j'étais heureux de revoir mes parents, et toi? Oh. J'ai détesté le safari et j'ai été malade. Ça va mieux? Oui, merci, et toi?...» Nous finissons par abdiquer rapidement. Et nous laissons le silence, opaque, couler entre nous pendant que nous fonçons vers le bout du monde. L'endroit que l'on appelle Cape Point est situé à la limite de la péninsule du Cap, l'une des dernières du continent à s'avancer dans les mers du Sud. En réalité, d'un point de vue géographique, le point le plus au sud est Cape Agulhas, mais j'aime imaginer que nous nous dirigeons tout droit vers le bout du continent, le bout du monde. C'est dans le stationnement, après avoir fermé consciencieusement la portière de sa voiture, qu'il lâche le morceau.

— Lena et moi on s'est quittés.

— Quoi?

— On s'est quittés pendant la période des vacances de Noël, en bons termes...

J'essaie de paraître calme, mais en réalité, je suis envahie par un cocktail explosif de panique, de désir et de culpabilité.

— Est-ce que c'est à cause de...

— Non, ne t'inquiète pas.

Je respire un peu mieux.

— Oui, peut-être un peu...

— Walton...

Il prend un moment pour me regarder. Et puis, d'un souffle, il m'avoue que c'est à cause de mon absence, que cela s'est passé pendant que j'étais à Johannesburg. Il s'est projeté deux mois plus tard et il a su ce qu'il ne voulait pas : m'envoyer des courriels sur la pluie et le beau temps, prendre des nouvelles de temps à autre, puis de manière de plus en plus espacée et finir par admettre qu'il avait simplement manqué de courage.

— Je ne veux pas passer à côté d'une grande histoire, répète-t-il dans un souffle.

On pourrait croire que cet instant est l'un des plus romantiques que j'ai vécus, on pourrait croire qu'en ce moment, je devrais me précipiter dans ses bras, l'embrasser, oublier ce long désert de solitude... Mais il n'en est rien. Immobile, les bras ballants au milieu du stationnement du bout du monde, je ne réussis qu'à murmurer un nom.

— Lena...

— Viens, on va marcher...

Nous empruntons une étroite passerelle de bois construite à même la falaise. Au pied de celle-ci s'étendent de long sillages, taillés dans le sable par l'eau saline qui a déserté son lit.

— Tu vois ces sillons ? demande Walton. Eh bien prends-en un au hasard, n'importe lequel, suis son parcours des yeux et dis-toi que ce chemin de sable est à l'image de mon histoire avec Lena. Tu peux facilement deviner que l'eau a déjà emprunté ce passage, mais tu peux aussi voir qu'il ne reste plus que du sable aujourd'hui.

— Tu comptes m'expliquer ta rupture par la poésie?

— Quand j'étais plus jeune, poursuit-il sans se soucier de me répondre, j'ai lu un texte en afrikans et je me souviens en particulier d'un passage où un homme arrivait devant le lit asséché d'une rivière. Il y avait une pancarte sur laquelle on pouvait lire quelque chose comme ça: «Ici gisent ceux qui sont morts à force de ne pas avoir vécu leur vie. Tout comme l'eau de cette rivière s'est évaporée, ils ont laissé la vie s'échapper de leur propre vie.» Je ne sais pas comment mieux te l'expliquer, Fleur, mais je ne veux pas laisser la vie s'échapper de ma vie.

— Oui, mais Lena...

Comment m'empêcher d'y penser? Comment ne pas revenir sans cesse à celle qui reprenait à présent mon rôle, celui de l'amoureuse trahie? Celle envers qui le désir s'estompait, celle envers qui l'amour perdait de son éclat. Parce que soudain, j'étais là.

En marchant vers le bout de la falaise, Walton me raconte ses longues conversations avec Lena pendant les vacances de Noël, provoquées par l'aveu de son infidélité. Ce n'était pas la première fois en dix ans de vie commune, mais la différence entre celle-ci et les erreurs passées les a menés à l'évidence, leur couple n'était plus assez solide pour supporter ce dernier coup. Lena a protesté, mais elle ne s'est pas entêtée. Quelque part au fond d'elle, selon Walton, elle en était rendue au même point.

— OK, admettons que tu sois prêt à laisser tomber une histoire aussi longue et significative... Mais pour quoi au juste ? J'avoue qu'il existe un lien ou une espèce de chimie entre nous, mais qu'est-ce qui te prouve que ça va nous mener quelque part ?

— Comme l'eau de la rivière qui est toujours en mouvement, je crois aussi que notre essence est toujours en mouvement. Mais le mouvement fait peur et, à partir du moment où on le refuse, on commence à mourir un peu...

Bien sûr, il me faisait miroiter l'aventure, le bonheur de plonger dans l'inconnu, celui de s'ouvrir à l'autre comme on s'ouvre à la vie. Mais en échange, il me demandait d'occulter un détail, un gros : le deuil.

— Je ne peux pas avoir inventé la tendresse et l'admiration et surtout l'amour que tu as pour Lena. Et toi, tu ne peux pas me demander de croire que tout ça a disparu au moment où tu as eu envie de vivre une nouvelle idylle...

— J'aime Lena, je te mentirais si je prétendais le contraire. Mais je pense qu'il est possible d'aimer de cette manière plus d'une fois et...

Il s'est arrêté. Nous étions arrivés au bout de la passerelle, sur la pointe de la falaise. Devant ce bout du monde où il n'y a ni vide ni monstres imaginaires, nous assistions à la confrontation incessante de deux océans. La pointe du Cap est le point de rencontre entre deux géants, l'océan Indien et l'Atlantique. Un éternel combat entre une mer turquoise et une mer bleue qui foncent l'une vers l'autre. De la collision des eaux naît une frontière d'écume qui oscille au milieu des forces en furie, deux immensités cherchant à s'avaler l'une l'autre, sans jamais y parvenir... Le bout du monde est à l'image de soi. Devant moi, deux vies s'étalent avec leur couleur et leur destin propres. Deux silhouettes de femmes se dessinent en se distinguant l'une de l'autre, celle de Montréal, celle de l'Afrique. Mais ce sont deux vies que je n'arrive pas à superposer l'une à l'autre. Devant ce spectacle, l'évidence me frappe. Celle que j'étais à Montréal m'est devenue étrangère, sa façon de vivre m'apparaît dorénavant impossible à conjuguer à la première personne. Mais je ne connais encore que très mal celle de l'Afrique. Dans cette vie en mouvement et dont l'avenir m'apparaît toujours flou, je demeure toutefois convaincue d'une chose. Alors, lorsque Walton me répète une dernière fois une phrase, comme une dernière prière...

— ... Je suis persuadé que j'ai quelque chose à vivre avec toi.

Je lui murmure l'unique réponse possible.

— Walton... je ne peux pas... Je ne veux pas être cette fille-là.

. . . .

Hilaire *le transfuge*
(surnom qu'il s'est donné à lui-même)

Le lendemain, je cherche n'importe quel prétexte pour éviter de rester seule dans un appartement désert. Mais le dimanche, en Afrique, tout tourne au ralenti. Par chance, je me souviens de cette affiche remarquée en passant devant un marché d'art à Cape Town : «Séance de contes africains tous les dimanches.» J'attrape mon mini-enregistreur – je préfère de loin bousiller ma dernière journée de vacances en travaillant plutôt que de la noyer dans une glauque mélancolie – et je fais signe à l'un des rares combis à s'aventurer sur Main Road. Au centre-ville, je retrouve sans difficulté le building de trois étages devant lequel une affiche annonce effectivement un spectacle de contes prévu le jour même. Au rez-de-chaussée, je dois me frayer un chemin parmi les masques, les figurines, les instruments de musique et les meubles taillés dans l'ébène. Au cœur de ce grand bazar, je renoue avec une musique que je n'avais pas entendue depuis longtemps, une conversation en français. Plongés dans une vive discussion, deux vendeurs s'obstinent sur le prix d'un tableau avec une poésie tout africaine. En les abordant dans leur langue maternelle, je gagne leur sympathie en un clin d'œil. J'apprends

ou est-ce ma robe d'été qui fait tout le travail?

qu'ils sont immigrés du Cameroun, tout comme le patron de la boîte, celui qu'ils surnomment « le chef ».

— Son bureau, il est par là-bas, m'indique le premier.

— Il veut dire deux étages en haut, précise le deuxième, et puis là vous tournez à la droite, et puis là vous tournez à la gauche et puis encore à la droite. Et puis là – une, deux, trois portes –, oui, je crois que c'est trois portes, hein ?

—   Après quatre portes, vous allez voir la salle de l'aromathérapie – vous connaissez l'aromathérapie ? Vous devriez revenir pour l'essayer. Oh là là, c'est puissant, l'aromathérapie !

— Et puis à côté de l'aromathérapie, eh bien, c'est Hilaire !

— C'est à Hilaire qu'il faut demander la permission pour enregistrer les contes. Vous allez le trouver ?

— Oui, bien sûr.

Comme prévu, je me perds moins de cinq minutes plus tard. Au bout de nombreux détours, je finis par repérer le bureau d'Hilaire, le premier Africain hyperactif que je rencontre. Cellulaire coincé entre la tête et l'épaule, il tape sur son portable à la vitesse de l'éclair, mange un sandwich et trouve le moyen, quand il prend une pause du clavier, de s'amuser à lancer un ballon dans sa corbeille à papier. Dès qu'il termine sa conversation avec son interlocuteur anglophone et que je l'aborde avec un bref « bonjour », son regard s'illumine et un phénomène étrange se produit. En changeant de langue, Hilaire change de personnalité. Le rythme de sa voix ralentit, son œil s'adoucit. Les mots se transforment en images et les pensées s'envolent comme des oiseaux libres... Alors qu'il me donnait l'impression de manquer de temps il y a quelques secondes à peine, il m'invite à prendre un verre au bar en attendant le début de la séance de contes, dans une heure.

Hilaire me fait visiter sa « maison de l'Afrique », un marché d'art de trois étages où « le commerce n'est qu'un prétexte pour servir une cause beaucoup plus noble et vaste, la diffusion de la culture africaine ». Sa démarche, son timbre de voix, sa passion, tellement d'aspects chez lui qui me rappellent Thebo. Je ne me doutais pas encore, lorsque j'ai quitté Johannesburg, du poids de l'héritage avec lequel il me laissait repartir à Cape Town. En ce dimanche monotone, devant un Hilaire poétique, passionné et à la démarche féline, les souvenirs du corps de Thebo à la rencontre de mon corps déferlent en trombe. À quel point le Camerounais le devine-t-il ? Cela me semble difficile à percevoir, mais son plaisir à déambuler à mes côtés, lui, se discerne facilement.

Hilaire me conduit jusqu'à une terrasse sur le toit de son building, avec vue imprenable sur le centre-ville. Il disparaît un moment, mais revient vite me retrouver avec deux verres de jus de gingembre, une spécialité de la maison.

— Et alors, tu es mariée ? demande-t-il en s'assoyant.

Je m'étouffe en avalant une <u>gorgée</u>. Il est vrai que le breuvage mi-sucré, mi-amer pique le fond de la

sensation semblable à un râteau qui racle les amygdales

gorge, mais c'est plutôt l'attitude frondeuse d'Hilaire qui me prend par surprise. Je ne m'habituerai jamais à ces méthodes de séduction à l'africaine, qui consistent à aller droit au but, en perdant le moins de temps possible. En fait, je demeure persuadée que les Africains adorent prendre leur temps pour tout, sauf lorsqu'il s'agit de l'amour et de la sexualité.

— Non, et je ne crois pas que cela m'arrivera...

— Tss... Tss... Attention, mademoiselle, tu vas offenser mes ancêtres, là, si tu penses que les hommes, ils peuvent rester insensibles devant tant de charme...

Je souris. Il balance la tête d'un air triste et découragé, ce qui me faire sourire encore plus. Je sais qu'il le fait exprès. Mais je devine qu'Hilaire a une sensibilité assez aiguisée pour percevoir mon cynisme. Et je suspecte, au fond de lui, un chagrin réel. Sans doute est-il l'un de ces êtres qui supportent mal le désabusement. Comment, dans le cas contraire, aurait-il pu imaginer et construire «sa maison de l'Afrique» ? Mais ce qu'Hilaire ignore, c'est que je viens d'une société où la moitié des mariages se terminent en divorces et je ne peux m'empêcher de me demander combien, parmi les couples qui choisissent de rester ensemble, sont réellement heureux...

— Et tu as des enfants ?

— Non, pas d'enfants non plus.

— Mais on dirait que tu es triste, là, maintenant. Ça te rend triste?

— Oui, un peu.

Comment te l'expliquer, Hilaire? Je viens d'un monde où on a le loisir de rester des enfants tellement longtemps qu'on repousse toujours plus loin le moment d'en mettre au monde. Je viens d'une société où les filles, moi la première, choisissent d'écouter leur tête avant leur ventre. Au nom de la liberté d'étudier et de se tailler une place au sein de la société. Au nom du désir de devenir autre chose qu'une mère. Je viens d'une société où on parle plus ouvertement de nos avortements que de cette tristesse indéfinissable qui accompagne parfois les douleurs menstruelles, au moment où on se sent vidée de l'espoir de transmettre la vie.

— Eh bien moi, j'ai un fils, et il est très bien réussi, ce petit garçon! Je te le dis comme ça, hein, moi je réussis bien les enfants. Si jamais tu en veux, un jour, il faut venir me voir!

— Et qu'est-ce qu'elle va penser de ça, la mère de ton fils?

— Oh, mais elle va être d'accord avec moi! Elle est très fière du résultat, tu sais. Mais elle a déjà un autre petit ami parce que elle et moi, c'est fini l'histoire d'amour, là. Mais il faut pas t'inquiéter parce qu'on est des bons copains. Je te dis, je suis parfait! Il faut penser à venir me voir!

— D'accord, j'y penserai!

en me jurant de ne plus jamais retoucher à cette horrible boisson ↰

en Afrique moderne, les griots sont parfois des femmes

Nous rions ensemble. Le ton est anodin, nous savons tous les deux que nous badinons. Je termine mon jus de gingembre, puis nous nous dirigeons vers la bibliothèque du deuxième étage, remplie d'enfants impatients d'entendre leur histoire du dimanche. Hilaire me présente la conteuse, une comédienne à la stature imposante. Andrea doit bien mesurer près de six pieds et je n'ose même pas imaginer son poids, qui doit se situer au-dessus de deux cent cinquante livres. Hilaire me précise qu'elle incarne l'un des principaux personnages dans un populaire feuilleton sud-africain, en plus de donner des ateliers de théâtre engagé dans le township de Langa.

En apprenant que je suis une journaliste en stage à Bush Radio, Andrea m'invite spontanément à venir assister un jour à l'un de ses ateliers au township. J'accepte avec plaisir, en lui demandant en riant où elle trouve le temps de faire tout ce que vient de m'énumérer Hilaire.

— Eh bien, tu sais, raconter des histoires et incarner des personnages, c'est aussi important que de manger pour moi! répond-elle du tac au tac.

Dès qu'elle se lance dans la narration de son conte, je comprends. J'oublie d'emblée son physique grâce à sa voix grave et douce qui me transporte, avec une dizaine d'enfants, à travers le temps et l'espace. Au milieu de ce jeune public, j'écoute Andrea la griotte qui nous raconte pourquoi le ciel, autrefois à la portée des humains sur la terre, s'est éloigné des hommes...

. . . .

La confrontation

Le week-end suivant, Paul débarque en trombe à l'appartement, les yeux rougis et la tête encore plus penchée vers l'avant que d'habitude. C'est moi qui lui ouvre la porte, surprise de le retrouver dans cet état et, qui plus est, chez moi.

— Althea est là? demande-t-il.

— Ça ne va pas, Paul?

Il me fixe un instant, hésitant.

— Hell! non, finit-il par laisser tomber. Elle m'a quitté.

Pour la première fois depuis que je connais Paul, je m'avance vers lui et le serre dans mes bras. Jamais je n'aurais cru, le matin de notre départ vers Cape Town, vivre un jour un moment aussi intime avec lui.

— Qui? dis-je en me détachant de lui.

Il me regarde, interloqué.

— Je fais exprès pour t'embêter, Paul. Même si tu ne m'as rien dit officiellement, je sais bien que tu parles de ta colocataire.

— Oh! je suis désolé, répond-il, piteux.

— C'est moi qui suis désolée... Mais tu voulais voir Althea?

— C'est que... Je t'ai appelée pour savoir si tu allais faire un tour à la fête de quartier à Rondebosch et je suis tombée sur Althea. Elle m'a dit que tu refusais d'y aller et du coup, elle m'a invité à les accompagner, elle et Jabu.

De fait, ma colocataire sort de la douche à cet instant en informant Paul qu'elle sera prête à partir dans une dizaine de minutes et qu'ils devront passer chercher Jabu chez une amie avant de se rendre à Rondebosch.

— Et alors, tu as réussi à la convaincre de venir avec nous? lui demande-t-elle en brossant vivement ses cheveux crépus.

— Eh bien...

— Je n'irai pas, Althea.

Elle me fixe avec ses grands yeux marron et sa moue de Bilbo le hobbit.

— Ne fais pas ta Blanche, rétorque-t-elle.

— Je déteste quand tu me sors cet argument!

Dans l'Afrique du Sud post-apartheid, l'expression est devenue un classique parmi les membres de la communauté noire, qui ont développé une multitude de variations sur le même thème. «*It's sooo white*», c'est tellement ennuyant et conventionnel... «*Don't speak white*», ne parle pas la langue de bois... Et ainsi de suite... Et ça fonctionne! Chaque fois qu'Althea commente l'une de mes réactions ou une façon de penser qu'elle qualifie de «trop blanche», je me sens toujours piquée à vif. Elle le sait et elle en abuse. Cette fois, je choisis de lui avouer la véritable raison de mon refus de la suivre à cette fête de quartier dont elle me vante l'atmosphère depuis deux jours.

— Rondebosch, c'est le quartier où habitent Walton et Lena.

— Et alors? Tu n'es pas obligée de passer ta journée avec eux!

Cette fois, c'est Paul qui me fixe avec de grands yeux et la bouche ouverte. Je réponds à Althea, même si je regarde en direction de Paul, sachant qu'il est en train de deviner...

— Ma relation avec Walton s'est refroidie, on se parle à peine au bureau. Et je n'ai aucune idée de ce qui se passe entre lui et Lena à présent.

— Raison de plus pour y aller, boire quelques drinks et lui poser la question.

— Bonne méthode!

— Mais oui, c'est le moment idéal pour affronter la situation. Et en plus, je serai là!

— C'est bien ce qui m'inquiète...

— Allez, ne fais pas ta Blanche!

Althea le sait, je ne peux rien lui répliquer à présent. Mais cette fois, c'est tout de même Paul qui a le dernier mot.

— Et dire que tu me reprochais de ne t'avoir rien raconté ! conclut-il.

Coup de nostalgie au moment où j'arrive dans les rues de Rondebosch, qui me rappelle Montréal avec ses grands arbres matures, ses boutiques de mode et ses petits cafés. Je revis mes moments d'été passés à déambuler sur l'avenue du Mont-Royal ou la rue Saint-Laurent lorsqu'on les ferme aux automobilistes. Le soleil, la foule qui marche d'un pas nonchalant, la musique, les saucisses que l'on fait griller en plein air… Althea nous guide vers un bar où nous commandons un jus pour Jabu et un <u>drink</u> servi dans un ananas pour nous. Nous allons ensuite nous asseoir dans l'herbe où se prélassent quelques vacanciers. Un peu plus loin, un cuisinier jette de temps à autre un œil à sa viande braisée au-dessus d'un feu de camp improvisé, pendant qu'un DJ fait tourner de vieux hits… Parmi la foule, Ana. Elle nous repère et nous salue d'un signe de la main en nous rejoignant. Elle est suivie de Walton… Et de Lena… Je voudrais fuir, mais ça tombe bien puisque mes jambes, molles comme du chiffon, m'empêchent de réagir comme une enfant. Je n'ai plus le choix, je dois m'en tenir aux conseils d'Althea et affronter la scène qui va suivre… Ils approchent. Rigole de sueur dans le cou et sourire figé. Althea se lève et je l'imite sans quitter mon faux sourire. Walton s'avance vers moi. Je suis content que tu sois venue, dit-il.

un cocktail « qui goûte le ciel » selon Althea !

mes jambes tiennent le coup !

— Plaisir partagé.

Je lui réponds la première chose qui me vient en tête, sans réfléchir. Pourtant, son ton à lui est franc et son regard, sincère. Il me fait l'accolade et j'éloigne aussi loin que possible mon visage de son cou pour éviter de sentir son odeur de forêt après la pluie. Lena approche à son tour et me sourit sans rancœur, d'un sourire qui sait tout et qui accepte tout. Elle me fait aussi l'accolade pendant que je me demande si elle perçoit l'arythmie de mes battements cardiaques. Lorsque Walton lui offre d'aller lui chercher un verre, je le supplie en silence de ne pas me laisser seule avec elle. Mais déjà, il s'éloigne et Lena prend place sur l'herbe, à mes côtés. Silence de plomb. C'est elle qui ose une première question.

un ananas plutôt !

— Et alors, tu as passé de belles vacances?

— Oui...

Je lui suis reconnaissante de son effort, et j'enchaîne en lui racontant le safari, Natalie et Crocodile Dundee. Elle rit de bon cœur, l'atmosphère se détend. Mais j'épuise rapidement le sujet et, paniquée à l'idée de devoir affronter le silence à nouveau, je m'empresse de lui demander si elle, elle a passé de belles vacances. Je regrette aussitôt ma question. Comment pourrait-elle avoir passé un bon moment? Elle relève l'affront avec un courage impérial.

— Comme tu le sais, Walton et moi, on s'est séparés. Tu peux deviner, ce n'étaient pas les plus belles vacances de ma vie... Mais je me sens reposée.

— Je m'excuse, c'était maladroit de ma part.

— Ça va, ne t'inquiète pas. On en a beaucoup parlé et on est tous les deux en paix avec notre décision. On a fait le choix d'aller aux fêtes de famille ensemble et on va vivre encore dans la même maison pour le moment. La transition se fait en douceur et je continue à penser qu'on sera mieux comme ça tous les deux. Walton avait besoin d'avoir le cœur libre et c'est arrivé à un moment où j'étais prête à l'accepter.

Je rêve ou elle vient de me donner sa bénédiction ?

Je m'attendais à tout, sauf à cette réponse. Je réponds un truc convenu, à moitié audible, signifiant en gros que je suis heureuse d'apprendre que ça se passe bien. Walton revient à cet instant et la conversation bifurque sur un sujet dont la banalité fait tomber toute tension : le goût unique du drink à l'ananas. Lena bouge un peu pour lui laisser de la place. C'est en les voyant assis l'un à côté de l'autre que je comprends, comme je peux le comprendre, leur lien inextricable. Ils ne se touchent pas, ils se regardent à peine. Ils se sont débarrassés des gestes amoureux, devenus superflus. Ils sont unis ailleurs, dans les souvenirs qu'ils partagent, et d'une autre façon, à travers une complicité indéfinissable, inaccessible aux autres. Et je comprends, comme je peux le comprendre, malgré mes cicatrices, malgré ma maladresse, que ça, je ne le lui reprendrai jamais à elle. À Cape Point, Walton cherchait à m'offrir ses moments amoureux perdus. Et déjà, il portait en lui le consentement tacite de Lena.

. . . .

Grimper

Quelques jours plus tard, je retrouve Walton au pied de la montagne du Cap, au milieu d'un après-midi particulièrement chaud. Dix minutes après avoir entamé un chemin escarpé qui mène à une paroi d'escalade, des rigoles de sueur coulent déjà dans mon dos et sur mon visage. L'eau salée évacuée par mon corps se mêle à la crème solaire qui vient glisser dans mes yeux. Ma vue s'embrouille, je cherche mon souffle. Walton emprunte tellement de détours qu'il me donne le vertige. Plus nous avançons, plus son idée me paraît ridicule. Pourquoi aller escalader une montagne dans le but d'entamer une discussion qu'on aurait pu avoir dans un simple café, comme le font les grandes personnes ? J'ai tout de même accepté son offre en me disant que je commençais à peine à comprendre que les détours avaient parfois leur importance.

À mi-parcours, le vent se lève et la forêt devient plus dense. Marcher sous l'ombre des arbres apaise les brûlures du soleil sur la peau. Nous atteignons bientôt le plateau qui supporte la paroi d'escalade. Walton secoue son sac à dos, une corde et des harnais tombent sur le sol. Nous enfilons les harnais, puis il tire sur mes sangles pour tester si elles tiennent le coup. Je sais qu'il saisit le prétexte pour se rapprocher un moment. Il m'aide à nouer une corde à mon harnais, celle qui me servira à l'assurer, puis il part attaquer la paroi comme premier de cordée. Je l'observe escalader en me demandant si c'était calculé de sa part, ce spectacle. Ses muscles qui se tendent. Ses mains qui caressent le roc à la recherche de la prochaine prise. Sa façon de fixer le sommet avec un air de défi. Son corps souple qui épouse le rocher... Et le cordon qu'il laisse derrière lui avec confiance, celui que je tiens entre mes mains et qui le rattache à la vie. Du sol, je pourrais jurer qu'il parvient au sommet sans effort, comme si la grimpe lui paraissait aussi simple que la marche.

À son arrivée au sommet, j'emprunte la piste à mon tour, en tentant de me souvenir mentalement des prises dont il s'est servi. Mais je dois rapidement abandonner l'idée... La meilleure façon d'escalader, je le saisis, est de lâcher prise, d'oublier la réflexion et de s'abandonner à l'intuition. Un dialogue s'amorce alors entre mon corps et le roc, comme si celui-ci m'entendait chaque fois que je le touche à tâtons et me guidait vers une fissure ou une excavation pour me permettre de poursuivre ma montée. Je rejoins Walton au sommet au moment où un voile de bruine vient recouvrir l'horizon. Curieusement, je ne ressens pas d'étourdissements malgré la haute altitude. Seulement une légère fatigue, et l'engourdissement de mes membres. Je m'assois, les pieds dans le vide.

— Tu as le vertige ? demande-t-il.

— Je suis morte de peur... Et pas parce que j'ai les pieds dans le vide...

— Je sais.

Nous nous observons un moment. Pendant ce court moment de silence, pour la première fois, je comprends qu'il a peur, lui aussi.

— Tu savais que je n'avais jamais fait d'escalade ?

— Oui, répond-il calmement.

— Qu'est-ce qui te disait que j'allais te suivre sur la paroi ?

— Tu es en forme, tu es intuitive et ton ego est aussi gros que la montagne. Ou presque.

— Mais tu as fait un pari… J'aurais pu paniquer, avoir le vertige…

— Justement. Tu es passée par-dessus ta peur de tomber, non ?

— Oui, je vois où tu veux en venir…

— Et alors ?

— La peur physique n'a rien à voir avec celle d'un ego incapable de supporter l'idée de se faire blesser une autre fois. Et tu sais, mon ego, il n'est pas seulement gros, il est aussi très peureux.

— Alors tu trouves un point d'ancrage et tu t'accroches…

Exactement de la même manière que cela s'est produit dans un pub de Salt River, deux mois plus tôt, son regard s'accroche au mien, quelques secondes de trop. Et de ses lèvres qui se posent sur mes lèvres, naît une menue rigole de chaleur, celle qui caresse l'amour-propre. Et de la rigole naît le fleuve et du fleuve la mer, cette mer qui donne le vertige quand les derniers points de repère s'effacent à l'horizon et qu'il ne reste plus qu'à accepter la dérive. Ce n'est plus seulement le désir qui me porte, mais la peur et le désir à la fois. Chaque geste posé me donne envie de me rapprocher et de m'éloigner, comme les vagues s'avancent et se retirent d'une rive dans un mouvement régulier et sans fin. Il le devine, manœuvre lentement, mais il finit par s'arrêter.

Il se lève en me faisant signe de le suivre. Du coup, le plateau, ses parois escarpées et sa végétation redeviennent des points d'ancrage dans la réalité qui se redessine devant moi. En suivant une pente descendante, Walton m'entraîne dans une autre direction, à l'opposé de notre point d'arrivée. Nous marchons assez longtemps pour que je sois incapable de situer la route par laquelle nous sommes venus. Arrivé à l'entrée d'une grotte, il sort une lampe frontale de son sac à dos et un vieux pantalon de l'armée sud-africaine.

— Tiens, dit-il en me les lançant.

— Tu veux qu'on entre là-dedans?

Il acquiesce d'un signe de tête.

— Mets les pantalons pour éviter les blessures.

— Visiblement, tu ne me laisses pas le choix...

— De toute façon, tu ne pourrais jamais retrouver le chemin du retour sans moi, rétorque-t-il, frondeur.

Puisque je ne trouve rien d'intelligent à lui répliquer, je fais ce que je sais faire de mieux, je déboutonne lentement mon short en jean en plantant mon regard dans le sien. Il sourit. Je fais glisser le vêtement le long de mes cuisses, puis de mes jambes. Il étire un bras vers moi, attrape ma main et me ramène vers lui en me pressant sur son corps. Cet instant de grâce, ce moment où je sens le désir d'un homme physiquement. Un désir qui n'a rien à voir avec une intuition diffuse, un sentiment impalpable, mais qui se mesure et se vérifie. Une preuve tangible de mon pouvoir, un trophée dont je peux m'enorgueillir en me disant «voilà à quel point je le trouble, voilà ce que je sais faire de lui». Un baiser. Un autre. Et puis la dérive. Une dérive de quelques secondes, et déjà la crainte du naufrage qui la suit. Et une autre fois, Walton qui s'arrête.

— Allez, vite, enfile ce pantalon!

— Tu me supplies de me rhabiller?

Il remet en place la bretelle de ma camisole et s'assoit sur une roche. Je revêts le pantalon, trop grand pour moi, et j'attrape la lampe puis la chemise à manches longues qu'il me tend, beaucoup trop large elle aussi. Walton trouve un bosquet sous lequel il cache le sac à dos avec les harnais et la corde, puis il fait glisser sa main jusqu'à cette faille très mince dans le roc, qui s'élargit à la base, avant de disparaître à l'intérieur. Je me penche et, en tenant de l'imiter, je fais d'abord glisser mes jambes dans l'ouverture, puis le reste de mon corps, avec une impression bizarre, celle de naître à l'envers. À l'intérieur, la noirceur et le silence. Je n'entends plus que sa respiration, à quelques centimètres de moi.

— Tu es là ? chuchote-t-il.

— Oui, ici.

À tâtons, il retrouve ma main et la serre dans la sienne.

— Garde ton corps collé sur la paroi et suis-moi. On va bientôt arriver dans une grotte plus spacieuse.

— Tu aurais pu me demander avant si j'étais claustrophobe…

— Je ne voulais pas prendre le risque que tu me le confirmes.

Je le suis le long d'un passage étroit et humide, dans lequel je dois épouser la forme du rocher, frôler les cavités de la pierre qui caressent la peau. Une expérience sensuelle, à travers laquelle le sens du toucher s'exacerbe et où l'imaginaire s'enflamme. Tout, de la part de Walton, a été calculé, j'en suis maintenant persuadée. Le passage débouche sur cet espace dont il me parlait, un trou dans le ventre du rocher, à l'abri du monde. Une couche pour des amoureux nomades. Nous éteignons nos lampes frontales. Maintenant qu'on ne se voit plus, mon dernier repère m'échappe et je perds ce à quoi je me rattache depuis le début : le jeu de la séduction. Et je comprends. Pourquoi ici. Pourquoi maintenant. C'était la meilleure façon de me rendre vulnérable et d'avoir la chance, peut-être une fois, de toucher autre chose que mon corps. Entre lui et moi, ce n'est plus une question de regards lubriques, de seins qui pointent vers les mains de l'autre ou de sexe qui se durcit pour devenir la preuve d'un désir très fort. Ces manifestations érotiques, nous ne pouvons plus nous appuyer sur elles pour avancer vers l'autre. Je le devine, debout, à quelques centimètres de moi. Parce que je ne le vois plus, l'espace entre lui et moi devient immense. Et de cet équilibre fragile provoqué par la distance, naît un nouveau désir. Le désir de s'abreuver à la bouche de l'autre, de boire son essence, de respirer son souffle. Le geste simple de toucher ses lèvres pour toucher son âme. Embrasser, vraiment, prouve le désir authentique, l'abandon véritable dont on se croit incapable jusqu'à ce qu'il nous emporte enfin. Doucement, il me déshabille, même s'il y a déjà longtemps que je me sens nue devant lui. Je fais la même chose avec lui, non pas dans le but de caresser sa peau souple, de sentir ses muscles ou de voir son sexe tendu vers moi, mais pour que son corps se pose sur mon corps et que l'un devienne indissociable de l'autre. Pour entamer notre course à la lenteur, pour que nos souffles se transforment en mantras et notre jouissance en prière.

Je ne sais pas combien de temps cela dure. Mais je fais tout pour que chaque seconde soit pleine de ma conscience, pour que chaque geste soit posé dans le but unique que ce moment ne finisse jamais. Dans cet état de grâce, j'ai pensé un instant que je semais le doute, les blessures et la peur de la dérive pour de bon. Presque au même moment, c'est ironique, un téléphone a sonné. J'ai d'abord cru que j'hallucinais. Mais la sonnerie s'est entêtée à briser le silence de la grotte et j'ai compris que c'était le portable de Walton, resté dans son sac à l'entrée de l'excavation. Je me suis dit que c'était tout de même étrange qu'on l'entende jusqu'ici, mais il s'est arrêté et je n'y ai plus réfléchi en retrouvant les lèvres de mon amant. Le téléphone a sonné de nouveau. Une sonnerie insistante, comme le cri d'un bébé qui manifeste à ses parents son angoisse de se faire abandonner. Alors Walton s'est arrêté net et il a rapidement rebroussé chemin jusqu'à ce qu'il atteigne l'appareil et réponde à l'appel. Une autre fois, le silence de la grotte a été déchiré.

— Salut Len...

— ...

— Oui, oui, je serai là.

— ...

— Oh. Je ne sais pas. Peut-être encore une heure ou deux.

— ...

— D'accord, je te rejoins tout à l'heure pour le souper.

Un coup de poing dans le ventre, la douleur qui brise un être en deux. Je me recroqueville sur moi-même. Il fait noir, j'ai froid, et je me souviens de tout.

. . . .

Tomber

Encore une crampe. Encore plus violente que la précédente. Elle tient son ventre à deux mains, ses jambes repliées vers elle. Dans la noirceur, son regard ne sait plus où s'accrocher. Dans la noirceur, elle ne sait plus distinguer la douleur. Celle du corps. Celle du cœur. Et toujours cette envie de vomir. Elle ne sait plus à quoi attribuer cette faiblesse. Elle ne sait plus si c'est à cause de son corps qui se vide de son sang. Ou si c'est elle qui s'écœure d'elle. Et cette douleur, si vive. Elle se redresse dans son lit, les doigts enfoncés dans la chair de son ventre, un volcan en éruption. Les jambes molles, elle titube jusqu'à la salle de bain. À cause de ses mains qui tremblent, elle doit s'y prendre à trois fois pour réussir à enlever le bouchon du flacon d'analgésiques et, enfin, parvenir à engloutir deux cachets. Elle s'assoit un moment sur le siège des toilettes. Dans la même position qu'il y a huit jours. C'était il y a huit jours. C'était il y a un siècle. Elle, assise sur le siège des toilettes. Et sur le comptoir du lavabo, un test de grossesse. Un petit bâton qui prédit l'avenir et qu'elle finit par prendre entre ses mains. Au début, elle n'a vu qu'une seule ligne et elle en a été soulagée. Mais en regardant une seconde fois, elle a vu ce trait plus pâle se dessiner de plus en plus clairement sous ses yeux. La panique a fait place à un sentiment de joie, inattendu, irrationnel. Cela faisait à peine une semaine que Gregory était parti. Un accident qui ne pouvait pas plus mal tomber. Mais sans pouvoir se l'expliquer, cette nouvelle inopportune est venue estomper la douleur de la séparation. Comme si la seule perspective de mettre un enfant au monde avait le pouvoir d'adoucir n'importe lequel des maux. Puis son esprit s'est emballé. Cet enfant avait été conçu pendant qu'il voyait l'autre. Pensait-il à cette autre pendant qu'il lui faisait l'amour ? Rêvait-il déjà de fonder une famille avec elle ? Elle a chassé ces idées de sa tête et s'est fait une promesse. Peu importe la réaction de Gregory, elle allait le garder. Elle n'a jamais eu le temps de l'appeler. Elle n'a pas été capable de retenir son enfant, comme elle n'a pas été capable de retenir son amour. Et voilà le mal de cœur qui revient. Et la certitude de ne servir à rien. Elle n'a plus qu'une envie, se liquéfier. Est-ce donc cela, échouer ? Jamais, de toute sa vie, elle n'a connu un sentiment aussi puissant. Échouer. S'échouer. Laisser s'échapper de soi le goût de vivre comme l'air qui nous nourrit. De personne humaine, se transformer en poupée dégonflée. Devenir une moins que rien. Se vider de son sang et de ses larmes. Se vider de son essence. Un réflexe morbide. Elle ne peut s'empêcher de regarder entre ses jambes. Une promesse d'avenir qui se décompose. La vie qui s'échappe de sa vie.

....

La pépé soupe

Lorsque Hilaire passe me prendre à la maison et qu'il me dit «Allez, je t'emmène chez Adèle» de la même manière qu'il m'aurait dit «Allez, on va régler tous tes problèmes», mes épaules se libèrent d'un immense poids. Cela fait deux jours que j'ai besoin de parler, de laisser les mots surgir de ma poitrine pour recommencer à respirer. Cela fait deux jours que je cherche une oreille neutre, quelqu'un qui ne connaisse pas Walton. J'ai pensé à Hilaire et je l'ai appelé sous un prétexte, celui de réaliser un reportage sur sa condition d'immigré en Afrique du Sud. Un sujet d'actualité puisque sur le continent, ce pays demeure l'un des plus florissants sur le plan économique et qu'il attire des immigrés venus des quatre coins de l'Afrique. Un mouvement peu populaire auprès des Sud-Africains, qui subissent déjà un taux de chômage élevé. Pourtant, Hilaire incarne l'exemple du type qui a su s'adapter à son pays d'accueil, en plus d'y avoir créé de nombreux emplois grâce à son esprit d'entreprenariat.

— Tu veux me raconter ce qui ne va pas? dit-il en s'engageant sur Main Road.

Dans la voiture, Hilaire me prend de court. Je n'avais pas prévu qu'il devine aussi rapidement, même si je dois bien avouer qu'il aurait pu difficilement en être autrement. La dernière fois que j'ai vu Hilaire, je portais une jolie robe d'été, j'avais savamment laissé tomber quelques mèches de mes cheveux remontés, et je m'amusais à lui faire des yeux doux, inspirée par le souvenir de ma nuit avec Thebo. Comment aurait-il pu penser que tout allait bien en me voyant ce midi cernée jusqu'au menton, les cheveux en bataille et vêtue d'un vieux t-shirt et d'un short en jean.

— Tss... Tss... Attention, mademoiselle, poursuit-il, tu vas offenser mes ancêtres, là, si tu penses que je ne vois pas tes yeux tristes!

— Je ne voudrais surtout pas les offenser...

Alors je lui raconte la grotte, le coup de téléphone de Lena et le ton piteux de Walton après avoir raccroché. «Je m'excuse, tu n'aurais pas dû entendre cette conversation», a-t-il dit. Je suis restée muette de colère et de désarroi, un mélange explosif. Je ne pensais qu'à le blesser à mon tour. Alors que j'entassais les répliques assassines dans un coin de mon esprit comme on accumule les munitions, il en a rajouté. «Lena a besoin de contrôle pour passer à travers la séparation. De toute façon, elle a une intuition si forte qu'il m'est difficile de lui cacher quoi que ce soit.» Non. Vraiment? «Elle m'appelait pour savoir quand j'allais rentrer.» Du coup, il m'est apparu pitoyable et c'est à ce moment que j'ai compris. La colère, ce n'était pas contre lui, mais contre moi.

Au cours des deux derniers jours, une image m'est revenue plusieurs fois en tête, l'image de quelques feuilles de thé formant le dessin d'une montagne au fond d'un verre d'argile. Et avec elle, le souvenir de la rencontre fortuite de cette femme qui m'avait accueillie, malade, dans sa demeure au Lesotho. « *You have a lot of anger against you.* » Ce sont les mots qu'elle avait employés. Je croyais alors qu'elle confondait « *against* » avec « *inside* ». Dans la grotte de la montagne à Cape Town, sa phrase a pris tout son sens. Plus que tout, j'étais en colère contre moi. Je m'en voulais de m'être laissé blesser par Walton. Je m'en voulais de m'être laissé blesser par Gregory. Je m'en voulais de ne pas avoir compris plus tôt qu'il manœuvrait entre deux histoires d'amour, je m'en voulais de lui avoir pardonné, auparavant, son inconstance et ses faux pas pour la simple raison qu'il me le demandait. Je m'en voulais surtout parce que, aussi stupide que cela puisse paraître, j'avais cru que chacune de ces fois était la dernière. Je m'en voulais d'avoir craqué aussi souvent devant son regard embué et ses lèvres tremblantes. Je m'en voulais d'avoir cru ses paroles et ses regards amoureux silencieux pour la seule raison que je voulais y croire. Je m'en voulais, au-delà de tout, de ne pas avoir su me protéger de lui. Cette journée où je suis allée sur la montagne avec Walton, j'ai éprouvé une aigreur dont je ne soupçonnais pas l'existence. Je ne sais pas comment j'ai pu contenir ce courroux, mais je l'ai fait. Je suis redescendue dans un silence complet, aux côtés d'un Walton dérouté. Au fond de moi, je combattais le besoin de lui faire payer pour l'autre. Dans un coin de mon esprit, j'avais accumulé assez de répliques mesquines pour lui faire exploser le cœur, mais je savais aussi que la plus cruelle des armes était le silence.

Alors, j'ai adopté mon air le plus neutre et j'ai ignoré sa présence. Je n'ai laissé aucun mot s'échapper de ma bouche, ni lorsqu'il a essayé maladroitement de relancer la conversation, ni lorsque sa voiture s'est arrêtée devant chez moi. Je n'ai même pas claqué la portière, je l'ai fermée avec civilité. Et je suis sortie sans qu'il m'entende prononcer un seul mot.

J'aurais pu jurer, avant cet instant, qu'il s'avérait impossible pour Hilaire l'Africain hyperactif de se sentir dérouté. Mais lorsqu'il me regarde bouche bée, avant de se tourner de nouveau vers la route, je comprends qu'il ne sait tout simplement pas ce qu'il faut me répondre. Alors je lui dis qu'il n'a pas à le faire, que j'avais seulement besoin de raconter cette histoire et, quelques minutes plus tard, sa voiture s'arrête devant une maisonnette bleue située sur le bord de la mer. Hilaire entre sans cogner.

— Hou, hou, Adèle!... Adèle?

— ...

— Hou, hou, Adèle, je suis là! C'est Hilaire qui parle, là!

— Mais oui, Hilaire. Mais oui, crie une femme en s'avançant vers nous. Je t'ai entendu mon petit, j'étais à la cuisine.

— Ma belle Adèle, viens ici dans mes bras!

Il va à sa rencontre, l'emprisonne sur sa poitrine et la fait tourner dans les airs. La femme, à qui je donnerais une cinquantaine d'années, se met à rigoler comme une petite fille.

— Mais tu veux bien me laisser par terre mon petit Hilaire !

— Bon... D'accord, dit-il en feignant un air boudeur.

— Mon petit Hilaire, répète-t-elle en l'embrassant. Ça fait longtemps que tu n'es pas venu me voir, toi. Tu travailles trop, toi !

— Mais non, Adèle, mais non, qu'est-ce que tu dis, là ? Je ne travaille pas trop.

— Mais si, Hilaire, mais si...

Il lui plante un baiser sur la joue, de la même manière qu'un fils embrasserait sa mère, et il me présente à Adèle en lui précisant qu'il faut me parler en français puisque c'est ma langue maternelle à moi aussi. Son regard s'illumine et elle abandonne ma main pour me faire l'accolade. Et en apprenant mon nom, elle semble m'apprécier encore davantage.

— C'est un prénom aussi joli que vous, mademoiselle.

— Vous êtes trop gentille, Adèle !

— Qu'est-ce que tu nous prépares aujourd'hui ? demande Hilaire en jetant un coup d'œil en direction de la cuisine.

— La pépé soupe.

— Oh ! Adèle ! Adèle ! s'exclame Hilaire en la prenant dans ses bras et en la faisant tourner de nouveau dans les airs.

— Mais tu veux bien me poser par terre, mon petit Hilaire, répète-t-elle en riant.

— Adèle, elle prépare la pépé poupe comme ma mère la faisait au Cameroun, dit-il à mon intention.

— Bon, vous allez vous installer dans la salle à manger à présent, nous ordonne Adèle.

Nous entrons dans une pièce double, composée d'un salon et d'une salle à manger. Deux grandes tables, qui ont été collées l'une à l'autre, remplissent la majeure partie de l'espace. Au bout de la table de l'aire du salon, un homme d'âge mûr, le dos courbé, sape tranquillement en mangeant sa soupe. De temps à autre, il jette un œil distrait au téléviseur posé sur l'unique étagère de la pièce.

— C'est combien ? demande Hilaire.

— 3 à 2, grommelle l'homme. Ils jouent mal depuis des semaines !

— Tss… Tss… répond Hilaire en hochant la tête d'un air découragé.

Nous nous assoyons dans l'autre partie de la pièce double, où des photos de famille, dont la plupart semblent avoir été prises au Cameroun, ont été collées sur les murs. Dans la partie salon, ce sont des masques africains qui décorent les murs. Toujours dans le salon, deux vieux canapés recouverts de couvertures crochetées entourent la table. Nous sommes dans la maison d'Adèle qui, comme une mère le ferait pour sa famille nombreuse, cuisine chaque jour un repas qu'elle sert à la diaspora camerounaise.

— Quand je viens chez Adèle, c'est le Cameroun que je retrouve, raconte Hilaire. Et quand je mange chez Adèle, c'est le mal du pays que je chasse.

La cuisinière revient à cet instant avec deux immenses bols de soupe fumante. Je plonge ma cuillère dans un bouillon trouble et ocre. Des morceaux de poisson blanc, ainsi que des bouts de carottes et de pommes de terre, remontent à la surface. Hilaire me surveille du coin de l'œil.

— Tu vas voir, la pépé soupe, on en prend une cuillerée et, tout de suite, on se sent plus heureux.

— Ouch! C'est chaud.

— Hé! hé! Vas-y doucement avec le bonheur!

Je souris. La première fois en deux jours. Au moment où je sens le liquide chaud et épicé descendre jusqu'à mon estomac, une douce chaleur envahit le reste de mon corps. Une accalmie. Ce n'est pas tout à fait le bonheur, comme le prétend Hilaire, mais un fragment de bonheur. Et cela me suffit.

— Tu es déjà retourné au Cameroun, Hilaire?

— Je ne peux pas. Je ne t'ai pas dit encore, mais j'ai fait la prison là-bas...

Au Cameroun, il pratiquait le métier de journaliste, un métier où il vaut mieux garder ses opinions pour soi dans un pays où la liberté d'expression n'est pas encore un concept à la mode. «Mais moi, je pouvais pas», laisse-t-il tomber. Tôt ou tard, il savait bien qu' «ils» allaient venir le chercher et le coffrer sans procès.

Quand je suis sorti, ma mère elle a dit : « Tu ne vas jamais être libre dans ce pays, Hilaire, maintenant, ça suffit et tu t'en vas. »

Elle a emprunté le même ton qu'elle prenait pour lui ordonner d'aller au lit, petit. Il ne pouvait pas le lui refuser, même s'il savait qu'il lui brisait le cœur.

— Une mère ne demande pas à un fils de la quitter sans raison... Elle me manque...

— Il t'arrive d'avoir l'impression que tu n'étais pas tout à fait le même là-bas ? Qu'en quelque sorte, tu es devenu quelqu'un d'autre en venant ici ?

— Oh non ! Je suis toujours Hilaire, mais je suis Hilaire dans une autre vie.

— ...

— Et puis, je n'ai pas tout quitté, hein. Regarde, aujourd'hui je viens manger chez Adèle, je vends les beaux objets d'art du Cameroun au marché et parfois, je fais le conteur le dimanche pour répéter les histoires de mon grand-père. Chaque fois, c'est mon pays que je retrouve un peu. Et puis je vais te dire, là, moi je crois que son reflet, vu d'ici, il est parfois pas mal plus joli que le vrai.

Il me regarde comme un enfant qui vient de découvrir où se cache la jarre à biscuits dans une cuisine.

— C'est parce que j'ai trouvé le truc, hein. Je fais la discrimination avec les souvenirs.

— Tu gardes seulement les meilleurs ?

— Eh ben oui, c'est ça. Mais pour y arriver, il faut faire la paix avec les autres souvenirs, les moins bons, hein.

— Et c'est quoi ton truc pour ça?

— Ah... Pour ça... Tu as déjà visité Robben Island?

— L'île où Mandela a passé la majeure partie de sa vie en prison? Pas trop envie, je t'avoue...

— Eh ben le truc, c'est qu'il faut aller à Robben Island.

. . . .

La leçon de français

Au centre-ville de Cape Town, je dois naviguer au cœur du marché central pendant de longues minutes avant de trouver l'arrêt des combis qui partent en direction des townships. Je repère celui qui se rend à Langa, là où j'ai rendez-vous avec Andrea, qui y donne aujourd'hui un atelier de théâtre. À l'intérieur, je me fraie un chemin jusqu'à une place libre, entre un homme dont les cheveux blancs contrastent avec sa peau d'ébène et la propriétaire d'une poule maigrichonne enfermée dans une cage. Nous attendons patiemment le retour du chauffeur et de son assistant, partis acheter des grillades au marché. Pendant que la poule caquette et que le soleil de l'après-midi fait naître des petites gouttes de sueur dans mon cou, pendant cet instant immobile où je suis plongée dans l'attente, les échos de ma dernière conversation avec Walton reviennent me hanter. Je l'ai revu ce matin pour la première fois depuis l'incident de la montagne. Nous avions une réunion d'équipe et dès qu'Ana a levé l'assemblée, il m'a attrapée par le bras et m'a suppliée de l'accompagner dehors pour y griller une cigarette. Je lui ai répondu que je ne fumais pas, et que lui non plus d'ailleurs.

— Oui, depuis deux jours, a-t-il répliqué.

Cela faisait deux jours que nous ne nous étions ni vus ni parlé. Deux jours qu'il suffoquait.

— C'est trop souffrant d'imaginer ce que tu penses de moi, j'aimerais mieux l'entendre…

Il n'osait pas me regarder. Il s'acharnait à protéger la flamme vacillante de son briquet du vent du Cap.

— J'aimerais mieux que tu cries, que tu me menaces ou même que tu essaies de me blesser, dit-il après avoir réussi à allumer sa cigarette. Je suis prêt à entendre n'importe quoi, mais je ne veux plus avoir à affronter ce silence insupportable.

— Et tu t'es fait une petite idée de ce que je pouvais penser au moins ?

Il a tiré sur sa cigarette longuement, comme si ça pouvait lui donner du courage, avant de lever les yeux pour la première fois.

— J'ai voulu préserver Lena et en voulant la préserver, je t'ai fait du mal. Et c'est la dernière chose que je souhaitais, tu le sais. Je m'en veux, beaucoup.

Je n'étais pas prête à adoucir le ton.

— Je crois que tu as surtout voulu te préserver, toi.

Il m'a répondu après un court moment de silence.

— Et pourtant je suis là, devant toi, et…

Sa voix s'est brisée. J'ai flanché. Je l'ai pris dans mes bras et, à travers son corps que j'enlaçais, à travers ses épaules qui tombaient et son menton enfoncé dans ma nuque, j'ai retrouvé Gregory. J'aurais voulu, à ce moment, parvenir à prononcer la phrase qui me pesait. Mais les mots sont restés pris au fond de ma gorge.

Dans le combi, de nouveaux passagers viennent se joindre à nous, dont un homme, un quadragénaire, qui s'assoit à mes côtés en me souriant de toutes ses dents jaunes.

— D'où venez-vous? me demande-t-il avec un accent prononcé.

— Du Canada.

Comme tous les autres, il me parle de la neige. Des grands espaces et des animaux sauvages, aussi. Je connais la suite, je sais exactement comment il manœuvrera pour me poser la question qui l'intéresse vraiment. Il va me laisser entendre qu'il aimerait bien aller visiter le Canada, et peut-être même aller vivre là-bas. Et, fébrile, il va me demander, en fait, il me demande déjà:

— Êtes-vous mariée?

— J'ai un amoureux, ça ne devrait pas tarder.

Le mensonge demeure la façon la plus efficace de m'en sortir. Aujourd'hui en particulier, je n'ai pas le cœur à argumenter. Mais à ma grande surprise, l'homme me félicite et me demande avec une voix de petit prince:

— S'il vous plaît, apprenez-moi le français.

Je craque. Pour lui et pour l'Afrique. Car ce qui se passe ensuite dans cette fourgonnette en ruine qui file à <u>cent kilomètres/heure</u> sur l'autoroute ne peut se passer qu'ici. Alors que mon voisin et moi commençons la leçon de français, un autre passager se joint à nous, et un autre, et encore un autre. Et bientôt, ce sont tous les passagers du tap tap qui se mettent à réciter en chœur une série de mots hétéroclite. «Un chat.» «Un chapeau.» «Je t'aime.» Même le chauffeur s'y met, en gueulant encore plus fort que tous les autres. Puis une passagère suggère de commencer une leçon de xhosa en me mettant au défi de répéter une phrase imprononçable, dans laquelle se trouvent des syllabes où il faut faire claquer la langue. Il existe trois différents clics de langue, en fonction de l'endroit et de la façon dont on la fait claquer dans la bouche, entre le palais et les dents, près de la gorge. Depuis mon arrivée ici, je n'ai jamais réussi à prononcer correctement un seul de ces clics à l'intérieur d'un mot. Prononcer un clic individuellement peut aller, mais dès qu'il faut l'enchaîner à une autre syllabe, cela devient pratiquement impossible à exécuter pour moi. Dans l'habitacle du combi, la tension est palpable et le silence, absolu. Je prends une grande respiration et tente de reproduire cette série de sons bizarres avec la meilleure volonté du monde : «*Nnn dé hi yaaak ouou txàn dadaaa.*» Fou rire général. Suivi d'une joyeuse cacophonie, où tout le monde se met à parler en même temps, chacun tentant de me donner un truc pour faire claquer la langue comme il le faut...

Plus tôt que je ne le croyais, le chauffeur m'annonce que je devrai descendre au prochain arrêt. Mais

un petit miracle !

plus nous avançons vers celui-ci, plus l'inquiétude me gagne. Je ne vois ni Andrea ni aucun signe m'indiquant que je suis au bon endroit.

On s'était entendues qu'elle m'attendrait là! Grrr

— Vous êtes certain que c'est ici, la station Coke?

Je cherche encore un abribus, un panneau de signalisation, un banc de parc...

— Mais oui, répond le chauffeur en pointant du doigt en direction de l'autre côté de la rue.

J'aperçois une bicoque sur laquelle une vieille affiche publicitaire de Coca-Cola est placardée. Je descends du combi, qui repart en trombe, me laissant seule sur la route de terre battue, complètement prise au dépourvu...

. . . .

Andrea

(la griotte)

Devant moi, un immense champ de baraques qui s'étale à perte de vue. Et une bande d'enfants qui me fixent avec des yeux ronds comme les billes avec lesquelles ils jouent. Je regarde dans toutes les directions en espérant voir Andrea surgir derrière une baraque. Je jette un dernier coup d'œil à la ronde. Toujours rien, sauf trois jeunes hommes, à peine sortis de l'adolescence, qui passent de l'autre côté de la route en me dévisageant et en rigolant. Alors je commence à marcher vers le sud parce que je n'ai nulle part où aller. Surtout, ne pas m'arrêter, continuer à avancer d'un pas lent et assuré pour leur laisser l'impression que je n'ai pas peur et que je sais exactement où je m'en vais. Sur le bord de la route, un vendeur d'oranges et de bananes.

— Excusez-moi, vous savez où je peux trouver un téléphone?

— À qui vous voulez téléphoner? répond-il.

Je lui tends un bout de papier sur lequel est inscrit le nom d'Andrea Mokulete à côté de son numéro de portable. L'homme sort un cellulaire de sa poche, appuie sur un bouton qui compose automatiquement un numéro et se met à parler à une vitesse folle en xhosa. Il raccroche au bout d'une vingtaine de secondes.

— Elle est en route.

— Vous la connaissez?

— Tout le monde connaît Andrea.

Il m'observe comme si je venais de lui demander s'il était au courant que la terre est ronde. Au bout du chemin de terre, l'imposante silhouette d'Andrea apparaît enfin. La comédienne marche d'un pas nonchalant, entourée d'une bande d'enfants qui la suivent en chantant.

— Excuse-moi, dit-elle une fois arrivée devant moi, d'habitude le combi est en retard, je ne pouvais pas prévoir qu'il allait arriver à l'heure cette fois-ci…

— Andrea, c'est toi qui es toujours en retard, rétorque le vendeur de fruits.

— Ah oui? fait-elle en haussant les épaules.

Quelques chansons plus tard, joyeusement interprétées par Andrea et les enfants qui la suivent, nous arrivons devant sa maison, une cabane de tôle, dont les quatre murs ont été décorés de dauphins. Les mammifères marins, peints à la main, nagent et sautent dans des vagues reproduites à l'aide de peinture en aérosol. Un aquarium aux couleurs de la mer, au milieu d'un champ de baraques hétéroclites. Son foyer est un véritable pied de nez à la pauvreté, il possède le pouvoir de transporter dans un autre univers en un claquement de doigts. La comédienne pousse la porte, non verrouillée, qui s'ouvre sur une unique pièce. Un grand matelas recouvert d'un édredon moelleux et de nombreux animaux en peluche, des étoiles fluorescentes collées au plafond et, sur les murs, des photos de femmes et d'enfants du township prises pendant ses séances d'art-thérapie. Enfin, un bureau moderne avec un ordinateur et une imprimante. *(en contraste total avec le reste de la chambre)*

On dirait un décor de cinéma!

— Ça ne t'inquiète pas de laisser ta porte déverrouillée?

— C'est le meilleur moyen d'être à l'abri du vol! rétorque-t-elle d'emblée.

Je la regarde sans comprendre. Pendant qu'elle enclenche l'impression d'un petit cahier d'exercice pour son atelier, elle m'explique.

— Ici, la règle est simple. Si je ne suis pas en train de me servir de mon ordinateur, n'importe qui a le droit de le faire. Comme ça, même si quelqu'un pense à le voler, je sais qu'il y aura toujours une autre personne pour l'en empêcher.

— Mais il faut avoir une énorme confiance…

— Mais tu as vu le physique que j'ai? rétorque-t-elle avec franchise. Je mesure cinq pieds onze, je pèse deux cent soixante-deux livres. En plus, je suis née pauvre et noire dans un township. Tu peux me dire qui pouvait imaginer que j'allais réussir à me faire engager comme comédienne un jour? Personne, sauf moi. Eh ben, c'est ça la confiance! Parfois, il faut avoir le courage de voir en soi ce que les autres n'arrivent pas à discerner.

La petite fille qui était la plus grande et la plus grosse des enfants du township, à force de rêves, est devenue aujourd'hui une géante des planches et l'un des personnages d'un populaire téléroman d'ici. Et pourtant, il n'a jamais été question pour elle de quitter son township pour la grande ville où, grâce à son salaire, elle pourrait se payer un appartement luxueux.

— Quand j'étais enfant, me confie-t-elle en souriant, je disais que je m'entraînais à rêver. Je rêvais souvent que j'allais devenir une grande vedette de Hollywood et que j'allais avoir mon étoile sur le boulevard des célébrités.

— Il t'arrive encore d'avoir ce rêve?

— Tu sais, dit Andrea en refermant la porte de sa modeste cabane, je n'ai jamais laissé mes empreintes sur un trottoir de Hollywood, en fait, je ne suis même jamais sortie du pays. Mais j'ai fait beaucoup mieux, j'ai laissé mes empreintes dans le cœur des gens d'ici.

En emboîtant le pas à Andrea, je prends conscience subitement que dans ce pays, je ne laisse pas beaucoup derrière moi.

. . . .

L'héritage des femmes

Andrea et moi marchons dans les rues sinueuses du township jusqu'à une petite école primaire où nous entrons dans une classe décorée de dessins d'enfants. Sous la lumière de la fin du jour, qui pénètre à travers les fenêtres sans rideaux, les bureaux ont été poussés dans un coin et des femmes se sont assises par terre, en cercle. Elles sont de tous les âges, mais lorsque leur regard croise celui de la comédienne, on y décèle la même lueur. Andrea jouit de cette qualité difficile à décrire, une forme de charisme grâce auquel, par sa seule présence, la griotte emplit tout l'espace. Dans la pièce aux murs rose pâle règne une atmosphère feutrée, où les femmes réunies semblent plongées dans un recueillement presque liturgique. Pour plusieurs de ces femmes, la rencontre du mercredi s'est transformée en rituel. Quelques-unes y assistent assidûment, d'autres de façon sporadique. Certaines ont quitté la confrérie, d'autres les ont remplacées. Chaque fois, le groupe n'est ni tout à fait le même, ni tout à fait différent. Les femmes qui le composent savent que, dans cette Afrique bruyante et explosive, il existe un espace où les histoires et les paroles les plus difficiles à entendre seront entendues.

— En réalité, je n'ai rien inventé, me glisse Andrea à l'oreille lorsque nous prenons place dans le cercle.

Elle me raconte que ses ateliers sont inspirés d'Augusto Boal, un homme de théâtre brésilien qui a imaginé plonger un spectateur dans une scène reproduisant un aspect difficile de sa vie, pour qu'il puisse le modifier comme il le voudrait. De cette manière, ce dernier a le sentiment qu'il peut reprendre le dessus sur son existence. Un clin d'œil ironique du hasard : pendant des mois, j'ai entendu Gregory me parler de ce praticien qui a travaillé avec les plus démunis dans les favelas, où il a développé sa théorie du théâtre de l'opprimé. Un théâtre de rue populaire et contestataire à travers lequel est né le personnage du spect-acteur, un participant auquel on donne le droit d'intervenir à n'importe quel moment clé d'une scène où il pense proposer une parole ou un geste qui aurait le pouvoir d'infléchir le cours des événements dans une situation d'oppression. Je me souviens encore de la passion avec laquelle Gregory me vantait ses théories, et de l'enthousiasme avec lequel il m'avait vendu l'idée d'un pèlerinage au Brésil. Son rêve était devenu, par la force des choses, le mien. Mais un jour, Gregory a été engagé pour un petit rôle dans un film. Et puis il y en a eu un autre. Les plateaux de tournage se sont enchaînés et il a fini par oublier le projet. Un projet que, par la force des choses, j'ai abandonné aussi.

Tandis qu'Andrea explique aux participantes les bases de la première improvisation, je ne peux m'empêcher de penser à la lueur que j'aurais perçue dans les yeux de Gregory s'il était à mes côtés en ce moment, à la façon dont il observerait la comédienne diriger l'atelier, ne pouvant s'empêcher d'intervenir pour le simple plaisir de suggérer une idée. Près d'un an après notre séparation, ses rêves se confondent encore aux miens. Comme on le fait avec une écolière distraite, je dois me rabrouer et me répéter que je suis en Afrique, en train de réaliser un reportage sur l'art-thérapie dans un township et que ce rêve est entièrement mien aujourd'hui.

je suis certaine qu'il l'aurait fait!

Au centre du cercle, Andrea répond aux questions des participantes, étonnées du sujet de la prochaine improvisation : un rite initiatique à travers lequel une fillette doit passer pour devenir une femme. Chaque femme devra donner des conseils, rapporter une histoire ou des paroles entendues, des propos qu'elles jugeront important de transmettre à l'initiée. Il est entendu qu'une participante jouera le rôle de la fillette, une autre celui de sa mère et que le reste du groupe jouera le rôle des femmes du village. Au signal d'Andrea, elles se lèvent et en l'espace de quelques répliques seulement, elles réussissent à me transporter à l'orée d'une clairière, où elles demandent à l'initiée de s'asseoir au milieu du groupe. À tour de rôle, les femmes partagent avec elle une partie de leur héritage. La première choisit de lui chanter un refrain en xhosa, la seconde lui rapporte les paroles de sa propre mère, et la troisième lui raconte la joie qu'elle connaîtra lorsque sera venu son tour d'avoir des enfants. Et ainsi de suite, le reste des femmes se confie jusqu'à ce que ce soit au tour de celle qui joue le rôle de la mère de prendre la parole, mais cette dernière demeure muette devant le personnage de sa fille.

— Pourquoi pleures-tu, Dondolé? demande doucement Andrea.

— Je pleure la souffrance de ma fille, répond-elle simplement. Je pleure parce que ma fille va devenir une femme et qu'elle va souffrir elle aussi. Je pleure parce que même si son mari va la battre, même s'il va la quitter, même si elle va tomber malade, il va falloir qu'elle reste forte et qu'elle endure tout ça pour ses enfants. Je pleure parce que je connais cette souffrance. Aujourd'hui je pleure la souffrance de ma fille et la mienne.

Un silence solennel tombe comme une douce bruine sur la pièce. Aucune autre femme ne parle, mais chacune dit à Dondolé, à travers ce silence, que sa souffrance est entendue. Moi aussi, je voudrais le lui dire. Je voudrais lui avouer que je proviens d'une lignée de femmes dépendantes, et que je n'ai pas su briser le cercle dont nous étions prisonnières. Je voudrais lui raconter mon arrière-grand-mère, dont la survie dépendait de la sueur et des muscles de mon arrière-grand-père au champ. Et lui raconter ma grand-mère, contemporaine de l'époque où l'on a accordé le droit de vote aux femmes et qui se faisait dicter par mon grand-père comment l'exercer. Et lui parler de ma mère, la première de sa lignée à poursuivre ses études et à trouver un boulot bien rémunéré, mais qu'elle a quitté pour ne pas que son mari la quitte, elle. C'était lui et sa carrière diplomatique à l'étranger ou la fin du couple. Dans mes gènes, je porte l'histoire de ces femmes qui n'ont jamais été complètement libres, qui n'ont su devenir personne d'autre que des mères. Je porte en moi leurs rêves inaccomplis, leur liberté bafouée. Je porte le poids de cet héritage tel un fardeau dont j'ai juré de me débarrasser. Très jeune, j'ai su que j'avais le choix de ne pas être elles. Je suis née dans une société où l'on m'a laissée y croire. Jamais, je me le suis promis, je n'aurai à dépendre d'un homme, de sa force ou de son esprit. Jamais je n'aurai à dépendre de son salaire, de ses relations ou de sa protection Mais personne ne m'a mise en garde, personne ne m'a expliqué que je pourrais devenir dépendante d'un seul regard. Son regard, à Lui. Personne ne m'a avoué que l'absence de ses yeux admiratifs sur moi serait suffisante pour que tout perde son sens, pour que j'en oublie qui je suis. Je proviens d'une lignée de femmes dépendantes. J'ai reçu tous les outils pour ne pas l'être. Et pourtant.

. . . .

Le rêve de l'île Sainte-Hélène

Cette nuit-là, je rêve une autre fois de l'île Sainte-Hélène, sur laquelle souffle une tempête de neige. Cette nuit-là, je rêve une autre fois de la silhouette de Gregory qui marche à travers la poudrerie. Dans mon songe, je me souviens même que j'ai déjà rêvé cette scène. Gregory qui marche dans la tempête. Et moi qui résiste pour ne pas le rattraper, et moi qui cours, malgré moi, jusqu'à lui. Je sais comment cette histoire se termine, mais pour une raison que j'ignore, je sais aussi que j'ai la chance de la modifier. Alors, je regarde Gregory passer. Et je réponds faiblement à son dernier sourire, immobile. Cela ne se fait pas sans heurt, il me coûte encore de le laisser partir, mais la douleur n'est pas la même. C'est une douleur qui est profonde, mais contenue. Acérée, mais noble. Une douleur que je reconnais et que je contrôle. Alors, je regarde Gregory passer. Et je pleure en silence, immobile. Je pleure jusqu'à ce que je sente deux bras m'entourer. Des bras maternels, amicaux. Et aimants aussi. Des bras qui sont tout cela à la fois. Et pendant que ces bras m'enlacent, je comprends que je peux enfin m'apaiser. Enfin baisser la garde. Enfin poser ma tête, fragile et vulnérable, sur le cœur de cette personne. Et m'abandonner, comme un marin retrouve son port d'attache, dans les bras de celle-ci. Dans mon rêve, au cœur de la tempête, il y a cette image de moi, qui me berce moi-même.

. . . .

L'appel du large

Sur mon bureau, à côté du clavier de mon ordinateur, une main dépose un téléphone cellulaire avec
fermeté. Je sursaute. Il y a plusieurs heures déjà
que mes yeux sont rivés sur le dessin formé par les
ondes sonores sur l'écran. Occupée à couper des
séquences audio dans le reportage d'Andrea, j'ai
perdu contact avec mon environnement immédiat.
J'enlève mes écouteurs et me tourne vers le propriétaire du téléphone.

— Garde-le, m'ordonne Walton.

— Qu'est-ce que c'est que ça?

— Mon téléphone cellulaire.

— Oui, j'ai bien vu. Qu'est-ce que tu veux que j'en
fasse?

— Fais ce que tu veux du téléphone, mais viens
avec moi à Fish Hoek... S'il te plaît... Si tu le caches,
tu t'assures qu'il ne sonnera pas au mauvais moment.

Je le regarde, mi-excédée, mi-amusée. Les jours ont
passé, la tension est tombée entre nous. Nous avons
recommencé à nous parler comme de bons amis.

— Et tu te permets de faire des blagues avec l'incident du téléphone maintenant?

— Allez... Ne fais pas ta Blanche!

Je lui souris, nous savons tous les deux qu'il utilise sa dernière carte. Ce n'est pas la première fois qu'il me demande de lui accorder ce week-end à Fish Hoek. Jeudi dernier, il est arrivé au bureau en m'avouant qu'il venait de compter le nombre de jours avant mon départ. Trente et un. Il venait de déménager seul, son avenir lui paraissait flou, mais il était persuadé d'une chose, celle de vouloir profiter de ma présence avant que je ne disparaisse pour de bon.

— On part quand?

— Maintenant!

— T'es fou?

— Tu ne le savais pas encore?

— Je n'ai pas terminé mon reportage.

— Tu as la bénédiction d'Ana, répond-il en me tirant la main pour me forcer à me lever. Je lui ai demandé la permission de te kidnapper et elle est complètement d'accord avec mon plan de match.

— Tu... tu...

— Je sais.

Une quinzaine de minutes plus tard, après être passée en vitesse chez moi, je laisse tomber mon sac à dos sur la banquette arrière de sa voiture, en espérant que les vêtements et les objets que j'y ai enfouis pêle-mêle me suffiront pour le week-end. Au moment où il démarre la voiture, je me sens déjà en vacances. Au fur et à mesure que le bolide avale les kilomètres, la blessure et les doutes se transforment en une délicieuse sensation de liberté... Nous roulons pendant plus d'une heure sur le bord de la mer, fenêtres ouvertes et le son du vent qui se mêle à la musique. Lorsque nous commençons à ressentir la faim, nous nous arrêtons dans un village côtier, près de la route principale. Walton stationne la voiture devant une chocolaterie. De l'autre côté de la rue, une *gelateria*, des boutiques de vêtements griffés, une épicerie fine... Et cette étrange impression d'être revenue en Occident. Nous achetons des sandwichs à la petite épicerie et nous descendons une rue étroite qui mène à la plage. Malgré le sable embrasé par le soleil de l'après-midi, nous enlevons nos souliers et nous marchons jusqu'à la mer, où l'eau tiède vient apaiser la sensation de brûlure sous nos pieds. Mon regard erre des vagues venant mourir dans la baie aux falaises qui la surplombent. Sur celles-ci, de magnifiques maisons, toutes plus grandes les unes que les autres, exhibent avec insolence leur architecture moderne, leurs terrasses majestueuses et leurs immenses fenêtres ouvertes sur la lumière océanique. À quelques kilomètres de là, des milliers de Sud-Africains s'entassent dans des townships où personne n'aurait l'indécence de rêver à autant d'espace. Mais ici, la mer et son bourdonnement incessant ont le pouvoir d'embrouiller l'esprit et de calmer les intempéries intérieures. Je crois que c'est pour cette raison que les riches construisent leurs maisons face à l'océan. Ils tournent le dos aux pauvres du pays pour choisir de contempler le vide. Un vide long et lisse qui a le pouvoir d'avaler la culpabilité.

Je regarde les vagues venir mourir à mes pieds, et je me demande combien de jours passeront avant que ne s'effacent toutes ces histoires patiemment recueillies, enregistrées et retranscrites. Combien de jours avant que je n'oublie Dudu, Soyiso, Aunti Evi, Xolilé ou Dondolé ? Combien de jours avant que l'appel du vide long et lisse ne se fasse trop pressant ?

. . . .

Fish Hoek

Nous arrivons à Fish Hoek en fin de journée. Walton me propose de marcher jusqu'au bout de son unique quai, là où les bateaux des pêcheurs du coin sont amarrés. Devant nous, la mer se fait toute petite, emmitouflée dans un duvet de brouillard. Les goélands tournent en rond au-dessus de la bicoque où un vieil homme vend des frites et du poisson pané. Nous lui en achetons deux cornets que nous allons déguster les pieds ballant au bout du quai. J'aime imaginer que je l'aime. J'aime imaginer, en le regardant, une vie sans Gregory. Bien sûr, je ne l'aime pas. Je joue à l'amoureuse. La possibilité est là, celle de passer de l'emprise du regard d'un homme à celui d'un autre, celle de perdre tous les repères patiemment tracés pour apprendre à me tenir debout seule. Mais je m'applique, à chacune des secondes vécues en sa compagnie, à ce que ce futur possible reste prisonnier de son état embryonnaire. C'est un rêve que je construis pour qu'il ne puisse jamais atteindre sa maturité en devenant réalité. Il y a des rêves qui sont plus faciles à vivre ainsi, à l'abri des impondérables d'une existence, à l'abri du temps, des blessures et des déceptions.

Nous descendons sur la plage et nous marchons longuement sur le sable. Parfois en silence, parfois animés par le désir de rattraper par nos paroles le temps perdu. Je marche sur un fil de fer, sur lequel je dois constamment éprouver mon équilibre entre deux gouffres, la liberté et l'abandon. Je ne marche pas en vain parce que c'est dans les bras d'un homme que l'on quitte le souvenir d'un autre homme. Il est à la fois le premier avec qui je me sais capable d'oublier Gregory, et le premier à travers qui je me crois capable de me perdre. C'est une traversée de funambule, à la fois périlleuse et salutaire. Nous retardons minutieusement le moment de rentrer au motel sur la rue principale, où nous avons réservé une chambre. Nous savions tous les deux, dès le départ, que cette fin de semaine entre amis était une tromperie. Nous ne sommes plus des amis depuis longtemps, mais des amants égarés ne sachant plus sur quel fil de fer danser. Devant un immense rocher, je fais glisser ma robe et marche jusqu'à l'océan en le laissant derrière moi. Combien de temps passe-t-il sur le rivage à regarder ma silhouette se confondre à celle des vagues? Combien de temps se languit-il dans ce vestibule de fortune? Je n'arrive pas à savoir, je suis dans l'épicentre de l'instant présent, où les secondes fusionnent aux jours, et les jours, aux siècles. Lorsqu'il me rejoint enfin, je retrouve ses lèvres qui goûtent le sel.

Après la mer, il me prend sur le sable mouillé. Ses baisers sont doux, évanescents. Comme cette connexion fragile et éphémère que nous tissons entre nous. Et ses gestes, fugitifs. Comme la lumière des étoiles à l'envers de l'hémisphère Sud. De petites lanternes vacillantes dans un ciel où les lueurs du jour commencent à se confondre à celles de la nuit. Il fait froid à présent. Pendant un moment, cela

me paraît bizarre d'éprouver une sensation aussi...
terrestre. C'est le moment que nous choisissons
pour rentrer. Dans la chambre du motel, nous nous
réchauffons avec nos langues. Nous dérobons ses
dernières heures à la nuit pour pouvoir parcourir
l'autre, l'autre et sa peau, qui devient un continent
à conquérir.

Au moment où j'ouvre les yeux, quelques heures
plus tard, je me replonge dans les mensonges de la
veille. Il m'aime, je l'aime, Gregory n'existe plus.
J'ai égaré son souvenir pour une nuit. Une perte
salutaire, mais temporaire. Je sais bien que j'af-
fronterai à nouveau les regrets, le besoin du pardon, et que j'aurai à me débattre avec l'amour que
j'éprouve encore pour Lui. Mais quelque chose a
changé dans mon regard cette nuit. Il me semble
que si je pouvais m'observer de l'extérieur, c'est la
première chose que je remarquerais chez moi.
Mon regard n'est plus à la recherche du regard de
Gregory, il contemple l'horizon d'un avenir sans
Lui. Walton se réveille peu de temps après moi.
Dès qu'il ouvre les yeux, il cherche mes lèvres. Un
baiser le matin. Le témoignage le plus profond de
l'intimité.

— Bonjour...

Un baiser.

— Tu as faim ?

Un baiser.

— Un peu...

Un baiser.

— Et toi?

— Moui...

Un baiser.

— Tu crois qu'il va faire beau?

— Mmm...

Un baiser. Sa main sur mon sein. Un autre baiser.

— ... J'adore ça quand tu me poses des questions aussi insignifiantes...

Un baiser. Ma main dans son cou, chaud et humide.

— ... Je te fais à déjeuner ou je te fais l'amour?...

— Ça, c'est la plus insignifiante de toutes les questions...

Et pendant que sa peau se colle à ma peau et que sa sueur se mêle à ma sueur, le quotidien s'infiltre doucement entre nous. Au bout d'une heure, nous trouvons la force de nous extirper du lit jusqu'à la douche. Puis de la douche au petit carré de tapis devant le lavabo. Au-dessus de celui-ci, le miroir nous renvoie l'image d'un couple dans une vie ordinaire. Une fille qui applique de la crème sur son visage. Un garçon qui se brosse les dents. Et à travers ce reflet, il est possible d'extrapoler et de concevoir une existence entière. L'espace d'un instant, je me construis un destin avec lui. Ça n'a rien à voir avec lui, ça n'a rien à voir avec ce que nous vivons. J'imagine un destin à ses côtés parce que je suis une fille. Et que nous le faisons toutes lorsque nous rencontrons un garçon. On le prend et on le transporte dans une maison, puis on cherche des prénoms pour nos enfants et on les répète à haute voix en finissant avec son nom. Bien sûr, on n'avoue jamais ces rêveries aux garçons, simplement parce que ça n'a rien à voir avec la raison, mais avec la biologie. Nous sommes programmées pour le faire, mais élevées pour prétendre le contraire. Je finis de me brosser les dents rapidement pour laisser la place à Walton, qui commence à se raser.

Sourire aux lèvres, je retourne au lit me vautrer entre les oreillers et le bonheur. J'attrape la télécommande et allume le téléviseur par réflexe, comme une fumeuse l'aurait fait avec une cigarette pour passer le temps et s'occuper les mains. Je regarde à peine les images diffusées sur les différentes chaînes, incapable d'accorder mon attention ni à une partie de foot, ni à un feuilleton. Dans ma course à la consommation visuelle, je m'arrête net devant la plus absurde des images, celle d'un Inuit en train de tondre une pelouse. Je monte le volume :

«Au CANADA, les hivers sont VIGOUREUX et l'été n'est pas toujours JOYEUX. À cause de la température et de ses CHANGEMENTS, les Canadiens ont inventé un engrais plus PERFORMANT qui garde le gazon vert plus LONGTEMPS. Et cet engrais, c'est CANADA GREEN! Posez un geste pour votre pelouse et achetez l'engrais qui rend votre gazon VIF et COMBATIF! CANADA GREEN, tous les Canadiens l'aiment et vous aussi vous l'aimerez!»

Ok, j'avoue que je parodie un peu, mais le texte original est presque aussi stupide!

Je jette un coup d'œil en direction de la salle de bain, où Walton se rase avec nonchalance, indifférent à ce qui se passe. Trente secondes, le temps du spot publicitaire. Trente petites secondes suffisent pour que je remette tout en question. Ma vie dans ce pays où l'on invente des engrais pour faire pousser un gazon plus vert et passer des étés plus joyeux. Ma vie dans ce pays vide de sens. Un territoire politique à propos duquel un auteur de théâtre connu a déjà écrit cette phrase lapidaire : « Nous vivons dans un pays monstrueusement en paix. » À l'époque, la déclaration avait fait un tollé dans les médias et ils avaient été plusieurs, journalistes ou simples citoyens, à la commenter et à s'en indigner. À l'époque, je n'avais pas encore quitté ce « pays monstrueusement en paix » et je n'avais alors aucune idée de ce que cela pouvait signifier, vivre monstrueusement à l'abri des conflits, de la famine, de la dictature ou de la pauvreté sans avoir la décence d'en prendre conscience chaque jour. Il y a moins de vingt-quatre heures, je me demandais encore si j'allais avoir la force de me souvenir des histoires de Dudu, Soyiso, Aunti Evi, Xolilé ou Dondolé. Pourtant, j'en suis persuadée à présent. Si je ne suis plus cette jeune fille à l'air hagard débarquée six mois plus tôt à l'aéroport de Johannesburg, c'est parce que je porte en moi ces histoires. Je ne les ai jamais lues dans un journal ou dans un livre, mais je les ai laissées se graver dans mon cœur. Comment pourrais-je les oublier ? Cela voudrait dire oublier qui je suis. En l'espace de trente secondes, le temps d'un spot publicitaire, une intuition se transforme en évidence : je n'ai pas envie de retourner affronter ce monstre de paix.

. . . .

La liberté intérieure

Derrière les grandes fenêtres vitrées du café *Kuzma*, Paul sirote son thé en lisant le journal. Assis sur une chaise en bois droite, penché au-dessus d'une table bistrot, les jambes de l'Ontarien paraissent encore plus longues et son corps, encore plus désarticulé. On dirait un Anglais qui s'est perdu en France, d'autant plus que les murs du café ont été peints aux couleurs de la Provence. Nous avons découvert l'endroit ensemble dernièrement, alors que nous nous rendions dans un restaurant voisin pour souligner l'anniversaire d'Ana. Arrivés trop tôt, nous y sommes entrés pour patienter. Le commerce appartient à un Afrikaner qui sait préparer de vrais cafés au lait, un héritage de ses années d'études à Paris. De l'autre côté de la fenêtre, mon collègue lève les yeux de son journal et son regard croise le mien. Je lui fais signe que je le rejoins à l'intérieur.

Je retrouve l'Ontarien que j'ai tant aimé mépriser à Johannesburg avec le plaisir sincère qu'on éprouve à revoir un ami. Car c'est bien ce qu'il est devenu, un ami. Je ne sais si c'est par paresse ou si c'est à cause de l'Afrique, qui a changé le visage de Paul. Malgré sa peine d'amour, il a laissé tomber son sourire angoissé pour un air serein, mais surtout, à force de vouloir s'imposer dans ma vie sociale, il a bien fini par le faire...

il a cessé de parler comme un dictionnaire. Paul utilise dorénavant des mots d'Homme, des mots imprécis, imparfaits et touchants.

— J'ai une grande nouvelle à t'annoncer, dit-il en passant sa langue autour de ses lèvres, je ne retourne pas au Canada.

— Non! C'est pas vrai!

— J'y pense depuis un bout de temps déjà...

— Non... C'est pas vrai...

— Tu ne sais plus rien dire d'autre?

— Moi aussi, j'envisage de m'installer ici!

Nous éclatons de rire. Au fur et à mesure que son stage avançait, il s'est aperçu que la recherche et le journalisme se transformaient en un besoin viscéral pour lui. Plus les jours filaient, plus l'idée de reprendre un chemin tracé à l'avance, celui de retourner à Ottawa entamer une maîtrise, lui apparaissait insupportable. Alors il a pensé au Zimbabwe, ce pays limitrophe de l'Afrique du Sud où les journalistes, les intellectuels, bref, les militants opposés au président Robert Mugabe se font emprisonner. C'était le point de départ idéal pour imaginer une nouvelle vie.

— Tu es au courant que la majeure partie des Blancs a quitté le pays?

— C'est justement ça, ma chance, poursuit-il, les journalistes aussi sont partis. Je me suis dit que je pourrais écrire des articles de là-bas et les vendre à la pige. J'ai déjà contacté le correspondant du *Washington Post* pour l'Afrique, tu sais, celui à qui Dudu a vendu ta photo de Soweto, et il m'a refilé quelques contacts.

— Honnêtement, tu m'aurais parlé de ton plan de match il y a six mois et j'aurais été prise d'un fou rire hystérique ! Je te jure que je ne t'aurais jamais cru. Mais, vraiment, j'espère que tu seras prudent…

— Et toi ? demande-t-il avec un petit air de défi.

pas tout à fait arrivé à maturité

Je lui raconte mon plan de monter une série de reportages dans lesquels je donnerai la parole à des femmes qui ont décidé de s'engager au sein de leur communauté, une idée qui m'a traversé l'esprit le jour où j'ai assisté aux ateliers d'Andrea au township. Je ne me doutais pas alors qu'elle me servirait de levier pour imaginer une suite à mon histoire ici. Et j'explique à Paul que mon idéal serait d'allier ce projet à celui de faire du mentorat auprès de femmes intéressées à apprendre le journalisme radio. Évidemment, je suis encore à la recherche de moyens pour arriver à financer le projet…

— J'étais plutôt curieux de savoir comment tu as fait pour comprendre que tu ne voulais plus repartir, précise Paul.

— Ah ! ça… C'est à cause d'un spot publicitaire !

Je lui raconte ma prise de conscience subite, à Fish Hoek. Du jour au lendemain, l'idée de rentrer s'est vidée de son sens. Et depuis, je n'arrive plus à me projeter là-bas, encore moins à m'imaginer sourire devant une caméra et parler avec un enthousiasme

débordant des nouvelles tendances de la saison...
Paul étouffe un petit rire.

— C'est ce que tu faisais avant de venir ici?

— Eh ben, oui...

Un ange passe. Je pose mes lèvres sur mon bol de café au lait encore chaud. Paul sirote son thé à petites gorgées, tandis que je me replonge dans mes souvenirs de Montréal. Bien sûr, il m'arrive de regretter la liberté de pouvoir marcher seule dans la ville, la nuit. Et ces rituels que l'on pratique lorsqu'on habite un coin du monde qui vit au rythme des quatre saisons. Je m'ennuie de ces gestes simples qui ont façonné mon identité nordique : cuisiner une tarte avec les pommes que l'on a cueillies soi-même ; calfeutrer les fenêtres à l'approche de l'hiver ; aiguiser ses patins et ranger les chaises de jardin ; regarder la première neige tomber ; chanter des cantiques à Noël ; siroter une première bière sur une terrasse au mois d'avril ; faire de la bicyclette les mains gelées et le visage avide de capter les rayons du soleil printanier ; sortir ses robes d'été... Je m'ennuie de ces gestes, et surtout des gens qui m'entouraient là-bas, devenus des repères d'autant plus importants au fil des ans. Je m'ennuie de mes frères jumeaux, qui traversent en ce moment une partie de leur adolescence sans moi. Je m'ennuie de mes parents qui, je le sais trop bien, souffrent de mon silence. Plus que tout, malgré moi et malgré tout, je m'ennuie de Lui. Il a été mon port d'attache, mon plus important point de repère pendant si longtemps qu'il m'arrive souvent de répondre au réflexe de le chercher encore sur mon chemin...

Mais bientôt, Paul m'arrache à mes rêveries et me rappelle qu'il doit filer. Il désirait aborder un autre sujet avant qu'on se quitte, l'avenir de Soyiso. En donnant quelques formations avec nous, le jeune journaliste a pu commencer à rembourser une partie de sa dette d'études.

— Mais il lui manque un outil essentiel, poursuit Paul, pour qu'il trouve un boulot comme journaliste...

— Un ordinateur.

— J'ai demandé à mes parents de m'aider à m'en payer un nouveau pour mon anniversaire et j'ai pensé que je pourrais lui donner celui que j'utilise en ce moment. Je voulais aller le visiter et lui faire la surprise. Je me suis dit que tu aurais peut-être envie de venir avec moi.

— C'est une très bonne idée !

— Pourquoi tu souris ?

— Je repensais à toi, au début du stage à Johannesburg...

— Et moi je repense à toi au début du stage, rétorque Paul en esquissant un sourire à son tour.

— On a changé...

— On a changé !

Je ne saurais décrire ce qui a changé précisément, si ce n'est, peut-être, cet espace intérieur qui s'est mis à grandir et que nous avons appris à visiter. Un espace grâce auquel nous avons expérimenté

le vrai sens de la liberté, celle qui est intrinsèque.
C'est ici que nous sommes devenus des adultes. Et
cela ne s'est pas produit parce que nous avons acheté
nos premiers REÉR, que nous avons obtenu notre
première hypothèque ou signé un contrat de ma-
riage. Nous sommes devenus des adultes en trouvant
le courage d'affronter nos peurs, les fantômes qui
nous hantent, de remettre en cause les idées et
les assises sur lesquelles nous avions toujours eu
l'habitude de nous appuyer. Nous sommes devenus
des adultes en nous libérant de ceux que nous étions
destinés à devenir, avant l'Afrique.

— Paul, est-ce qu'il t'arrive de douter de cette
décision ?

— Non. Et toi ?

— Oui... Parfois...

— ... J'en connais un qui serait heureux que tu
restes...

— Walton est de passage dans ma vie, je ne voudrais
pas que notre relation influence ma décision de
partir ou de rester.

— Tu lui en as parlé ?

Je souris en repensant à la réaction de Walton, à
cette autre vie qui s'offre à moi, à la peur et au désir
de la voir se concrétiser. Mais déjà, Paul se prépare
à partir, se lève et me fait une brève accolade. Je le
regarde s'éloigner en marchant la tête penchée vers
l'avant. On a beau se donner la permission de devenir quelqu'un d'autre, il y a des traits en nous qui

ne changeront jamais. Avant qu'il ne franchisse la porte du café, je lui refile un dernier conseil.

— Hé! Paul! Arrange-toi pour que je n'aie pas à aller te chercher en prison au Zimbabwe, d'accord?

. . . .

Robben Island

reconnue en 1999 comme patrimoine de l'UNESCO

Dans un vrombissement assourdissant, le ferry se met en branle et le bateau quitte avec lenteur la côte de Cape Town. Je me sens légèrement étourdie. Ce n'est pas le mal de mer, mais la perspective d'arriver au bout d'une aventure. Mon reportage sur Robben Island sera le dernier que je réaliserai dans le cadre de mon stage. Hilaire ayant insisté pour que je me rende sur l'île, j'ai vendu à Ana l'idée d'en faire un topo radio. Et me voilà sur le pont avant, dont je tiens le garde-fou à deux mains, à plisser les yeux pour empêcher le vent et l'eau saline d'y pénétrer. J'aimerais pouvoir conserver intact cet instant dans ma mémoire : le soleil de l'après-midi qui plombe sur mon visage et cette bruine salée qui vient s'y échoir. Le trajet dure moins d'une demi-heure. L'île, tristement célèbre pour avoir gardé captifs de nombreux militants de la lutte anti-apartheid, se situe à douze kilomètres de la ville de Cape Town. C'est à sa beauté que je me heurte au moment où le ferry accoste. Depuis mon arrivée dans la région, j'ai repoussé sans cesse ma visite ici, craignant d'y affronter ses fantômes. Pendant plus de quatre siècles, ce bout de terre de cinq kilomètres et demi de long sur un kilomètre et demi de large a été craint par une multitude de criminels, de fous, de prostituées, d'opposants à l'impérialisme

Il paraît même qu'il y a déjà eu une colonie de lépreux !

britannique et, plus tard, au régime de l'apartheid. Tour à tour, l'endroit a servi de prison, d'hôpital pour les malades indésirables et de camp militaire. Il est vrai qu'en pensant à Robben Island, j'ai longtemps imaginé un espace sombre et triste. Jusqu'à ce jour, jusqu'à ce que j'y pose les pieds. Nul ne pourrait soupçonner ce paysage magnifique d'avoir été témoin des pires atrocités avec ce ciel de Méditerranée, ces palmiers et ces fleurs de diverses espèces... Aujourd'hui, l'île a été transformée en musée vivant.

Devant un bâtiment austère construit en pierres, un homme à la peau noire et aux cheveux blancs nous accueille. Masula, le dos droit et l'œil fier, sera notre guide sur cette île qui a été, pendant des années, sa prison. Une prison qu'il a quittée à la fin des années 80, quatre ans avant la libération du dernier prisonnier politique de l'île en 1991. Pour lui, Robben Island, ce n'est pas une terre, mais un destin. Un endroit où il a échoué dans les années 70, à un âge où il aurait dû normalement courir après les jeunes filles ou s'endormir en classe durant des cours trop ennuyeux. Cela dit, dans un pays à genoux et en sang, ce n'est pas sur les bancs d'école ou dans les bras des jeunes filles que l'on devient un homme, mais dans les rues, avec une pancarte entre les mains, et lorsque cela ne suffit plus, avec un AK-47. Masula est arrivé ici en colère, fidèle à sa réputation de jeune militant fougueux, mais il en est reparti la tête haute, en homme calme et mature. C'est la première chose qu'il nous raconte, mais ce que je ne comprends pas, c'est pourquoi il est revenu. Pourquoi, aujourd'hui, ses pieds foulent-ils le sol du cimetière où il a enterré sa jeunesse ? Mais déjà, il tourne les talons et, son court laïus de bienvenue terminé, il nous invite à le suivre à l'intérieur de la prison.

Nous entrons dans une grande salle, la cafétéria où les prisonniers venaient manger. Au mur, on peut encore lire les règlements auxquels ces hommes devaient se plier.

— Même en prison, on devait se plier aux principes de l'apartheid, explique Masula. Par exemple, les prisonniers indiens, eux, ils étaient habillés avec un pantalon long, des chaussettes et des souliers. Mais nous, les prisonniers noirs, on avait juste le droit de porter un pantalon court et des sandales. Avec la nourriture, c'était pire. Les autres prisonniers pouvaient manger du pain. Mais nous, les Noirs, on n'en avait jamais. Ils voulaient nous briser, nous monter les uns contre les autres...

Je demeure fascinée par sa voix, douce et posée, dans laquelle je ne décèle aucune trace d'amertume ni de regret. Masula raconte cette époque révolue sur un ton rassurant, comme s'il cherchait à apaiser, grâce à celui-ci, la cruauté des gestes passés.

Nous nous déplaçons ensuite jusqu'aux cellules, tristes et exiguës. Quelques minutes suffisent pour que nous nous rassemblions autour de la plus célèbre d'entre elles, celle du prisonnier Nelson Rolihlahla Mandela. Des murs gris, un plancher de ciment et des couvertures de laine posées à même le sol. Une table de chevet et une poubelle rouge, aussi. Dans une cuisine, on pourrait dire que cette poubelle est petite, tandis qu'ici, elle paraît démesurée tellement elle est disproportionnée par rapport à l'espace. Qu'est-ce qu'un prisonnier sans possessions peut mettre dans une poubelle de cette dimension ? Puis il y a la fenêtre, pareille dans toutes les cellules. Dans l'après-midi, Masula raconte que les prisonniers, à travers celle-ci, pouvaient voir les animaux sauvages se promener dans les champs. Dans l'après-midi, je me demande à quoi pensait Mandela lorsqu'il regardait par cette ouverture dans le mur. Rêvait-il d'abord à la liberté de son peuple ou à la sienne ? C'est donc ici, dans ce cocon aux murs tristes et au plancher froid, qu'un homme s'est transformé en symbole... Notre guide nous invite à nous diriger vers la cour extérieure en nous racontant qu'il a eu la chance de connaître Mandela. Le grand homme a été pour lui, comme pour le reste des prisonniers, une inspiration. Une grande ironie de l'histoire, comme il le fait remarquer, car Robben Island était un lieu où l'on envoyait les prisonniers pour briser leur volonté. Et au contraire, c'est ici que la volonté de Madiba s'est fortifiée. Il a profité de ses années en prison pour lire, pour s'instruire et pour transmettre ses connaissances aux prisonniers. Pour leur donner du courage, il leur récitait son poème préféré, *Invictus*. (voir p. 391)

Alors que notre guide replonge dans ses souvenirs, nous marchons sous un soleil de plomb jusqu'à la carrière où les prisonniers devaient effectuer des travaux forcés. Une carrière de chaux, dans laquelle les hommes travaillaient de longues heures dans des conditions précaires, et où la plupart souffraient de kératite, une inflammation de la cornée due à la poussière et à la lumière. Masula nous affirme que le travail, physiquement, était particulièrement difficile à supporter. Et pourtant, paradoxalement, c'est à cet endroit qu'il a vécu de grandes heures de liberté. Grâce à son esprit.

— Regardez autour de vous, dit-il, c'était, ici même, l'Université Mandela.

Avec Madiba, les prisonniers pouvaient aussi bien parler de William Shakespeare que de politique, ils échangeaient sur des livres, des idées. C'est dans cette geôle que Madiba a avoué à d'autres prisonniers qu'à la place d'un Afrikaner et dans d'autres circonstances, il aurait pu avoir le même point de vue sur l'apartheid.

— Et vous pouvez imaginer, poursuit Masula, la force que ça demande pour atteindre ce stade de pensée, surtout pour un homme qui a beaucoup souffert à cause de ce régime-là. Mais c'est justement grâce à cette extraordinaire force de l'esprit que Madiba a entrepris les négociations qui ont mis fin au régime. C'est grâce à cette force-là qu'il nous a tous entraînés avec lui sur la voie de la réconciliation.

— Quel grand homme! murmure une dame.

— Un grand homme qui nous a prouvé que l'homme est grand, rétorque Masula.

Son ton est bienveillant et son regard, libre. J'aime la présence de cet homme. Après avoir fait le tour de sa prison, le tour de ses souvenirs, Masula conclut notre visite par une phrase résumant le long chemin parcouru par tout un peuple.

— Ce lieu, mes amis, la prison de Robben Island, symbolise aujourd'hui le triomphe de l'esprit humain et de la liberté sur l'oppression. Il nous prouve chaque jour qu'en chacun de nous, il existe une force qui nous permet d'imaginer et de réaliser ce qu'on croyait impensable.

Avant qu'il ne rebrousse chemin pour aller accueillir un autre groupe de visiteurs, j'accoste Masula dans l'espoir d'entendre une réponse à la question qui me brûle les lèvres.

— Pourquoi avoir choisi de revenir ici et de ressasser, jour après jour, des souvenirs que quiconque voudrait oublier ?

De longues secondes s'écoulent avant qu'il ne me réponde. Comme s'il voulait s'assurer de trouver les bons mots pour que je comprenne ce qu'il a mis des années à saisir.

— Chacun, dit-il, a dans son histoire des cailloux qui encombrent sa mémoire.

Il me raconte qu'il y a deux façons d'agir avec les pierres trop laides. On peut les enfouir ou les manipuler au grand jour et les polir. En revenant ici, voilà ce qu'il fait, il polit des souvenirs, personnels et collectifs. Aujourd'hui, il pose ce geste pour les générations futures, dans l'espoir que ces cailloux n'encombrent pas leur histoire à eux. Mais pendant longtemps, il a exécuté cette tâche pour lui seul, afin de redevenir un homme libre.

— Et c'est ici, m'avoue-t-il, sur les traces de ma vie de prisonnier, que je devais le faire. Ma vraie liberté, je l'ai gagnée en pardonnant à mes bourreaux.

Sur ces mots, Masula me suggère de prendre le temps de parcourir l'île avant de repartir. Pour sa beauté, pour l'esprit qui s'en dégage. Alors je marche longuement, m'attardant à mille et un détails, et mes pas me conduisent jusqu'à une rive où je m'assois face à la mer.

. . . .

J'aime la dernière strophe d'*Invictus* :

« Aussi étroit soit le chemin
Nombreux les châtiments infâmes
Je suis le maître de mon destin
Je suis le capitaine de mon âme »

Telle que traduite pour le film *Invictus*

L'impureté de la mémoire

Le Pacifique. Cet océan dont la furie rappelle celle des chevaux sauvages. Libre. Imprévisible. Enfin, elle le contemple de ses propres yeux. Bien sûr, elle a déjà vu la mer. Celle des Caraïbes, puis la Méditerranée. Et l'océan Atlantique, aussi, dont les vagues viennent mourir sur les côtes des provinces de l'Est canadien. Mais le grand, l'indomptable Pacifique, c'est la première fois qu'elle le voit. Le même caractère que celui de Gregory, pense-t-elle en regardant l'océan. Un souverain impétueux qui règne avec arrogance sur son territoire. Elle lui en veut encore pour la soirée d'hier. Comment a-t-il pu oser flirter devant elle, devant leurs amis, avec cette Australienne qui doit avoir le cerveau de la même grosseur que celui d'un kangourou? L'Australienne et ses grands yeux insipides de Marsupilami qui regarde Gregory, béate d'admiration. Oh! Le bel acteur canadien, venu présenter ce fabuleux long métrage dans lequel il transcende l'écran! Mais comme c'est fascinant, il est encore plus beau dans la réalité que dans le film! Et si intelligent… Et lui qui se pavane devant elle et qui s'abreuve jusqu'à plus soif de ce nectar de complaisance puisé à même ses yeux insignifiants. Pourquoi, toujours, ce besoin de séduction?

Au fil des ans, elle a fini par avoir l'impression de sortir avec un junkie qui rechute sans cesse. Parfois, l'appel est si fort qu'il en oublie sa présence à elle, de même que la retenue et le respect que cela devrait commander. Hier encore, au milieu du cocktail, il s'est éclipsé avec l'Australienne pour aller regarder le soleil se coucher sur Sydney. Dans ces instants où le désir de séduire se fait plus fort que tout, il oublie surtout sa souffrance à elle, une souffrance qu'elle cache en silence pour ne pas perdre la face devant les autres. « On va nager ? » La voix de Frédéric l'arrache à ses pensées. Heureusement, Frédéric et Karl les accompagnent dans ce voyage. Des amis de vieille date, que Gregory a généreusement invités puisqu'ils rêvaient, depuis des années, d'explorer ensemble l'Australie. Dès qu'il a eu son accréditation pour ce festival, il a fait des pieds et des mains pour que ses amis puissent le suivre. Voilà tout le paradoxe de Gregory, pense-t-elle. Infidèle, mais loyal. Vaniteux, mais dévoué et généreux envers les gens qu'il aime. « D'accord, on va nager ! »

Elle se lance à l'eau la première, séduite par la force des vagues. Frédéric la rattrape en quelques coups de brasse. Libres, insouciants, ils avancent dans les eaux vers l'horizon. C'est Frédéric, le premier, qui pense à rebrousser chemin. Il vaudrait mieux, par prudence. Ils se sont éloignés sans s'en rendre compte. Ils commencent à nager vers la rive, mais les vagues les repoussent sans cesse plus loin. Les courants sont forts, alors il faut nager plus fort, pense-t-elle. Elle redouble d'ardeur et réussit à gagner du terrain. Mais Frédéric, derrière, se met à crier. « *Help ! Help !* » Même s'il n'y a personne.

Même s'il avale de l'eau en même temps. «*Help!*»
Alors, elle retourne le chercher, mais en voulant le
ramener à elle, c'est l'inverse qui se produit et le
courant la repousse encore plus loin au large. Elle
vit, pour la première fois, la peur de mourir. C'est
donc cela, ce poison qui envahit les tripes pendant
que l'on pense «dans quelques secondes, tout pourrait se terminer ici». Mais avec la peur, l'adrénaline
monte. Et avec l'adrénaline, vient la force nécessaire
pour conjurer le sort. Alors elle se dit : «Gregory
est sur la rive. Et je vais retrouver Gregory.» Elle
prie en silence pour que Frédéric trouve lui aussi
une raison de survivre et elle fonce. Parfois, l'idée
lui vient à l'esprit que cela exige d'elle un effort
surhumain et qu'elle ne tiendra pas le coup encore
longtemps. Mais elle s'empresse de chasser cette
pensée pour se concentrer sur son unique but :
Gregory est sur la rive et elle va le rejoindre. La
suite se passe à une vitesse folle. Une planche qui
fend la mer. Un surfer qui lui crie de monter. Ses
dernières forces qu'elle utilise pour se hisser sur
cette bouée inespérée. Elle tourne la tête, aperçoit
Frédéric qui grimpe lui aussi sur la planche d'un
autre surfer. Et s'effondre. Les uns après les autres,
ses sens arrêtent de fonctionner. Ses muscles se
transforment en chiffons. Elle n'éprouve plus aucune
sensation sur la peau. Elle n'entend plus, elle ne
voit plus. Tout son être ne se voue plus qu'à une
seule et unique tâche, respirer. Laisser rentrer l'air
partout dans ce corps pour y chasser les ombres
de la mort. Respirer. Ne plus penser. Respirer. Entendre faiblement la voix de Gregory. «Je suis là.
Je suis là. Mon amour. Mon grand amour.» Elle
reprend connaissance au moment où il l'aide à

descendre de la planche. Il remercie mille fois le surfer. Elle comprend qu'il l'a intercepté plus loin sur la plage avec son ami et les a suppliés d'aller les chercher, elle et Frédéric. Déjà, elle commence à oublier. Sa lutte contre l'océan, la peur de mourir, l'eau salée qu'elle avale. Ses souvenirs se contractent de manière confuse dans sa mémoire pour laisser toute la place à la force d'une seule émotion. Gregory qui la recueille dans ses bras et l'enlace pour ne plus jamais la perdre. Elle perçoit à peine sa voix étouffée par la peur. « Jamais, tu m'entends, jamais tu ne me feras le sale coup de mourir avant moi. Je ne te survivrai pas. » Elle a vingt-trois ans. Trente-cinq ans. Cinquante ans. Soixante-quinze ans. Et le temps qui lui file entre les doigts, et la vie qui galope vers la mort, et les rêves qui s'estompent à l'aube de la vieillesse, tout ça n'a plus d'importance parce que c'est toujours le même homme qui la tient dans ses bras. Son complice, son ami, son amour. Son éternel Gregory.

. . . .

Le chemin du pardon

Sur le dernier ferry à quitter l'île, je retrouve Masula, qui rentre chez lui en même temps que les autres employés de Robben Island. Je ne peux m'empêcher de lui poser une dernière question avant de le quitter.

— Comment avez-vous réussi à pardonner?

Là aussi, il met un bon moment avant de me répondre.

— Le pardon ne se décide pas avec la tête, commence-t-il. Eh bien, oui, au début, il faut choisir avec la tête. Il faut se dire consciemment «j'éprouve le besoin de pardonner» et avoir le courage de regarder en face les événements pour mesurer ce que l'on a perdu.

— Vous avez réussi à déterminer ce que vous avez perdu?

— Ma jeunesse, répond-il d'emblée. Ni le temps ni mes bourreaux ne vont me rendre ces années de ma vie où j'aurais dû en profiter pour aimer, pour construire, pour rêver à l'avenir... Mais c'est fini, ces années-là ne reviendront plus jamais.

Ces années perdues, il a d'abord appris à accepter de les laisser partir, à accepter que cela ne servirait à rien de chercher à compenser leur perte par d'autres moyens. Puis, il s'est inspiré de l'enseignement que Madiba lui avait légué et il s'est mis à la place de ses bourreaux pour tenter de comprendre l'incompréhensible, pour arriver à pardonner.

— Mais reconnaître que l'on a besoin de pardonner, ce n'est pas toujours suffisant...

— C'est vrai, admet-il. Parfois, on le désire très fort, mais on n'y arrive pas. La seule chose sur laquelle on peut compter alors, c'est la patience. Une patience inouïe, mon amie.

— Mais comment savoir s'il s'agit de patience ou d'acharnement?

— L'acharnement vient de la tête, mais la patience, du cœur.

— C'est ce que vous vouliez dire quand vous avez dit que le pardon ne se décidait pas avec la tête?

— Ce que je voulais vous dire, c'est qu'il faut avoir le courage de faire face à ce qu'on a perdu et qu'il faut laisser monter en nous les sentiments que ça fait renaître... Les regrets, la tristesse, la colère... Il faut accepter de les revivre et de les considérer autrement.

— Même si c'est douloureux...

— Longtemps, avoue-t-il, vous pensez que vous n'y arriverez pas. Et puis un jour, vous ne savez pas pourquoi ni comment en cet instant précisément, mais la paix se pose comme une plume sur votre cœur. Et là, enfin, vous vous sentez libre.

J'ai regardé Masula et tout est devenu clair. Mon avenir, clair comme l'eau d'un ruisseau qui réintègre son lit après une longue sécheresse, comme l'eau qui dévale la terre au-delà des pierres, au-delà des obstacles. Mon avenir, comme la vie qui réintègre ma vie. Je dois lâcher prise, je dois laisser partir Gregory et tout ce qu'il fait résonner en moi, mais pour que cela se produise, il me faut d'abord lui pardonner. Et pour lui pardonner, je dois trouver le courage de le regarder en face. Retrouver Gregory et lui dire à quel point sa trahison m'a démolie. Parce qu'elle venait de lui. Et parler, parler. Lui raconter les blessures, celles qui se forment lorsqu'on entend un homme nous répéter qu'il nous aime, plus que tout au monde, et le voir tout de même partir avec d'autres filles. Et parler, parler. Lui décrire la fissure, celle qui nous déchire lorsqu'on se sait manipulée et qu'on choisit de fermer les yeux par amour. Et parler, parler. Lui dire à quel point, l'hiver dernier, j'aurais voulu retrouver la force de lui faire confiance à nouveau, mais que j'étais déjà à genoux, qu'il le savait et qu'en choisissant l'autre, celle avec laquelle il avait un passé sans tache, il m'a laissée avec un lourd sentiment d'injustice à supporter. Et un enfant dans le ventre qui n'a pas su survivre. Et parler, parler. Non pas dans le but de le culpabiliser ou de le faire souffrir à son tour, mais seulement pour qu'il reconnaisse et comprenne la douleur. Et polir, polir. Jusqu'à ce que l'amour soit débarrassé de la colère, de la jalousie, des regrets et de l'amertume. Polir, polir. Jusqu'à ce que je réussisse à atteindre, enfin, l'épicentre du sentiment, l'amour pur. Et vivre la fierté d'avoir eu la force d'extraire ce caillou de ma mémoire pour le contempler en plein jour. J'ai regardé Masula et tout est devenu clair. C'est de l'autre côté de l'océan, dans un autre hémisphère, que je trouverai la route vers le pardon, le chemin vers la liberté.

. . . .

Un cadeau pour Soyiso

Une dune de terre sèche et d'herbes grillées par le soleil, un immense terrain vague jonché de déchets que je traverse jusqu'à la gare. La dernière fois que je suis venue ici, j'allais à la rencontre de Soyiso. Je suis bien retournée au township par la suite, mais je n'ai jamais repris le train pour m'y rendre. C'est moi qui ai proposé à Paul d'opter pour ce moyen de transport. Je désirais transformer notre dernier voyage à Kayelitsha en pèlerinage. Je le retrouve sur le quai, l'air perplexe, devant le distributeur de billets.

— Laisse tomber, Paul, personne n'achète de tickets.

— Tu crois que c'est une bonne raison pour ne pas le faire ?

— Mais oui, c'est important, tu sais, pour le pèlerinage !

— Ça n'a rien à voir !

— Si tu avais vu la tête de Soyiso quand je me suis obstinée à acheter des billets pour nous deux la première fois ! Je ne peux pas lui faire le même coup aujourd'hui, tu comprends, acheter des billets, ce serait admettre que je n'ai rien saisi de sa façon de voir les choses… Paul, je me dois de NE PAS acheter ces billets par loyauté envers Soyiso.

— Tu te rends compte que ton raisonnement est vraiment tordu?

— Mais non, il est poétique! Allez Paul, soyons rebelles!

— Et s'il y a un contrôle?

— On va sauter par-dessus bord!

— *Hell*, beau sens de la rébellion!

Mais déjà, le train entre en gare et nous n'avons plus le temps d'argumenter. Alors, je le convaincs à l'africaine en emprisonnant sa main dans la mienne pour l'entraîner à l'intérieur du wagon. Il accepte de se rendre à l'évidence : il voyagera sans billet. En bon gentleman, il me laisse la place du côté de la fenêtre, ce qui lui permet par ailleurs d'étendre ses longues jambes dans l'allée du centre. Le train se met en branle et à travers le grincement des roues sur les rails, j'ai la vague impression d'entamer le dernier conte d'un recueil. Il était une fois un dernier voyage en train, un dernier regard sur les paysages du Cap, sur son ciel bleu électrique et sur ses arbres en fleurs. Une dernière excursion au township, dans cette réalité où je n'avais jamais osé voyager avant.

À la gare de Kayelitsha, Soyiso est venu nous accueillir, accompagné par sa sœur et ses neveux. Il porte des souliers noirs qui brillent, et Xolilé a enfilé une jolie robe fleurie, par-dessus laquelle elle porte en bandoulière un grand tissu coloré dont elle se sert pour soutenir son petit dernier. Sa fille tient entre ses mains un bouquet de fleurs des champs et elle nous sourit fièrement, à côté de son frère cadet, le regard sérieux et le dos droit comme un petit soldat. L'image de cette famille alignée sur le quai de la gare à Kayelitsha, c'est l'image de mon départ imminent qui se profile. Leurs sourires, leurs regards, leurs beaux habits, tout me semble si solennel. Je tente de cacher à Paul mes yeux humides, mais il fouille tout de même dans sa poche avant de me tendre, discrètement, un papier-mouchoir. Xolilé nous présente ses enfants. J'ai un coup de cœur pour Pinky, sa fille, qui a les yeux vifs et le large sourire de sa mère. Elle m'offre le bouquet en me racontant avec passion comment elle s'y est prise en route pour choisir les plus belles fleurs et agencer leurs couleurs. Comme tous les habitants au township, je craque pour cette enfant «qu'il est impossible de ne pas aimer». Sur le chemin qui mène au cœur de Kayelitsha, celle-ci se met à gambader en nous exhortant à nous presser parce que sa mère a fait cuire une poule et qu'il lui tarde un petit peu, tout de même, d'aller la manger.

Nous pénétrons dans la cabane de la famille, plongée dans une semi-obscurité. Je retrouve, tels qu'ils s'étaient imprimés dans ma mémoire, le vieux divan enveloppé d'une couverture de tricot orange et la caisse de lait utilisée comme table à thé. La fenêtre brisée n'a toujours pas été réparée. Mais quelque chose a changé. Ce ne sont ni les murs, ni les meubles, mais peut-être la présence des enfants qui adoucit les cicatrices de la pauvreté. Ou peut-être qu'aujourd'hui, je m'attarde simplement un peu plus aux visages et un peu moins à l'aspect misérable de la pièce. À mes côtés, Paul s'assoit sur le divan en tentant de trouver une position confortable pour ses longues jambes. Il cherche ses mots, me consulte du regard, puis il décide de sortir son portable de son sac.

— Tiens, dit-il en le tendant à Soyiso.

Flanqué de sa casquette rouge et de son sourire un peu triste, ce dernier ne réagit pas. Alors Paul pose l'ordinateur sur les genoux de son ami.

— Il est à toi, précise-t-il.

Soyiso enlève sa casquette et ses yeux se plissent si fort qu'ils se transforment en deux petites lignes au-dessus de son nez. Le jeune journaliste, que j'ai toujours connu réservé, se lève et serre Paul dans ses bras. Une autre fois, je dois détourner mon regard, un peu trop humide.

Xolilé se joint à nous, accompagnée de sa fille, qui porte un plateau sur lequel tient en équilibre une série de verres dépareillés. La mère y verse du Coca-Cola, puis nous cognons nos verres. C'est à mon tour, à présent, d'offrir l'autre partie du cadeau de Soyiso. Il y a longtemps que Paul et moi en avions convenu ainsi. J'ai la gorge sèche et les mains moites. Je m'apprête pourtant à lui annoncer une bonne nouvelle, mais je sais aussi qu'au moment où je la lui annoncerai, tout m'apparaîtra dorénavant immuable.

— Soyiso, il faut que tu me sortes du pétrin !

— ... Ou... iii, a-t-il répondu, hésitant, si je peux faire quelque chose...

Alors je lui raconte. Pendant deux semaines, j'étais décidée à rester, à tout faire pour m'établir ici. J'avais imaginé un projet et cherché comment le financer avec l'aide de divers organismes d'aide humanitaire. Il y en a un qui a répondu à l'appel et qui m'a octroyé un petit budget que je ne peux plus utiliser puisque, pour d'autres raisons un peu longues à expliquer, j'ai choisi de retourner au Canada.

— Alors tu comprends, Soyiso, il y a ce budget et ce projet, et ces gens qui y ont cru et qui ont besoin d'un journaliste à présent pour le réaliser:

Je prends la peine de tourner mon regard en direction de Xolilé, avant de préciser:

— Et d'une recherchiste aussi.

Elle se redresse. Je leur expose l'idée de réaliser une série de reportages radio sur des femmes d'ici qui ont décidé de se prendre en main.

— Mais il faudra les trouver, ces femmes à interviewer. Et j'ai pensé que ce serait plus facile pour Soyiso si tu lui donnais un coup de main là-dessus, Xolilé. J'ai déjà un premier contact.

Je lui tends un bout de papier sur lequel est inscrit le nom d'Andrea et le numéro de son portable.

— Ce serait un peu difficile, dit-elle en regardant son frère, de lui refuser notre aide. Tu serais vraiment dans le pétrin, n'est-ce pas, si on ne le faisait pas pour toi ?

— Je serais vraiment mal prise...

Nous nous sourions et concluons notre accord en cognant une fois de plus nos verres. Partout ailleurs, dans le township, il y a des enfants qui ne mangent pas à leur faim, des mères qui doivent aller chercher de l'eau chaque matin, des hommes qui meurent du sida en silence, des familles privées d'électricité, des routes de terre et des abris de fortune. Partout ailleurs dans ce pays en reconstruction, il reste des blessures à panser, des plaies à soigner. La scène qui se déroule en ce soir de février dans la cabane de Xolilé, elle ne changera en rien la situation de milliers d'autres personnes au pays, mais elle vient de tout changer en moi. Ce soir, dans cet abri de fortune à la fenêtre brisée et aux meubles dépareillés, je choisis l'espoir.

. . . .

Les adieux de Kayelitsha

Xolilé jette un dernier regard sur ses enfants endormis avant de fermer la porte. Nous l'attendons, le temps qu'elle aille cogner chez sa voisine pour lui demander de garder un œil sur eux à distance. Sisis et Wilson, deux cousins de Soyiso, se joignent à nous alors que nous commençons à marcher sur une route de terre en direction d'un bar situé près de là. Je m'étonne toujours de l'opacité de la nuit dans les townships. On oublie, dans les villes éclairées par des lampadaires, que l'on y met la nuit en veilleuse. Mais il suffit d'entrer en contact avec la véritable obscurité pour se rendre compte à quel point l'être humain est un papillon de nuit, obsédé à repérer les points lumineux sur son chemin. C'est ce que nous faisons, en marchant sur la route bordée d'habitats précaires dans la pénombre, nous gardons le cap sur l'agglomération de lumières au loin, portés par une légère euphorie.

Nous arrivons bientôt devant un terrain de sable où sont enfoncées les pattes des tables et des chaises d'extérieur sous une toile de plastique bleue. À droite, un comptoir de bois et derrière celui-ci, deux frigos remplis de bières et de boissons gazeuses. Au-dessus du bar, un téléviseur qui diffuse le vidéoclip d'une émule de Bob Marley. Je commande des

bières pour tous et Paul m'aide à les distribuer.
Avant de m'asseoir, j'enlève mes souliers pour enfoncer mes pieds dans le sable. Alors qu'au-dessus
de la toile de plastique, les étoiles se mettent à
briller à l'envers, Soyiso me scrute du regard, avec
son sourire un peu triste.

— Tu reviendras un jour ?

— Bien sûr.

Je lui réponds d'un ton convaincu. Pour nous
convaincre tous les deux. Pour m'obliger à croire
que les ancêtres feront leur travail et tireront des
ficelles pour que la vie me ramène ici. Mais en
réalité, j'en ai aucune idée. Peut-être que, comme
Hilaire, je me fabriquerai au fil du temps un reflet
de ce pays encore plus beau que celui que j'ai connu.

Dans le téléviseur, en haut du bar, Bono a remplacé
l'émule de Bob Marley. Des images d'un concert en
plein air y sont diffusées, un concert-bénéfice organisé dans le but d'amasser des fonds pour la lutte
contre le sida en Afrique. Je souris. Combien sommes-
nous à organiser des événements et des collectes
de fonds pour ce continent malmené, à débarquer
ici pour construire des puits, donner des cours d'informatique, soigner, coordonner des déplacements
de réfugiés ou faire de la prévention dans les écoles ?
Combien sommes-nous à vouloir sauver l'Afrique ?
Mais je me demande surtout : combien de Don Quichotte, parmi nous, l'Afrique a-t-elle sauvés ?

Tandis que la nuit s'étire doucement dans ce petit
bar de Kayelitsha, une musique kwaito s'échappe
des haut-parleurs et Sisis m'attrape par la main
pour m'amener danser. Je ne lui résiste pas. Il

m'entraîne jusqu'à l'endroit où notre toit ne se limite plus à une toile de plastique bleu, mais au ciel de l'Afrique. Un moment de liberté encore plus grand que les autres. Sautiller pieds nus entre le bar et la rue. Accueillir Paul, Xolilé, Soyiso et Wilson sur cette piste de danse improvisée. Penser, en tournant sur moi-même, que je pourrais être en train de siroter un drink en jeans trop serrés et en talons aiguilles dans un bar branché de Montréal. Et me sentir encore plus libre. Reproduire en riant les mouvements des hanches et de la poitrine de Xolilé. Danser comme une Africaine. Lancer le cri des guerriers xhosas dans la nuit. Et imaginer les ancêtres qui nous regardent en souriant. Nous dansons jusqu'à la dernière minute, jusqu'à cet instant où nous devons nous résigner aux adieux. Faire ses adieux, une cruelle action. Prendre une personne dans ses bras en sachant qu'on ne la reverra plus, même si on espère au plus profond de soi le contraire. Prendre Xolilé dans mes bras et, à travers elle, retrouver toutes ces femmes de l'Afrique qui ont croisé mon chemin et qui m'ont appris à devenir une femme, une femme forte à travers ses faiblesses. Un être humain qui existe à travers d'autres êtres humains.

Alors que l'aube se lève sur le township de Kayelitsha, Paul et moi marchons lentement en direction de la gare, où nous regarderons naître les premières lueurs du jour en attendant le prochain train. Derrière moi, je laisse une paire de souliers enfoncés dans le sable, tout près d'une chaise de jardin blanche. Des souliers dont la pointure était un peu trop grande pour mes pieds, mais parfaite pour ceux de Xolilé.

. . . .

Comme un château de cartes

Quelques coups de klaxon sous ma fenêtre. Je fais signe au chauffeur de taxi que je descends dans une minute. L'horloge indique quatre heures et demie et, déjà, les oiseaux commencent à gazouiller dehors. Dans la chambre d'à côté, Althea et Jabu dorment à poings fermés. Il y a quelques heures à peine, je les serrais dans mes bras en leur répétant à quel point leur présence allait me manquer dans mon autre quotidien. Celui que je partirais retrouver au petit matin, en direction de mon Amérique du Nord. Voilà, ce moment est bel et bien arrivé. Je promène mon regard sur la pièce pour m'assurer que je n'oublie rien. Les dessins sur les murs, le capteur de rêves suspendu au plafond et les quatre lettres, tracées au feutre, sur la feuille collée à la porte de la chambre. JABU. La joie. C'est bien ici, dans ce petit appartement de Woodstock, que je l'ai retrouvée. Sur le lit, je laisse un exemplaire du *Petit Prince* traduit en anglais, avant de me rendre à la cuisine. Sur la table et le comptoir, les restes du repas de la fête d'hier. Je reprends la cafetière que m'a offerte Walton et l'échange contre une neuve, que j'ai pu me procurer grâce au propriétaire du café *Kuzma*. Je laisse une note à côté : un cadeau pour toi, ma sœur. En sortant de la cuisine, je passe devant le frigo et je remarque cette nouvelle photo, au milieu de la mosaïque de clichés dont la plupart ont été pris dans diverses manifestations. Je porte Jabu dans mes bras, et nous nous sourions, toutes les deux.

J'entre dans la voiture de taxi, sereine. J'ai long-temps cru que ce moment allait être déchirant, mais il n'en est rien. Curieusement. Je ne sais pour quelle raison, mon regard se pose un instant sur le permis du chauffeur, affiché entre la fenêtre du passager et celle du conducteur. Sous sa photo, je remarque son nom, Pendington, puis son prénom, Gregory. Un hasard ironique. Ou peut-être un clin d'œil des ancêtres, qui manifestent à leur façon leur approbation face à mon départ. Je quitte leur terre en paix. J'arrive à concevoir que ma vie en Afrique a été une parenthèse à l'intérieur d'une autre vie. Une parenthèse inéluctable, au sein de laquelle il me fallait venir chercher la force néces-saire pour entamer un chemin long, complexe et sinueux. Celui du pardon.

Au moment où nous arrivons à l'aéroport, le soleil se lève et l'air se réchauffe. Le chauffeur me demande si j'ai besoin d'un coup de main pour mes bagages. Je le remercie, j'ai presque tout laissé derrière. J'empoigne mon sac et je marche vers les portes coulissantes qui s'ouvrent comme un nouveau cha-pitre. Je passe au comptoir d'enregistrement, pose mon sac sur le tapis roulant et le regarde partir avant moi pour ce long voyage. Je me sens légère, comme une particule en suspension dans l'air. J'ai du temps à tuer. En passant devant un casse-croûte, j'achète un jus de gingembre. Pour Hilaire. Pour l'Afrique. Je le sirote devant une fenêtre. La boisson

je ne peux pas croire que je fais ça!

est toujours aussi mauvaise. En plissant les yeux, j'arrive à apercevoir au loin la montagne. La montagne sur laquelle je marchais encore hier. Une longue randonnée avec Walton, qui a quitté son boulot en après-midi pour venir me rejoindre. Je voudrais ne rien oublier. Recueillir chaque miette de souvenir comme si elle appartenait à un dessert exquis. Le soleil de l'Afrique qui embrase les cheveux blonds de mon amant. Le bonheur de marcher sous l'ombre des arbres pour semer la chaleur. Le sentier sinueux. Walton qui me demande pourquoi ce drôle de sourire. Et moi qui lui dis que c'est la terre de l'Afrique, que je me demandais si j'allais un jour y marcher de nouveau. Et Walton qui se tait. Et moi qui le prends dans mes bras, qui enfouis mon nez dans son cou pour repartir avec le souvenir de son odeur, son odeur de forêt après la pluie. Nous revenons en fin de journée, au moment où le soleil cesse d'être cruel pour la peau. Walton se dirige vers la cour intérieure de l'immeuble. Nous n'allons jamais dans la cour intérieure de l'immeuble, mais il m'assure qu'il y a vu Althea jouer au ballon avec Jabu. Althea ne joue pas au ballon, mais elle tient entre ses mains une pancarte : « *We love you !* » Je ris, je lui balance que cette mise en scène est digne d'un film hollywoodien. Ils sont tous là, derrière elle. Les collègues de Bush Radio, Ana, Paul, Jabu. Hilaire, aussi. Je ne sais pas qui l'a contacté, mais je suis tellement heureuse de le retrouver. « Attends, attends, tu n'as pas salué tout le monde », dit Althea surexcitée. Elle m'entraîne jusqu'à la table à pique-nique. Sur la table, un ordinateur portable. Et sur l'écran, une fenêtre Skype ouverte sur la figure de Bongiwe. « *Hey Sister !* » Bongiwe et son petit mot d'amour qu'elle me lance comme un ballon de football! Derrière elle, Thomas apparaît. Ils me racontent Johannesburg, les nouveaux cours pour Bongiwe, une autre fusillade à Time Square, Thebo qui s'est mis à écrire pour le théâtre, les nouveaux stagiaires qui viennent d'arriver. Un cycle se termine, un autre commence.

Les passagers voyageant en direction de Johannesburg sont appelés à la porte 4. Je dois y aller. Je ne terminerai jamais ce jus de gingembre. Je le laisse tomber dans la poubelle avec une dernière pensée pour Hilaire. Entre l'aéroport et l'appareil, je traverse le tarmac à pied. Une dernière marche sur la terre des ancêtres. Et l'au revoir du vent qui se lève doucement. Une caresse chaude, évanescente. Comme le dernier baiser de Walton sur le balcon de l'appartement de Woodstock. Fragile. Éphémère. Et pendant que ses lèvres se posent sur mes lèvres, je ferme les yeux sur tout ce que je laisse derrière. Le moteur de l'avion tourne, maintenant. Dans ce moment suspendu dans le vide, la tristesse trace son chemin jusqu'à moi. J'appuie ma tête sur le hublot. Un dernier regard sur une vie que j'ai peur de voir s'effondrer comme un château de cartes à l'instant où l'avion s'envolera. Et tout ce temps passé à construire, comprendre, aimer, grandir. Où se réfugieront ces moments lorsque le château s'effondrera? Cette impression que le présent s'effrite entre les souvenirs et l'avenir. Brouillé. Inconnu. L'avion qui décolle. Les larmes qui coulent. Je suis devant Gregory un matin et je lui dis: «Alors, c'est fini?» Et Gregory me dit: «Oui, c'est fini.» Dans l'allée, l'hôtesse de l'air. Elle me tend une serviette de papier et un sac de grignotines. Elle a des mains impeccables, blanches et lisses, qu'elle doit crémer tous les matins. Et des ongles manucurés à la française. Des cils démesurément longs, aussi, avec beaucoup de mascara. Elle me regarde comme si elle était plongée au milieu d'un film romantique, avec la compassion d'une spectatrice déroutée devant le sort de l'héroïne principale.

— Oh! Vous quittez quelqu'un de bien?

Je lui fais signe que oui et je m'empresse de détourner le regard. Pour ne pas avoir à lui expliquer.

— Ce n'est pas une personne que je quitte, madame, mais un peuple entier. Ce n'est pas quelqu'un que je quitte, madame, mais l'Afrique.

Lorsque je détache mon regard du hublot, une petite bouteille de vin a été déposée sur ma tablette. L'hôtesse de l'air repasse en souriant.

— C'est moi qui vous l'offre.

— Merci...

Je verse le vin dans la coupe en plastique qui l'accompagne, et tout me revient à la mémoire. Je suis sur le vol 524 et je quitte Montréal en direction de Johannesburg. J'ai le regard vide. Et je bois du vin. Je bois du vin pour oublier Gregory, flamboyant, sous le feu des projecteurs, sa nouvelle histoire d'amour, son succès auprès du public et des médias. Gregory, fier comme un paon dans la lumière. Et moi, les yeux rougis et le dos courbé dans l'ombre. Je bois du vin pour oublier l'échec avec lequel je ne sais pas composer et le regard de Gregory sans lequel je ne sais plus exister. Je bois, plus que tout, pour oublier que je viens de perdre un enfant. Et que je n'ai plus envie de rien. Au moment où je me replonge dans ces souvenirs, le seul sentiment que j'arrive à en extraire est une douce affection envers la fille perdue que j'étais alors. Maintenant que je repense à ces événements avec du recul, je mesure réellement l'ampleur de ma souffrance. Je ne voyais plus rien. Je ne croyais plus en rien. J'étais brisée. Comment ai-je fait pour ramasser ces miettes de moi, me forcer à me relever et à partir ? J'ai puisé au sein d'une force dont je ne soupçonnais pas l'existence. De la même façon que je l'ai fait cette journée où j'ai failli me noyer dans la mer. Quelque chose de plus grand que moi m'a portée. Je croyais alors que c'était l'amour de Gregory. C'était peut-être, simplement, l'amour de la vie.

Une courte escale à Johannesburg. Une autre, douze heures plus tard, à Los Angeles. Je marche au hasard, dans l'aéroport. Mes pas me conduisent dans un magasin de parfum. L'impression de pénétrer dans un univers irréel. Le visage trop long, les yeux trop grands et la peau empesée des filles sur les publicités, qui ont certainement confondu il y a longtemps la vente de cosmétiques avec celle du logiciel Photoshop. Les odeurs, synthétiques. J'ai l'impression d'être un poisson sorti de l'océan, dont les branchies s'activent dans un mouvement désespéré au contact de l'atmosphère terrestre, et qui agonise. Le poids de l'air conditionné. Le poids des centaines d'effluves qui saturent l'air ambiant. La lumière cruelle des néons. Le sourire faux de la vendeuse. Ses ongles rouges et longs, encore plus faux. L'absurdité des prix. Le montant d'un flacon de parfum qui pourrait servir à nourrir les enfants de Xolilé pendant un mois. Je suffoque. Je sors.

Marcher. Je dois continuer à marcher. Mais je ne sais plus où poser mon regard sans ressentir du dégoût. Au bout de l'allée des boutiques de luxe, j'aperçois un bistrot, espère y siroter une tasse de café pour retrouver mon calme. Ironiquement, je pense me calmer dans la succursale d'une chaîne qui porte le nom d'un taureau reconnu mondialement pour sa productivité excessive.

— *A small latte please.*

— *A tall latte?*

— *No. Small.*

— *Yes, small is tall.*

— *What?*

La serveuse me regarde d'un air désespéré et pointe du doigt un présentoir sur lequel je peux voir trois gobelets de tailles différentes, avec leur taille inscrite en-dessous. *Grande. Venti. Talle.* Consternée, je m'aperçois que ce dernier est effectivement le plus petit des trois. «*Small is Tall*». Je suis de retour en Amérique.

J'entre dans l'avion avec cette envie de vide, de peu. Comment tiendrai-je le coup à Montréal? Et si tout m'apparaissait superflu, grotesque... Comment éviter de vivre avec un malaise constant, en comparant sans cesse avec l'Afrique? Je m'imagine dans la ville, pressant le pas devant les vitrines des magasins luxueux, évitant de dîner dans les grands restaurants, refusant les invitations dans les bars branchés. Comment renouer contact avec les miens qui ont continué à évoluer dans cet univers sans creuser un fossé entre nous? À cette pensée, je prends soudainement conscience que je n'ai pas fait couper mes cheveux depuis six mois. Je me rends à la salle de bain, inquiète de l'image que je projetterai à mon arrivée. Je ne suis pas maquillée non plus. J'avais toujours l'habitude de me maquiller avant de sortir de mon appartement, à Montréal. Dans le miroir, mon reflet me sourit. J'ai la peau basanée, les joues et les lèvres rosies par le soleil et un regard différent, le regard d'une adulte. Je retourne m'asseoir, sereine, alors que l'avion avale les derniers kilomètres qui me séparent de Montréal.

Les douanes. Une file interminable. Les sonorités de l'accent québécois, partout autour. J'avance à pas de tortue. À la fois épuisée par le voyage et portée par la poussée d'adrénaline que provoque mon retour. Le carrousel. J'y retrouve mon sac laissé à l'aéroport de Cape Town, ce matin, il y a plus de vingt heures. Je l'empoigne et l'enfile sur mes épaules. Un dernier employé, à qui je tends mon carton de dédouanement. Les portes coulissantes qui s'ouvrent. La foule. Et au cœur de cette masse anonyme, un point d'ancrage. Mon père. Mon père et ses yeux lumineux de père qui revoit sa fille. Ma mère. Ma mère et son sourire soulagé de mère qui retrouve sa fille. À leurs côtés, mes frères jumeaux. Ils ont eu quinze ans pendant mon absence et ils ont tellement grandi que je dois lever les yeux pour les regarder à présent. Mika porte une casquette du Canadien. À travers son sourire timide d'adolescent, je retrouve celui de Soyiso. «Il y a quelques personnes qui aimeraient te voir», dit-il en me prenant doucement par l'épaule et en m'amenant à l'écart de la foule qui se presse à la

Il est si grand!

porte des arrivées. Eux aussi, ils sont là. Comme les piliers de ma vie là-bas, ceux qui m'ont portée pendant mes dernières heures en Afrique. À présent, ce sont les piliers de ma vie en Amérique qui se sont rassemblés pour m'accueillir. Mes meilleures copines. Mon oncle, ma tante. La bande d'amis de l'université, ceux dont je partage l'amitié avec Gregory. Ils sont tous venus. Je les ai quittés avec un regard éteint et un esprit sombre. Je n'ai presque pas écrit. Je ne leur ai pratiquement donné aucune nouvelle. Et ils sont là, avec leurs sourires bienveillants. Alors, je comprends que je n'ai jamais été seule, que je ne serai jamais seule.

Mes parents nous rejoignent, suivis de mon frère Élie, qui porte mon sac comme s'il s'agissait d'un ballon de plage et le pose à mes pieds. Tout le monde est invité à se joindre à nous pour un buffet à la maison familiale.

— Pas trop fatiguée ? demande Élie.

— Je vais avoir plein de temps pour dormir dans les prochains jours, mais pour le moment, j'ai tellement besoin d'être avec vous !

Je m'empresse d'appuyer mes paroles par un geste en le serrant très fort dans mes bras.

— Hé… Relaxe… Tu es juste partie six mois !

— Tu as bien raison.

Ce n'est pas parce qu'il a soudainement l'air d'un homme que je dois abandonner nos rituels. Alors je glisse rapidement ma main dans ses cheveux savamment décoiffés et lui bousille son œuvre en les aplatissant bien comme il faut sur les côtés. Voilà. L'ordre des choses étant dorénavant rétabli, je remets mon sac à dos sur mes épaules. Avant de quitter l'aéroport, le soubresaut d'un vieil instinct. Je jette un dernier coup d'œil parmi la foule. Gregory n'est pas là. Mais ça n'a pas d'importance, je sais chanter à présent. *Et je porte de nouveaux souliers.*

POSTFACE

La prémisse de ce roman est née il y a quelques années, à une époque où j'ai ressenti le besoin de quitter Montréal pour aller travailler l'étranger. J'avais besoin de changer d'air et à l'instar de plusieurs jeunes Québécois, j'ai eu la chance de réaliser mon projet par le biais d'un stage international. Par un concours de circonstances, je me suis retrouvée en Afrique du Sud. Un pays au sein duquel les cicatrices laissées par l'apartheid m'apparaissaient encore flagrantes : une épidémie de Sida, des coupures massives d'eau et d'électricité dans les *townships* et la grande pauvreté de sa population noire... Mais c'est aussi à cet endroit que j'ai découvert la force des chants d'espoir, ceux qui ont permis à Mandela de tenir le coup en prison. J'ai été happée par le désir de réconciliation d'une nation qui, au-delà des années d'humiliation et de manifestations sanglantes, tenait encore debout. Là-bas, grâce à ceux qui ont croisé ma route, j'ai appris le sens de la résilience. Ce sont leurs paroles, leurs regards qui m'ont portée tout au long de la création de ce récit. Si Fleur Fontaine est un personnage fictif, plusieurs personnages secondaires ne le sont pas. Leurs histoires, aussi cruelles, aussi belles peuvent-elles paraître, sont réelles. Grâce à elles, Fleur se transforme et ce roman est une invitation à entrer au cœur de son intimité. Une intimité qui se dévoile au fil du texte romanesque, mais aussi à travers ses marges. Un peu comme si le personnage principal était sorti de sa propre histoire pour la relire et l'annoter. Ses croquis et ses commentaires, des notes d'humeur, des précisions sur des événements sociaux ou historiques, proposent au lecteur une façon ludique d'en apprendre plus sur le pays qu'elle découvre. Dans la même lignée, une seconde porte s'ouvrant sur le périple de Fleur peut être franchie, celle qui mène à son blogue. Un espace virtuel investi par un personnage fictif de roman... à explorer en parallèle à la lecture de celui-ci. Le lecteur désirant prolonger sa rencontre avec elle peut donc se rendre à l'adresse **www.souliersdemandela.com** et retracer, par le biais de photos et de textes, une tout autre facette de son séjour en Afrique. Sur ce, je vous souhaite, à votre tour, un très beau voyage dans son univers !

Remerciements

Un merci tout spécial à Yannick B. Gélinas qui a été la première à m'encourager à prendre la plume pour raconter l'Afrique.

Merci aux autres copines de l'OBC qui m'ont toujours poussée à me dépasser.

Merci du fond du cœur à Emmanuelle Bienvenue, ma formidable compagne d'écriture.

Merci à tous ceux qui m'ont offert leur aide au cours de cette aventure littéraire : Frédéric Lapierre, Annie-France Charbonneau, Patrick Senécal, Henri Lamoureux et le programme de parrainage de l'UNEQ, Stéphanie Lapointe, Loïc Guyot, Anita Jajour, Shirley De Susini et Louise Lemelin, qui a le don de me rendre meilleure dans la création.

Merci à mon éditrice Isabelle Longpré pour la belle connivence littéraire, pour son regard pertinent et ses multiples idées. Je lui dois beaucoup ! Merci aux autres membres de l'équipe des éditions Québec Amérique, en particulier Mylaine Lemire, Nathalie Caron et Anouk Noël, qui ont travaillé fort pour faire en sorte que ce roman existe dans sa forme actuelle.

Merci au merveilleux éditeur qui partage ma vie et qui sait me rendre plus forte.

Enfin, merci à mes parents qui ont mis beaucoup d'énergie et de temps dans leur vie à corriger mes textes et mes travaux scolaires. Ils m'ont offert mes plus beaux cadeaux : le sens de la rigueur, l'amour de la langue française et le bonheur d'écrire.